9- 28-09

9- 28-09

Vidas de los Santos

Vidas de los Santos

El Reverendo Alban Butler

Edición abreviada e ilustrada con introducción
del Reverendo Dr. James Bentley

LIBSA

NOTA DEL EDITOR

Para esta edición de *Vidas de los Santos* de Butler, se han seleccionado 235 entradas de las 535 que contenía la edición ilustrada del siglo XIX y en algunos casos se han abreviado considerablemente, si bien se ha tratado por todos los medios de conservar el estilo original de la obra. La presente selección muestra en la medida de lo posible la amplitud de la erudición de Butler al incluir santos de diferentes países y diversos períodos históricos, así como algunas de las festividades más importantes del calendario cristiano. La mitad del número total de ilustraciones se han tomado de la edición del siglo XIX, procediendo el resto de las colecciones de manuscritos de la British Library y la Bodleian Library de Oxford. El trabajo de edición y búsqueda de las ilustraciones ha sido llevado a cabo por Christine O´Brien.

Vidas de los Santos es una versión abreviada de *Butler's Lives of the Saints* publicada en dos volúmenes por J.S. Virtue & Co., Limited, Londres y Dublín en 1883.

© 2009, Editorial LIBSA
c/ San Rafael, 4
28108 Alcobendas (Madrid)
Tel.: (34) 91 657 25 80
Fax: (34) 91 657 25 83
e-mail: libsa@libsa.es
www.libsa.es

Traducción: M.ª Luisa Ortega

ISBN: 978-84-662-1913-6

ÍNDICE

ÍNDICE DE ILUSTRACIONES

INTRODUCCIÓN

En 1745 la Francia católica pareció por un momento poder conseguir su antigua ambición de convertir a sus vecinos protestantes, incluyendo a Gran Bretaña, en reinos católicos. En Fontenoy, Flandes, las tropas francesas consiguieron vencer a una fuerza de 15.000 soldados bajo el mando del duque protestante de Cumberland, dejando 7.000 hombres muertos o moribundos en la costa británica.

Alban Butler estaba por aquel entonces de profesor en un colegio católico cercano. Aunque era uno de los más devotos sacerdotes católicos de su época y compartía las esperanzas de los franceses de que algún día su Inglaterra nativa volvería al redil católico, era también un hombre de una profunda compasión para con sus semejantes, hombres y mujeres, y en especial para con sus compatriotas ingleses. Cuando los victoriosos franceses llevaron a los prisioneros heridos ingleses a Douai, Butler se puso en camino inmediatamente con el fin de reconfortarlos. Sus esfuerzos impresionaron de tal forma a Cumberland que el duque prometió velar de manera especial para que Butler pudiera regresar algún día a su patria. Era una generosa promesa. Los católicos habían inculcado en su momento el odio en muchos corazones ingleses. Como Butler sabía bien, las leyes que los penalizaban todavía se encontraban en los códigos ingleses.

Había nacido en Northamptonshire en 1711, el segundo de tres hermanos. Sus padres católicos, Simón y Ann Butler, decidieron que su hijo estudiase en Lancashire, durante mucho tiempo baluarte del catolicismo. El joven pareció desarrollar un fuerte amor por la literatura y la historia religiosa. Cuando apenas contaba ocho años, sus padres estuvieron de acuerdo en que Butler continuase su educación mandándole al extranjero, a estudiar a Douai en Flandes. Allí se había establecido un colegio católico en 1568 para formar sacerdotes que pudiesen posteriormente volver a sus países de origen como misioneros católicos.

Tanto Ann como Simón murieron poco después de que Butler llegara a Douai. Cumpliendo con su promesa, Alban se ordenó sacerdote en 1735. Su carrera floreció, y en el colegio católico pronto se reconocieron sus cualidades nombrándolo primero profesor de filosofía y después de teología, función esta que desempeñaba cuando se produjo la terrible batalla de Fontenoy. Empezó a publicar libros eruditos y espirituales. Pero su mayor ambición era estudiar la vida de los santos, planeando escribir una magnífica obra que le diera la fama.

Alban Butler adoraba la lectura: «Cuando estaba solo, leía», recordaba su sobrino, «cuando estaba acompañado leía, mientras comía, leía; hiciera lo que hiciese, leía.» Puesto que Butler hablaba italiano, francés y español, y leía latín y griego, investigaba tanto en la literatura antigua como en la moderna buscando saber más y más acerca de sus apreciados santos. En 1616 los estudiosos belgas habían comenzado una batida por las grandes bibliotecas europeas en busca de información, leyendas y cuentos sobre los santos. Estos y sus sucesores habían publicado ya cuarenta y un volúmenes sobre el tema en la época de Butler. Este los conocía todos.

Finalmente sus superiores enviaron a su destacado profesor de vuelta a Inglaterra para servir como sacerdote misionero. Naturalmente, Alban deseaba trabajar cerca de Londres, donde podía encontrar más obras acerca de los santos que eran la pasión de su vida. Sin embargo, su obispo lo destinó a Saffordshire, el condado donde se encontraba el hogar de su madre. Afligido, Butler, suplicó no ir pero ante la insistencia del obispo y después de muchas súplicas, el humilde estudioso asintió. El siguiente destino fue como tutor en la casa del católico duque de Norfolk. Ahora la promesa de Cumberland debía cumplirse. Se enviaron muchas cajas que contenían los apreciados libros de Alban, pero no al palacio del duque sino al del hostil obispo de Norfolk. Éste al darse cuenta de que eran de la propiedad de uno de sus oponentes religiosos, se negó a entregárselos a su verdadero poseedor, por lo que Alban Butler apeló a Cumberland, quien escribió al obispo insistiendo en los derechos de Alban, y el obispo se los entregó.

Después de treinta años de trabajo, Alban Butler estuvo preparado para publicar la obra de su vida. La primera edición apareció en Londres de forma anónima. Incluso el editor juzgó más inteligente no añadir su propio nombre. Bajo el título *The Lives of the Fathers, Martyrs and others principal Saints* (Las Vidas de los Santos Padres, Mártires y otros Santos Principales), aparecieron dos extensos volúmenes en 1756, seguidos de tres más entre 1757 y 1759. Habrían sido incluso más voluminosos si Butler les hubiera dado su propia forma, pero se le persuadió a su pesar para que omitiese sus copiosas notas de carácter erudito.

Las *Vidas de los Santos*, como llegaría a ser conocida la obra, incluía las biografías de unos 1.600 venerados hombres y mujeres de la historia cristiana cuyas variadas y a veces peligrosas vidas habían hecho que la Iglesia en la tierra los considerase especialmente dignos de imitar y venerar. Fue inmediatamente aclamado apareciendo pronto una edición en doce volúmenes en Dublín y una similar en Edimburgo. Los franceses la tradujeron e igualmente los italianos. Algunas de estas ediciones incluían las notas que Butler se había visto obligado a omitir, y a través de ellas podemos apreciar la inmensa y cariñosa dedicación que había puesto en su obra.

Con todo, la *Vidas de los Santos* no es en ningún caso la obra de un pedante aburrido. Alban Butler fue un profesor nato, un escritor magnífico y un hombre de fe translúcida. Por estas razones su obra ha influido y deleitado tanto a generaciones de católicos (como veremos) como de no católicos. En sus propias palabras, su objetivo era ofrecer al lector «un entretenimiento espiritual diario». Butler apreciaba lo que él llamaba «los encantos más atractivos de la historia» y al narrar las historias de los santos cristianos deseaba utilizar esos encantos para el bienestar espiritual de sus lectores.

Como lo expresaban las brillantes palabras del propio Butler, los santos fueron «los personajes más grandes que han adorado al mundo, los ornamentos más brillantes de la iglesia militante, las estrellas y soles radiantes de la iglesia triunfal y nuestros futuros compañeros en la gloria eterna». De sus vidas de penitencia y comportamientos sagrados deseaba aprender a llevar una vida virtuosa. Pero la virtud, como sabía, puede parecer «árida y aburrida». Su influencia, insistía, debe comunicarse con placer, «animada y viva, ataviada con todos sus encantos, mostrando todos sus poderes». Así, este hombre santo que había amado la literatura desde su infancia utilizaba cualquier pizca de talento literario para seducir a sus lectores. Es el producto de ese talento lo que se ha plasmado en el presente volumen, recogiendo lo más sobresaliente de Alban Butler, y sin perder nunca el encanto o la esencia de la obra en su conjunto.

¿Lo habría aprobado Butler? Sin duda recordando su disgusto al tener que eliminar sus notas eruditas de la primera edición de su obra, Butler escribió una vez con acritud justificable que «rara vez se puede confiar en los *autores* que pulen el estilo o abrevian las historias de los demás». La expresión «rara vez» debe excusar este compendio por dos razones. En primer lugar, sigue su propia costumbre de ordenar a los santos en concordancia con el año cristiano (aunque tal y como está establecido actualmente por la iglesia, en lugar de como lo estaba en el siglo XVIII). En segundo lugar, conserva cuidadosamente el estilo de entradas propio de Butler.

En lo referente a esta segunda virtud, este compendio es único. Otros han intentado realizar un resumen de la obra de Butler pero destruyendo completamente su estilo. Hace medio siglo, por ejemplo, el jesuita Herbert Thurston y el hagiógrafo Donald Attwater colaboraron en una edición de Butler en doce volúmenes que asombrosamente no conservaba apenas nada del original. Thurston incluso confesaba al creyente que el estilo de Butler era «deplorablemente pomposo y prolijo» y Attwater llegó a tildar la forma de escribir de Butler de «pesada».

La verdad es que la generación de Butler produjo algunos de los más grandes estilistas británicos de la prosa —Gibbon, Hume, Pope, Johnson, Swift, Walpole, por nombrar sólo algunos—. Butler posee un honorable lugar entre ellos. He citado algunas de sus joyas, y el lector disfrutará con sus talentos en el contenido de este libro; pero no me resisto a añadir una sentencia lapidaria de su descripción de Santa Isabel de Hungría, quien a pesar de ser reina se hacía sus propios vestidos y cocinaba su comida. «Mientras sus manos estaban ocupadas», escribía Butler, «su corazón conversaba con Dios.»

Edward Gibbon, el gran estilista de la época, y poco amigo del catolicismo, alabó a Butler describiendo su *Vidas de los Santos* como una obra de mérito, de sentido y de erudición. Gibbon añadió: «sus prejuicios son los propios de su profesión». Incluso esta segunda consideración es un cumplido indirecto. Por supuesto Butler creía en los milagros, en el papado, en la eficacia de los sacramentos, en las enseñanzas de la Iglesia Católica; pero siempre que considera algo manifiestamente falso o históricamente dudoso no vacila nunca en decirlo.

Cuando las generaciones posteriores hurgaron en su *Vidas de los Santos* empezaron también a apreciar las ilustraciones bellamente pintadas, realizadas al estilo medieval para ilustrar su texto. Estas han tomado hoy el delicioso encanto de la época, embelleciendo la presente obra. Los editores han buscado nuevas ilustraciones, esta vez auténticamente medievales, no obstante suficientemente parecidas en espíritu a las primeras, de forma que puedan complementarse.

Mientras narra las hazañas de sus héroes, este libro respira la piedad y bondad del mismo Alban Butler. Aunque todos los católicos de su generación consideraban heréticos a los protestantes, su *Vidas de los Santos* comienza inmediatamente a hablar atravesando las líneas divisorias confesionales. Uno de sus primeros admiradores fue un sacerdote anglicano, el reverendo William Cole, rector de Blétchley y vicario de Burnham Beeches. Habiendo conseguido y leído atentamente los cuatro volúmenes de la primera edición, Cole decidió visitar al autor, quien era ahora presidente del colegio Inglés en Saint-Omer en el norte de Francia. Butler insistió para que su admirador anglicano no se albergara en una posada sino en el mismo colegio, enviando a buscar el equipaje y al sirviente de Cole e instalándoles junto a él. Cole regresó a Inglaterra abrumado por la gentileza de Butler, agradecido de que le hubiese mostrado todo el colegio, maravillado de que «probablemente sea el primer sacerdote de la Iglesia de Inglaterra que entra en el interior de esos muros». Por lo que respecta a Butler, escribió a su huésped: «Siempre estaré muy agradecido por la bondad que ha tenido en aceptar nuestro humilde alojamiento.»

Alban Butler vivió siete años más. Aceptando sin vanagloriarse los favores de los obispos de Saint-Omer, Arras, Ypres y Boulogne-sur-Mer, se le pudo ver aún paseándose por la calle con un libro debajo de su nariz, y un par más bajo cada brazo. El 15 de mayo de 1773 murió. Centenares lloraban mientras permanecían alineados en las calles de la vieja ciudad amurallada, viendo cómo portaban su cuerpo en procesión y lo colocaban para que descansase cerca de donde solía escuchar sus confesiones. Al describir la escena, la madre inglesa de uno de sus jóvenes alumnos escribía: «Querido Señor Butler, murió como un santo y cuando sus homilías se acababan, las lágrimas de devoción caían por su rostro. Con sus ojos elevados hacia el Cielo abandonaba este mundo miserable.» En la *Vidas de los Santos* continuó viviendo.

James Bentley
Octubre, 1989

San Basilio

EL GRANDE, ARZOBISPO DE CESÁREA *(lám. 1)*

† 379

San Basilio, doctor de la iglesia, nació en el año 329 en Cesarea, la metrópolis de Capadonia. Autodidacta en sus primeros tiempos, aprendió todo lo que las escuelas de Cesárea y Constantinopla podían enseñarle, posteriormente la sed de conocimiento le llevó a Atenas. San Basilio, quien había conocido a San Gregorio Nacianzeno en Cesarea, se regocijó de encontrar a un amigo tan apreciado en Atenas en el año 352. Ambos se hospedaban en el mismo lugar y parecían no tener más que una voluntad. San Basilio era amante de todas las artes liberales y las ciencias. Pronto consideró a Atenas un oráculo, pero consideró que en él se apoyaban para servir en su propio país. De ahí que, dejando atrás por algún tiempo a San Gregorio, dejase Atenas en el 355 y se afincase en Cesárea, donde abrió una escuela de oratoria. Viendo que recibía el mayor de los aplausos, sintió su corazón asaltado por la tentación de la vanagloria y poco después determinó renunciar al mundo. Abandonó la mayor parte de su pompa y abrazó la condición de monje pobre.

San Basilio viajó en el 357 por Siria, Mesopotamia y Egipto y visitó los más renombrados monasterios, instruyéndose en todos los deberes de la vida monástica. En el 358 regresó a Capadonia, fue ordenado lector y se retiró en Pontus a la casa de su abuela a las orillas del río Iris. San Basilio estableció un monasterio en la otra ribera del río, que gobernó durante cinco años, hasta que en el 362 dejó la abadía a San Pedro de Sebaste. San Basilio fundó otros muchos monasterios, tanto de hombres como de mujeres, en diferentes partes de Pontus, que continuó supervisando incluso cuando llegó a ser òbispo. La orden de San Basilio es seguida hasta ahora por los monjes orientales. Nacianzeno siguió a Basilio en su retiro en Pontus.

En el año 362 Basilio regresó a Cesárea y continuó con la misma forma de vida en la ciudad, excepto por añadir a sus otras labores la de predicas al pueblo. Eusebio, el obispo, le había ascendido al sacerdocio, pero después riñó con él y le expulsó de su iglesia. El santo se retiró y regresó a Pontus, donde recobró la compañía de San Gregorio. De vuelta en Cesárea, después de tres años, para defender a la iglesia de los arrianos, fue consagrado arzobispo. Rezumando sangre de muchos mártires, el Emperador Valens arrasó muchas provincias, manchándolas con Arrianismo y llegó a Capadonia. Mandó por delante de él al Prefecto Modestus quien llamó a Basilio para que se presentase ante él. A las amenazadoras palabras de Modestus, Basilio contestó: «Puedes amenazarnos y atormentarnos, pero nunca nos vencerás.» Y Valens apartó cualquier intento posterior de hacerle daño. En el año 378 la paz fue restaurada para la iglesia del Emperador Cratiano. San Basilio cayó enfermo ese mismo año y abandonó esta vida el uno de febrero del año 379.

LAMINA 1. SAN BASILIO, 2 DE ENERO. BRITISH LIBRARY, EGERTON M 859, F. 16

Santa Genoveva

PATRONA PRINCIPAL DE LA CIUDAD DE PARÍS

(lám. 2)

† SIGLO VI

El padre de Genoveva se llamaba Severus y su madre Gerontia. Ella nació alrededor del año 422 en Nanterre, una pequeña aldea a seis kilómetros de París. Cuando San Germán, obispo de Auxerre, fue con San Lupo a Inglaterra para oponerse a la herejía Pelagiana pasó por Nanterre en su camino. Los habitantes se congregaron a su alrededor para recibir sus bendiciones y San Germán reparó en Genoveva, aunque sólo contaba con siete años. Después de su discurso preguntó sobre sus padres y dirigiéndose a ellos predijo la futura santidad de su hija. Entonces preguntó a Genoveva si no era su deseo servir a Dios en condición de virgen perpetua. La virgen contestó que eso era lo que más había deseado. El arzobispo le dio una medalla de latón en la que había grabada una cruz para que la llevase siempre alrededor de su cuello.

A la edad de quince años aproximadamente se presentó ante el obispo de París para recibir el velo religioso de sus manos. Desde entonces ella sólo comía dos veces a la semana, los domingos y los jueves. Su comida se constituía de pan de cebada con algunas judías. A la edad de cincuenta años mitigó su austeridad por orden de ciertos obispos, de manera que se permitió el uso moderado del pescado y la leche. Sus oraciones eran casi continuas y generalmente acompañadas de llantos. Después de la muerte de sus padres se instaló con su abuela en París. Dios permitió que sufriera algunas severas pruebas; pues en una época determinada todas las personas parecían haberse puesto de acuerdo contra ella. Sus enemigos estaban totalmente decididos a ahogarla, cuando llegó el archidiácono de Auxerre con el pan bendecido que le enviaba San Germán, como un testimonio de la estima que sentía por sus virtudes. Esto convirtió los prejuicios de aquellos que la calumniaban en una singular veneración para con ella por el resto de su vida. Los francos habían entonces tomado las mejores partes de la Galia, y Childeric, su rey, tomó París. Durante el prolongado sitio de la ciudad los ciudadanos, que estaban extremamente afligidos por el hambre de Santa Genoveva, salieron a la cabeza de una compañía para procurarse provisiones y trajeron numerosos barcos cargados de grano. No obstante Childeric, a pesar de haber sido siempre un pagano, respetaba a Santa Genoveva y gracias a su intercesión perdonó la vida a muchos prisioneros.

Ante las noticias de la marcha de Atila con su ejército de hunos, los parisinos se dispusieron a abandonar su ciudad, pero Santa Genoveva les persuadió para que se esforzasen en apartar el azote ayunando, velando y rezando. Aunque muchos la trataron durante largo tiempo como a una impostora, el evento confirmó la predicción de que los bárbaros cambiarían repentinamente el curso de su marcha. Santa Genoveva murió el 3 de enero del año 512, contando ochenta y nueve años de edad. El pueblo levantó un oratorio de madera sobre su tumba y éste fue pronto trasladado a la majestuosa iglesia construida bajo la invocación de los Santos Pedro y Pablo.

San Simeón

ESTILITA

† 459

San Simeón era hijo de un humilde pastor de Cilicia en las fronteras de Siria y en un principio cuidó del rebaño de su padre. Contando sólo con trece años se emocionó mucho al oír un día las Bienaventuranzas leídas en la iglesia. La juventud le llevó a dirigirse a un anciano con el fin de aprender el significado de aquellas palabras. Este le contó que la oración continuada, el ayuno, la vigilia, la humildad y el sufrimiento paciente se señalaba en esos textos como el camino hacia la verdadera felicidad.

Simón reparó en un monasterio en ese vecindario y se mantuvo postrado ante la verja durante varios días sin comer ni beber, suplicando ser admitido en condición del más humilde servidor de la casa. Su petición finalmente conmovió a los responsables del monasterio y le fue concedida. Habiendo pasado allí dos años, se trasladó al monasterio de Heliodoro. Aquí Simeón incrementó considerablemente sus mortificaciones. Considerando la ruda cuerda de un pozo un instrumento apropiado de penitencia, se la ató fuertemente alrededor de su cuerpo desnudo, y así la mantuvo hasta que, habiendo comido su carne la soga, lo que había hecho privadamente se descubrió por el hedor que desprendían sus heridas. Cuando se hubo recuperado, el abad, para prevenir las dañinas consecuencias que una singularidad tan peligrosa podría ocasionar en perjuicio de la uniformidad de la disciplina monástica, lo despidió.

Después de esto reparó en una ermita al pie del monte Thesalisa, donde decidió pasar los cuarenta días de Cuaresma en total abstinencia. Esta fue la manera en la que mantuvo la Cuaresma durante el resto de su vida. Después de pasar tres años en esta ermita, el santo se trasladó a la cima de la misma montaña donde, reuniendo algunas rocas sueltas en forma de muro, se hizo un recinto, pero sin ningún tipo de techumbre que le protegiese del clima; y para confirmar su resolución de seguir esta forma de vida, fijó su pierna derecha a una roca con una gran cadena de hierro. Meletio, vicario del Patriarca de Antioquía, le dijo que una voluntad firme bastaba sin tener que recurrir a restricciones corporales; en seguida, el obediente siervo de Dios mandó a por un herrero e hizo que cortara su cadena.

La montaña comenzó a llenarse y el retiro que su alma tanto buscó se vio interrumpido por las multitudes que se congregaban para recibir su bendición. En el año 423 erigió un pilar de tres metros de altura y residió en él cuatro años; en un segundo pilar de cinco metros, vivió tres años; en un tercero de diez metros, diez años y en un cuarto de dieciocho metros de alto, los últimos veintisiete años de su vida. Así, vivió treinta y siete años en pilares y se le llamó Estilita por la palabra griega *stylos* que significa un pilar. Muchos se convirtieron por sus milagros y los discursos que eran seguidos con gran devoción. En el 459, el dos de septiembre, este incomparable penitente, inclinado sobre un pilar como si intentase rezar, entregó su espíritu contando sesenta y nueve años de edad.

LAMINA 2. SANTA GENOVEVA, 3 DE ENERO, BUTLER *VIDA DE LOS SANTOS*, DOS VOLUMENES ILUSTRADOS, EDICION DEL SIGLO XIX.

6 DE ENERO

LA EPIFANÍA DE NUESTRO SEÑOR *(lám. 3)*

Epifanía, término original griego que significa aparición o manifestación, es una festividad solemnizada principalmente en honor del descubrimiento que Jesucristo hizo de sí mismo ante los Reyes Magos, u hombres sabios; quienes, poco después de su nacimiento, inspirados por el Altísimo Dios, vinieron a adorarlo y a llevarle presentes.

Otras dos manifestaciones de Nuestro Señor se conmemoran conjuntamente en este día en el oficio de la iglesia: cuando en su bautismo el Espíritu Santo descendió sobre él en la forma visible de una paloma, y una voz procedente del cielo se escuchó al mismo tiempo: «Este es mi Hijo amado, en quien tengo puesta toda mi complacencia». La tercera manifestación fue la de su divino poder en la realización de su primer milagro, la transformación del agua en vino en las Bodas de Caná.

La llamada de los Gentiles de Belén para rendir homenaje al Salvador del mundo fue obedecida por los que las Escrituras mencionan bajo el nombre y título de Magos; pero guardan silencio respecto a su número. La opinión general afirma que fueron tres. Los sabios fueron guiados hasta Jerusalén, o sus cercanías, por una estrella que allí desapareció; después de lo cual supusieron razonable-

mente que habían llegado al final de su viaje y que, en toda la ciudad real, escucharían por todas las calles las aclamaciones de un pueblo feliz y conocerían el camino al palacio real que el nacimiento de su rey hiciera famoso. Pero para su gran sorpresa la corte y la ciudad seguían tranquilas. Firmes en la resolución de seguir la llamada divina, preguntaron en la ciudad y en la corte de Herodes, y supieron en seguida por el Sanhedrin, o gran consejo de los judíos, que Belén era el lugar que había sido honrado con el nacimiento del Mesías.

Los Magos, siguiendo las costumbres de las naciones del Este, donde uno no puede presentarse ante los grandes príncipes sin presentes, regalaron a Jesús, en homenaje, oro como reconocimiento de su poder real, incienso como una confesión de su Divinidad y mirra como testimonio de su encarnación en hombre para redimir al mundo. Los Reyes Magos, estando a punto de regresar a casa, fueron apartados de su propósito de comunicar a Jerusalén donde se encontraba el niño por una particular indicación de Dios, y tomaron otro camino hacia su país.

El autor antiguo del imperfecto comentario a San Andrés dice que fueron después bautizados en Persia por el apóstol Santo Tomás y que se convirtieron ellos mismos en predicadores del espíritu. Se dijo que sus cuerpos fueron trasladados a Constantinopla bajo el reinado de los primeros emperadores cristianos. Desde allí fueron trasla-

LAMINA 3. LA ADORACION DE LOS REYES MAGOS, 6 DE ENERO.
BRITISH LIBRARY, ADD. MSS 54782, F. 119V.

dados a Milán. La toma de Milán por el Emperador Barbarroja provocó que sus cuerpos se llevasen a Colonia en el siglo XII.

7 DE ENERO (23 DE ENERO)

San Raimundo

DE PEÑAFORT

† 1275

Raimundo nació en 1175 en Peñafort, un castillo de Cataluña. Fue tan rápido su progreso en los estudios que a la edad de veinte años enseñaba filosofía en Barcelona. Tenía alrededor de los treinta cuando fue a Bolonia para perfeccionarse en el estudio del derecho civil y canónico. En 1219 Berengario, obispo de Barcelona, quien había sido obispo en Roma, llevó consigo a Raimundo y le nombró archidiácono. En 1221 tomó el hábito religioso de Santo Domingo en Barcelona. En un momento de compunción suplicó a sus superiores que le impusieran alguna severa penitencia. En realidad le impusieron una penitencia, pero no del tipo que él esperaba. Se trataba de escribir una colección de casos de conciencia para la instrucción de confesores y moralistas. Estos constituyeron su *Suma*, la primera obra de su naturaleza.

El papa Gregorio IX, habiendo llamado a San Raimundo a Roma en 1230, lo nombró su capellán, lo hizo su confesor y en los asuntos difíciles no tomaba ninguna decisión sin su consejo. El Papa ordenó al santo que reuniese en un cuerpo todos los decretos dispersos de Papas y consejeros, a partir de la colección realizada por Gratian en 1150. Raimundo compiló esta obra en tres años, en cinco libros, llamados comúnmente los *Decretales*.

A causa de su salud regresó a su país de origen y, siendo devuelto a su querida soledad en Barcelona, continuó sus anteriores ejercicios de contemplación, predicación y administración del sacramento de penitencia. Se le empleó con frecuencia en importantes comisiones, tanto por la Santa Sede como por el rey. Pero quedó asombrado por la llegada de cuatro delegados del cabildo general de su orden en 1238 con las noticias de que había sido elegido tercer general. Lloró y suplicó pero finalmente consintió. Hizo la visitación de la orden a pie y redujo los estatutos a un método más claro, con notas en los pasajes dudosos. Este, su código de reglas, fue aprobado en tres cabildos generales. En uno sostenido en París en 1239 procuró que una dimisión voluntaria de un superior, fundada sobre justas razones, fuese aceptada. Esto consiguió su propio favor; pues, para el gran pesar de la orden, renunció a su generalato al año siguiente, cargo que sólo había desempeñado durante dos años. Alegó como razón la de sus sesenta y seis años.

Contento de verse de nuevo como un hombre religioso privado, se aplicó a la conversión de los sarracenos. Teniendo presente este fin, comprometió a Santo Tomás para que escribiera su obra *Contra los Gentiles* y erigió conventos entre los moros. En 1256 escribió a su general que cinco mil moros habían recibido el bautismo. Durante su última enfermedad, Alfonso, rey de Castilla, y su familia lo visitaron y recibieron su última bendición. Raimundo entregó su alma a Dios el 6 de enero del año de 1275 y a la edad de cien años.

10 DE ENERO

San Pablo

EL PRIMER ERMITAÑO *(lám. 4)*

† 342

Este santo era oriundo del bajo Egipto, y había perdido a sus padres cuando sólo contaba quince años; no obstante era muy diestro en las lenguas griega y egipcia y temeroso de Dios desde su niñez. La sangrienta persecución de Decius turbó la paz de la Iglesia en el 250; y durante esta época de peligro Pablo se mantuvo oculto. Al ver que un cuñado suyo podría traicionarlo, se refugió en el desierto. Eligió como hogar una cueva cerca de la que había una palmera y un claro manantial; la primera le proporcionaba sombra con sus hojas y comida con sus frutos; el último saciaba su sed con agua.

Pablo tenía veintidós años cuando se adentro en el desierto. Su primera intención era la de disfrutar de libertad hasta que las persecuciones cesasen; pero disfrutando de las ventajas de la soledad decidió no regresar entre los hombres. Vivió en su árbol hasta que tuvo cuarenta y tres años, y desde entonces hasta su muerte se alimentó milagrosamente con el pan que todos los días le traía un cuervo.

Al gran San Antonio, que por entonces tenía noventa años, le encomendó Dios salir en busca de un perfecto servidor suyo, escondido en las más remotas partes del desierto. Después de dos días y una noche en su búsqueda encontró el paradero del santo, y habiendo suplicado durante largo tiempo la entrada ante la puerta, San Pablo finalmente la abrió con una sonrisa. Mientras estaban conversando juntos, un cuervo voló hacia ellos y dejó caer un trozo de pan. Habiendo dado las gracias a Dios se sentaron al lado de la fuente; pero entre ellos surgió una pequeña discusión acerca de quien debía partir el pan; San Antonio alegaba la mayor edad de San Pablo, y San Pablo replicaba que San Antonio era el extranjero. Finalmente estuvieron de acuerdo en coger cada uno su parte a la vez.

A la mañana siguiente San Pablo dijo a su huésped que la hora de su muerte se acercaba, y añadió: «Ve y trae el manto que San Atanasio te dio, en el que deseo que envuelvas mi cuerpo.» San Antonio se apresuró hacia su monasterio y, habiendo cogido el manto, regresó con él a toda prisa temiendo que el ermitaño hubiese muerto. Cuando llegó a la cueva encontró el cuerpo postrado sobre sus rodillas y las manos extendidas. Creyendo que aún estaba vivo, se arrodilló para orar con él, pero por su silencio percibió pronto que estaba muerto. Al tiempo que San Antonio permanecía perplejo pensando cómo cavar la sepultura, dos leones se acercaron lentamente y, rasgando la tierra, hicieron un hoyo lo suficientemente grande para contener el cuerpo de un hombre. San Antonio regresó a casa, y siempre conservó como un gran tesoro, llevándolo siempre en todas las festividades, el vestido de San Pablo de palmas cosidas la una a la otra. San Pablo murió en el año 342.

[Nota del Editor: el culto a San Pablo fue suprimido en 1969 en la Iglesia Católica Romana.]

11 DE ENERO
San Teodosio
EL CENOBIARCA
† 529

San Teodosio nació en Capadonia en el año 423. Un día fue llamado a visitar los Santos Lugares y se puso bajo la dirección de un hombre santo llamado Longino, por quien pronto se hizo querer gracias a su virtud. Una mujer piadosa había construido una iglesia en el camino de Belén, y Longino no pudo rechazar la súplica de que su discípulo se hiciera cargo de ella; pero a Teodosio no pudo inducírsele a que obedeciera. Fueron necesarias órdenes rotundas para forzarlo a la obediencia. Tampoco duró mucho su gobierno. Se retiró a una cueva en lo alto de un desierto cercano. Muchos deseaban servir a Dios bajo su dirección.

Construyó un espacioso monasterio no lejos de Belén, a corta distancia de su cueva, y se llenó pronto de monjes sagrados. A este monasterio se añadieron tres enfermerías, una para los enfermos, otra para los ancianos y débiles, la otra para los que hubieran perdido el sentido, y muchos edificios para la recepción de los extranjeros. El monasterio era como una ciudad de santos en mitad del desierto. Existían tres iglesias que pertenecían a él, una para cada una de las tres naciones de las que se componía su comunidad; la cuarta para el uso de aquellos que estuvieran en penitencia. Sallust, obispo de Jerusalén, nombró a San Sabas superior general de los ermitaños, y a nuestro santo de los Cenobitas, u hombres religiosos que viven en comunidad

por toda Palestina, de ahí que le llamase el celobiarca.

El emperador Anastasio fomentó la herejía eutiana y utilizó todos los medios posibles para comprometer a nuestro santo con su partido. Mandó a Teodosio una considerable suma de dinero. El santo la distribuyó entre los pobres. Anastasio persuadido ahora de que era lo suficientemente bueno como para ganarlo para su causa, le envió una profesión de fe herética. El santo le escribió una contestación en la que, además de refutar la herejía eutiana, añadía que estaba preparado para entregar su vida por la fe de la iglesia. Teodosio viajó por toda Palestina exhortando a todos a permanecer firmes en la fe de los cuatro concilios generales. El emperador mandó una orden de destierro, que fue ejecutada; pero moribundo poco después, Teodosio fue llamado por el sucesor Justino.

Nuestro santo sobrevivió once años a su regreso. Durante el último año de su vida sufrió de un doloroso malestar, en el que dio prueba de su heroica paciencia. Percibiendo cercana la hora de su desaparición, dio sus últimas exhortaciones a sus discípulos. La muerte le sobrevino a los ciento cinco años en el año de Nuestro Señor 529.

12 DE ENERO
San Benedicto
OBISPO, CONOCIDO COMÚNMENTE COMO BENNET
† 690

Benedicto era de noble descendencia y uno de los dignatarios de la corte de Oswi, el rey de Northumbers. A la edad de veinticinco años realizó un viaje a Roma y a su regreso se consagró enteramente al estudio de las escrituras y otros ejercicios sagrados. Algún tiempo después, nuestro santo viajó allá por segunda vez, y desde Roma fue al gran monasterio de Lérins y allí tomó el hábito monástico. Después de esto regresó a Roma donde recibió la orden de acompañar a San Teodoro y a San Adrián a Inglaterra. San Bennet permaneció aproximadamente dos años en Kent. Entonces emprendió un cuarto viaje a Roma con la intención de perfeccionarse en las reglas de la vida monástica, para cuyo propósito permaneció durante un tiempo considerable en Roma y en otros lugares. Se trajo a casa una selecta biblioteca, reliquias y pinturas.

Cuando regresó a Northumland el rey Egfrid (quien había sucedido a Oswi) le otorgó setenta arados de tierra para construir un monasterio. Lo fundó en la desembocadura del río Wear. Cuando el monasterio estuvo construido San Bennet fue a Francia y se trajo hábiles albañiles que construyeron la iglesia de piedra al estilo romano, y vidrieros, puesto que el arte de la fabricación del vidrio era por aquel entonces desconocido en Inglaterra. En un quinto viaje a Roma se surtió de un conjunto de buenos libros.

Su primer monasterio de Wearmouht tomó el nombre de San Pedro; y fue tal la edificación que el rey añadió una segunda donación de tierras en las que el obispo construyó otro monasterio en Jarrow, llamado de San Pablo. Estos dos monasterios eran considerados uno solo. San Bennet dirigía ambos, aunque emplazó en cada uno un superior o abad que continuaron sometidos a él.

San Bennet trajo de Roma en su largo viaje a Juan, chantre en la iglesia de San Pedro, a quien situó en Wearmouth para que instruyera a los monjes en las notas gregorianas y las ceremonias romanas para cantar el oficio divino. Quedando postrado por una parálisis, por la que todas las partes inferiores de su cuerpo quedaron sin vida, permaneció enfermo durante tres años, y durante un tiempo considerable estuvo enteramente confinado en su cama. Durante esta larga enfermedad, no siendo capaz de levantar su voz en la línea usual del canto del oficio divino, mandó a por algunos de sus monjes, y mientras ellos cantaban los salmos propios del día o la noche, él se esforzaba por unir su corazón a los suyos. Exhortó ardientemente a sus monjes a una constante observancia de las reglas que les había dado. «No debéis pensar que los estatutos que habéis recibido de mí eran de mi propia invención; al visitar en mis frecuentes viajes diecisiete monasterios me informé sobre todas las leyes y reglas, y seleccioné de entre ellas las mejores, aquellas que os he recomendado.» El santo expiró poco después, el 12 de enero, en el año 690.

antes de su conversión, y su mujer, de la que tuvo una hija, vivía aún cuando fue elegido obispo de Poitiers alrededor del año 353; pero desde su ordenación vivió en perpetua continencia. No omitió esfuerzos para librarse del ascenso; pero su humildad sólo provocó que la gente deseara con más ardor verlo investido de dignidad. Poco después de ascender a la dignidad episcopal compuso elegantes comentarios al Evangelio de San Mateo. Los de los Salmos los compiló después de su destierro. Desde aquel tiempo la controversia Arriana empleó principalmente su pluma.

El Emperador Constantino, habiéndose esforzado durante numerosos años en compeler a las iglesias occidentales a que abrazasen el Arrianismo, vino al Oeste. El concilio arriano celebrado en Milán en el 355 mereció todos los signos de condenación de San Atanasio. San Hilario escribió en esta ocasión su primer libro a Constantino en el que le imploraba que restaurase la paz en la iglesia. Pero el emperador envió una orden para el inmediato destierro de San Hilario en Phrygia. Permaneció en el exilio hasta pasados tres años, tiempo que empleó en componer numerosos libros eruditos. El principal y más estimado de ellos es *Sobre la Trinidad*.

El emperador, por una injusta intromisión en los asuntos de la iglesia, reunió un concilio de arrianos en Seleucia para socavar el gran concilio de Nicea. San Hilario fue invitado allá por los semi-arrianos que esperaban que ayudaría a aplastar a los fieles arrianos. Pero defendió audazmente los decretos, hasta que cansado de escuchar las blasfemias de los heréticos, abandonó Constantinopla.

San Hilario presentó al emperador su segundo libro para Constantino, suplicando la libertad de mantener una discusión pública con Saturnino, el responsable de su destierro. Los arrianos, temiendo tal prueba, persuadieron al emperador de que eliminase del Este a un hombre que nunca dejaba de perturbar su paz mandando a San Hilario de vuelta a la Galia.

San Hilario volvió a través de Illyricum e Italia para confirmar la debilidad. Fue recibido en Poitiers con gran alegría. Un sínodo convocado en la Galia a instancia suya condenó el de Rimini. Saturnino fue excomulgado. Los escándalos desaparecieron y floreció la piedad. La muerte de Constantino puso fin a la persecución arriana. Nuestro santo emprendió un viaje a Milán en el 364 contra Auxentio, el usurpador arriano de aquella sede, y en pública disputa le obligó a confesar que Cristo era verdaderamente Dios, de la misma sustancia y divinidad que el Padre. Nuestro santo murió en Poitiers en el año 368, el 13 de enero o el 1 de noviembre, por lo que su onomástica se celebra en los martirologios muy antiguos en los dos días.

13 DE ENERO

San Hilario
OBISPO
† 368

San Hilario nació en Poitiers y su familia era una de las más ilustres de la Galia. El mismo afirma que fue arrastrado a la idolatría y daba cuenta de los pasos por los que Dios le condujo al conocimiento de su fe. Estaba casado

14 DE ENERO (13 DE ENERO)

San Kentigern
OBISPO DE GLASCO (Glasgow), APODADO MUNGHO
† SIGLO VI

Este eminente santo del norte de Gran Bretaña era de sangre real y nació alrededor del año 516. Fue puesto desde muy joven bajo la disciplina de San Servanus, Abad de Culross. Por su inocencia y grandes virtudes, era amado por su maestro y compañeros discípulos, razón por la cual se le llamaba Mungho, que significa «gran amado», y éste es el nombre que los escoceses le dan usualmente.

Cuando hubo crecido se retiró a un lugar llamado Glasco donde llevó una vida solitaria en la mayor de las abstinencias, hasta que el clero y el pueblo le solicitaron ardorosamente como su obispo. Fue consagrado por un obispo irlandés, invitado con tal propósito, y fijó su sede en Glasco donde reunió una numerosa compañía de hermanos religiosos, que conformaron su norma de vida sobre el modelo de los primitivos cristianos de Jerusalén. La diócesis del santo era de una vasta superficie, extendiéndose de costa a costa, y siendo salvaje y sin cultivar, hacía frente a sus continuos ejercicios por su celo y paciencia; siempre viajó a pie, no escatimando sufrimientos para difundir la luz del espíritu entre los infieles, de los que convirtió y bautizó un gran número. Habiendo echado profundas raíces la herejía pelagiana entre los cristianos en aquellos lugares, se opuso tan vigorosamente a este mal que los desterró de la iglesia de los pictos (individuos de un pueblo antiguo de Escocia). Entre sus monjes y discípulos, envió muchos misioneros a difundir la fe en el norte de Escocia, en las islas de Orkney, en Noruega y en Islandia.

Por este tiempo tuvieron lugar allí muchas revoluciones en la monarquía. Rydderch, un príncipe digno y religioso, fue obligado por rebeldes bajo las órdenes de Morcant Mawr a huir hacia Irlanda. Al principio de la usurpación de Morcan Mawr, San Kentigern tuvo que huir a Gales, donde permaneció algún tiempo con San David, hasta que Cathwallain, un príncipe religioso de la zona de Denbighshire, le otorgó la tierra situada en la confluencia de los ríos Elwy y Cluid, sobre la que edificó un famoso monasterio y escuela, llamado Elwy, donde un gran número de discípulos y estudiosos pronto se pusieron bajo su dirección.

Después de la muerte de Morcant, Rydderch volvió de Irlanda, y San Kentigern regresó a Glasco, llevándose con él cientos de sus discípulos, habiendo probablemente ascendido mucho su número después de la muerte de Daniel, obispo de Bangor, que ocurrió entre los años 542 y 545. El regreso de Kentigern se data generalmente alrededor del año 560, y no pudo ser posterior, ya que en el 565 tuvo una entrevista con San Columbano, cuando este santo hombre vino a Escocia. El rey Rydderch secundó poderosamente el celo de nuestro santo en todas sus empresas, siendo su amigo y protector; como lo fueron los dos príncipes que le sucedieron después.

San Kentigern empleó su celo con maravilloso éxito en corregir los abusos, reformar las costumbres del pueblo y propagar la fe. Murió en el año 601, a la edad de ochenta y cinco años.

16 DE ENERO

San Honorato
ARZOBISPO DE ARLES

† SIGLO V

Honorato pertenecía a una familia consular romana, asentada entonces en Galia, y era muy versado en las artes liberales. En su juventud renunció a la adoración de los ídolos, y ganó a su hermano mayor Venancio para la causa cristiana, a quien inspiró también un desprecio por lo mundano. Deseaban renunciar a él totalmente, pero un padre pagano puso continuos obstáculos en su camino; finalmente llevaron con ellos a San Caprais, un sagrado ermitaño, como su director, y navegaron desde Marsella a Grecia, con el fin de vivir allí, desconocidos, en algún desierto.

Venancio pronto murió felizmente en Methone; y Honorato, estando también enfermo, se vio obligado a regresar con su guía. Llevó primero una vida eremítica en las montañas, cerca de Fréjus. Dos pequeñas islas se encontraban en el mar cerca de esta costa; la mayor de ellas, a una distancia menor del continente, llamada Lero, ahora la isla de Santa Margarita, la otra más pequeña y lejana, a dos leguas de Antibes, llamada Lérins, en el presente San Honorato, por nuestro Santo, donde él se instaló; y, seguido por otros, fundó allí el famoso monasterio de Lérins, alrededor del año 400.

Designó a algunos para vivir en comunidad; otros, quienes parecían más perfectos, en celdas separadas, como anacoretas. Su regla fue principalmente tomada de la de San Pacomio. Nada puede ser tan amable como la descripción que San Hilario ha dado de las excelentes virtudes de esta compañía de santos, especialmente las de la caridad, concordia, humildad, compunción y devoción que reinaban entre ellos, bajo la guía de nuestro santo abad.

Fue ordenado arzobispo de Arles por obligación en el 426, y murió exhausto por las austeridades y labores apostólicas en el 429. El estilo de sus cartas era claro y afectuoso; estaban escritas con admirable delicadeza, elegancia y dulzura, como San Hilario asegura. La pérdida de estos preciosos documentos es muy lamentable. Su tumba se muestra vacía bajo el elevado altar de la iglesia que lleva su nombre en Arles, habiendo sido su cuerpo trasladado a Lérins en 1391, donde permanece hasta hoy.

17 DE ENERO

San Antonio
ABAD, PATRIARCA DE MONJES (lám. 5)

† 356

San Antonio nació en Coma en el Alto Egipto en el año 251. Sus padres, que eran cristianos, para prevenir que fuese corrompido por el mal ejemplo, lo mantuvieron siempre en el hogar. Cuando murieron, no teniendo él aún veinte años, se encontró en posesión de una considerable fortuna y encargado del cuidado de su hermana menor. Unos seis meses después, escuchó aquellas palabras de Cristo: «Vende todo lo que poseas y dáselo a los pobres, y tendrás un tesoro en el cielo». Cedió a sus vecinos ciento veinte acres de buena tierra; el resto de su hacienda la vendió, excepto lo necesario para él y su hermana. Poco después, oyendo aquellas palabras de Cristo: «No te preocupes por el mañana», distribuyó también en limosnas los bienes que había conservado y llevó a su hermana a una casa de vírgenes, que parece sería el primer ejemplo en la historia de un convento de monjas. El mismo Antonio se retiró a una ermita.

El diablo le acometió con varias tentaciones y le perturbaba de día y de noche con pensamientos obscenos hasta que finalmente Satán se confesó vencido. En busca de un lugar solitario más remoto Antonio se ocultó en un

viejo sepulcro, hasta que, resolviendo retirarse al desierto alrededor del año 285, cruzó el Nilo y tomó como residencia la cima de las montañas donde vivió casi veinte años.

Para satisfacer las importunidades de otros, alrededor del año 305 bajó de su montaña y fundó su primer monasterio en Phaium. En el 311, cuando Maximino reanudó su persecución, San Antonio fue a Alejandría, sirvió y alentó a los mártires. En el 312, abolida la persecución, regresó a su monasterio. Algún tiempo después, construyó otro monasterio cerca del Nilo, pero eligió retirarse a una remota celda en una montaña de difícil acceso.

A petición de los obispos viajó alrededor del año 355 a Alejandría para convertir a los arrianos. Todo el pueblo corrió a verlo, incluso los paganos, y convirtió a muchos.

Filósofos ateos iban con frecuencia a discutir con él, y siempre volvían asombrados de su sabiduría. Alrededor del año 337 Constantino el Grande y sus dos hijos escribieron una carta común al santo, recomendándose a sus plegarias.

San Antonio visitó a sus monjes poco antes de su muerte, pero las lágrimas no consiguieron que permaneciese para morir entre ellos, y ordenó que su cuerpo fuese enterrado en la tierra de su montaña por los dos discípulos que habían permanecido con él durante los últimos quince años. Se apresuró a volver a aquel lugar solitario y, algún tiempo después, cayó enfermo. Su muerte ocurrió en el año 356, probablemente el 17 de enero, fecha en la que los más antiguos martirologios conmemoran su onomástica. Tenía ciento cinco años.

19 DE ENERO

San Canuto

REY DE DINAMARCA

† 1086

San Canuto, o Knut, era hijo natural de Swein III, cuyo gran tío Canuto había reinado en Inglaterra. Swein, no teniendo obligación legal, cuidó de su educación. El reino de Dinamarca era electivo; por lo que cuando Swein murió muchos se decidieron por nuestro santo, cuyas virtudes le cualificaban como el mejor para el trono; pero la mayoría, temiendo su espíritu marcial, prefirieron a su hermano mayor Harald, quien a causa de su estupidez y sus vicios era comúnmente llamado El Perezoso. Canuto se retiró a Suecia, y al morir Harald después de dos años de reinado, fue llamado a sucederlo.

Dinamarca había recibido la fe cristiana hacía tiempo, pero necesitaba una mano ardorosa para dar el toque de gracia a esta buena obra. San Canuto empezó su reinado con una exitosa guerra contra los molestos enemigos del estado e implantando la fe en las provincias conquistadas. Entre la gloria de sus victorias se postró humildemente a los pies de un crucifijo, dejando allí su corona y ofreciendo su reino y a sí mismo al Rey de Reyes. Se casó entonces con Alicia, hija de Roberto, conde de Flandes, de la que tuvo un piadoso hijo, San Carlos.

Su siguiente preocupación fue la de reformar los abusos en casa. Para este propósito otorgó muchos privilegios e inmunidades al clero, mostrando una real magnificencia al construir y adornar iglesias y dar la corona que había prometido a la iglesia de Roskilde, en Zelanda, su capital y lugar de residencia, donde los reyes de Dinamarca están enterrados. Cuando Guillermo el Conquistador se convirtió en dueño de Inglaterra, Canuto mandó fuerzas para ayudar a los vencidos por estas tropas, al no encontrar a nadie dispuesto a unirse a ellos, fue derrotado con facilidad en el año 1069. Algún tiempo después, al ser invitado por la Inglaterra conquistada, levantó un ejército para invadir y expulsar a los Normandos; pero las traidoras prácticas de su hermano Olas le obligaron a esperar tanto tiempo en la costa que sus tropas le abandonaron. El rey les impuso pagar una cuantiosa multa como castigo a su deserción o bien someterse a las leyes de los diezmos destinadas a los pastores de la iglesia. Su aversión a la última hizo que eligieran la tasa para gran mortificación del rey, quien ordenó qué fuera recaudada con vigor. Se rebelaron, y San Canuto se retiró por su seguridad a la Isla de Fyn donde fue a la iglesia de San Albano. Los rebeldes rodearon la iglesia y arrojaron ladrillos y piedras con las que destruyeron los santuarios de ciertas reliquias que Canuto había traído de Inglaterra. El santo, al alargar la mano detrás del altar, fue herido con un venablo, lanzado a través de la ventana, y cayó como víctima de Cristo. Su hermano Benedicto y otros siete murieron con él el 10 de julio, 1086.

20 DE ENERO

San Sebastián

MARTIR (lám. 6)

† 288

San Sebastián nació en Narbonne, en la Galia, pero sus padres eran de Milán y fue llevado a esta ciudad. Fue un

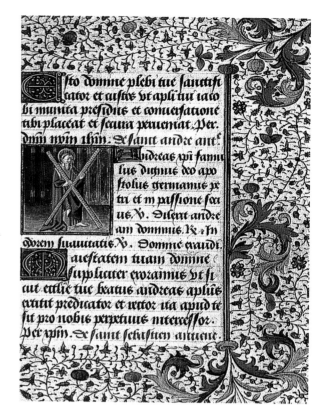

LÁMINA 6. SAN SEBASTIÁN. 20 DE ENERO, BODLEIAN LIBRARY, MS. ADD. A 185, F. 60.

ferviente servidor de Cristo, y aunque sus naturales inclinaciones le dieron una cierta aversión a la vida militar, no obstante, para poder ayudar mejor a los confesores y mártires en sus sufrimientos, fue a Roma y entró en el ejército en el año 283.

Ocurrió que los mártires Marcos y Marceliano, bajo sentencia de muerte, parecieron en peligro de flaquear en su fe. Sebastián intervino y les dirigió una larga exhortación a la constancia que afectó fuertemente a sus oyentes. Zoë, la mujer de Nicostrato, habiendo perdido hacía seis años el habla, cayó a sus pies y habló claramente al hacer el santo la señal de la cruz sobre su boca. Ella junto con su marido se convirtieron; y Nicostrato, que estaba a cargo de los prisioneros, los llevó a su propia casa. El gobernador de Roma, informado de ello, mandó llamar a Sebastián y fue bautizado junto con su hijo. Entonces liberó a los prisioneros conversos, dio la libertad a sus esclavos y renunció a su prefectorado.

Diocleciano, admirando el coraje y la virtud de San Sebastián, quien ocultaba su religión, de buena gana hizo que estuviera cerca de su persona, y le nombró capitán de la compañía de la guardia pretoriana. En el año 286, se avivó la persecución, el Papa y otros se ocultaron en el palacio imperial, al ser el lugar más seguro las habitaciones de un tal Cástulo, un cristiano de la corte. Santa Zoë fue la primera aprehendida mientras rezaba en la tumba de San Pablo en la festividad de los apóstoles. La ahogaron con humo, siendo colgada por los talones sobre un fuego. Cástulo fue sometido tres veces al tormento y enterrado vivo después. Marcos y Marceliano fueron clavados por los pies a un poste y aseteados con flechas hasta la muerte.

San Sebastián, habiendo sido mandados tantos mártires a la muerte antes que él, fue enjuiciado ante el emperador Diocleciano quien, habiéndole acusado dolorosamente de ingratitud, le entregó a ciertos arqueros de Mauritania, para que le disparasen hasta la muerte. Su cuerpo fue cubierto de flechas y abandonado a la muerte. Irene, la viuda de Cástulo, yendo a enterrarlo, lo encontró aún vivo y lo llevó a su casa donde se recobró, pero rechazó huir, e incluso se situó un día por donde pasaba el emperador, a quien abordó, reprochándole sus crueldades contra los cristianos. Esta libertad de expresión procedente de una persona a quien tomaba por muerta asombró al emperador; dio órdenes para que fuera detenido y golpeado hasta la muerte con garrotes y que su cuerpo fuera arrojado en la cloaca común. Una piadosa señora, advertida por el mártir en una visión, lo trasladó secretamente y lo enterró en las catacumbas.

21 DE ENERO

Santa Inés

(lám. 7)

† 304 O 305

San Agustín observa que su nombre significa casta en griego y cordero en latín. Siempre ha sido considerada por la iglesia una patrona especial de la pureza. Roma fue el teatro del triunfo de Santa Inés; y Prudencio dice que su tumba se muestra a la vista de esta ciudad. Sufrió no mucho después del inicio de la persecución de Diocleciano, cuyos sangrientos edictos aparecieron en marzo del año 303 de Nuestro Señor. Sólo contaba trece años de edad a la hora de su gloriosa muerte. Su riqueza y belleza llevaban a los jóvenes nobles de Roma a competir los unos con los otros por ganarla en matrimonio. Inés les respondió a todos que había consagrado su virginidad a un esposo divino, que no podía ser percibido por los ojos de los mortales. Sus pretendientes la acusaron ante el gobernador de cristiana. El juez en un principio empleó las más dulces expresiones y las más tentadoras promesas de las que Inés no hizo caso. Entonces hizo uso de amenazas pero encontró su alma dotada de un coraje masculino. Finalmente mostró ante ella terribles fuegos, ganchos de hierro, potros y otros instrumentos de tortura. La joven virgen los contempló todos ellos impávida.

El gobernador, al ver que sus medidas eran ineficaces, dijo que la enviaría a una casa de prostitución. Inés contestó que Jesucristo era demasiado celoso de la pureza de su esposa para consentir que fuera violada de aquella manera. El gobernador se irritó tanto con ello que ordenó la llevasen inmediatamente a un burdel público, dando libertad a todos para abusar de su persona a placer. Muchos jóvenes libertinos corrieron hacia allí pero se apoderó de ellos un temor tal al ver a la santa que no se atrevieron a acercarse a ella —salvo uno que al intentar violentarla quedó en ese mismo instante ciego por una especie de relámpago procedente del cielo y cayó al suelo tembloroso—. Sus compañeros aterrorizados lo cogieron y lo llevaron ante Inés quien, por medio de la oración, le devolvió la vista y la salud.

El gobernador, muy exasperado al verse frustrado y desafiado por alguien de tan tierna edad y sexo, la condenó a ser degollada. El verdugo tenía instrucciones secretas de usar todos los medios para inducirla a la sumisión, pero Inés contestó siempre que nunca cometería tal inju-

ria para con su esposo celestial, e invocando una breve plegaria, inclinó su cabeza para adorar a su Dios y recibir el golpe mortal. Los espectadores lloraron al ver a una virgen tan bella y tierna llena de grilletes, y al percibir su coraje bajo la espada misma del verdugo, quien con mano temblorosa cortó su cabeza de un golpe. Su cuerpo fue enterrado a corta distancia de Roma cerca del camino de Nomentan. En este punto se construyó una iglesia en el tiempo de Constantino El Grande.

23 DE ENERO

San Juan

EL LIMOSNERO, PATRIARCA DE ALEJANDRÍA

† ALREDEDOR DEL 619

San Juan recibió su nombre por sus profusas limosnas; era de noble descendencia, muy rico y viudo en Amathus, Chipre, donde, habiendo enterrado a todos sus hijos, empleó toda su fortuna en el alivio de los pobres. La reputación de su santidad le elevó a la silla patriarcal de Alejandría alrededor del año 608, momento en el que sobrepasaba los cincuenta años de edad.

A su llegada a la ciudad ordenó que se realizara una lista exacta de sus señores. Al preguntarle de quiénes se trataba, su respuesta fue: «¡Los pobres!». Su número ascendía a siete mil quinientos, a quienes tomó bajo su especial protección y cubrió todas sus necesidades. Prohibió de la forma más rigurosa a sus oficiales y sirvientes recibir el más mínimo regalo. Cada miércoles y viernes pasaba todo el día sentado en un banco ante la iglesia a la que podían acceder todos para exponer ante él sus agravios. Una de sus primeras acciones en Alejandría fue distribuir las ochenta mil piezas de oro que había encontrado en el tesoro de su iglesia entre los hospitales y monasterios. Cuando sus administradores se quejaron de que empobrecía a su iglesia, su respuesta fue que Dios proveería.

Cuando los persas tomaron a fuerza viva el Este y saquearon Jerusalén, San Juan hospedó a todos los que huían de sus espadas hacia Egipto, y mandó a Jerusalén, para el uso de los pobres allí, una gran suma de dinero, mil sacos de grano, mil cargamentos de pescado, mil barriles de vino y mil trabajadores egipcios para que ayudasen en la reconstrucción de las iglesias. Envió también dos obispos y un abad para redimir a los cautivos.

El patriarca vivió en la mayor de las austeridades y pobrezas en la dieta, el vestir y el mobiliario. Una persona distinguida en la ciudad, al ser informada de que nuestro santo no tenía más que una manta sobre su cama, siendo ésta muy pobre, le mandó una de gran valor. La aceptó y le dio el uso apropiado, pero sólo por una noche. A la mañana siguiente la vendió y dio el dinero a los pobres. El amigo, informado de ello, la compró y se la dio una segunda y una tercera vez, puesto que el santo siempre disponía de ella en la misma forma, diciendo «Veremos quien se cansa primero.»

Nicetas, el gobernador, había ideado el proyecto de un nuevo impuesto muy perjudicial para el pobre. El patriarca habló con modestia en su defensa. Nicetas persuadió al santo para que le acompañara a Constantinopla para rendir una visita al emperador. San Juan fue prevenido desde

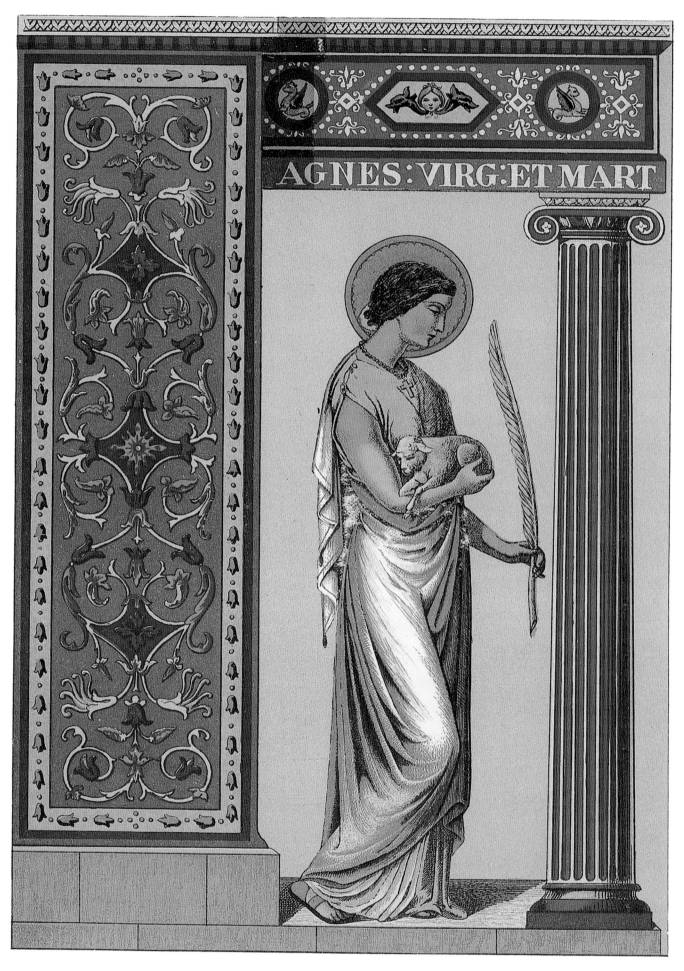

AGNES · VIRG · ET MART

LAMINA 7. SANTA INÉS, 21 DE ENERO. BUTLER, *VIDA DE LOS SANTOS*, EDICION ILUSTRADA DEL SIGLO XIX EN DOS VOLUMENES.

el cielo mientras estaba en camino, en Rodas, de que su muerte estaba próxima. Por ello navegó hacia Chipre, y poco después murió en Amanthus, alrededor del año 619.

San Francisco de Sales

DE SALES, OBISPO Y CONFESOR *(lám. 8)*

† 1662

Este santo nació en Sales, a 17 kilómetros de Annecy. Mostró una temprana inclinación por la condición eclesiástica, pero se le envió a cursar sus estudios a París. Tenía dieciocho años cuando su padre le hizo volver de París y lo mandó a Padua a estudiar leyes. A su regreso, su padre le recibió con gran alegría y obtuvo privilegios convirtiéndolo en consejero del parlamento de Chambéry. Francisco rehusó firmemente pero no se atrevió a proponer a sus padres su proyecto de recibir las sagradas órdenes. Finalmente recurrió a un primo, Luis de Sales, un sacerdote y canónigo de Ginebra, quien consiguió el consentimiento de los padres, no sin gran dificultad.

Poco tiempo después, fue alentado a tomar las sagradas órdenes y a dedicarse a predicar. Su primer sermón le dio una extraordinaria reputación, pero decidió renunciar a todo lo que pudiera hacerle ganar el aplauso de los hombres, buscando únicamente complacer a Dios. Frecuentó principalmente las chozas y las aldeas, e hizo de la humildad su principal virtud.

El canónigo protestante de Berna había tomado la república de Ginebra y el ducado de Chablais y allí establecieron su herejía. En 1594 el duque de Saboya, habiendo recobrado estos territorios y resolviendo restaurar la religión católica, escribió al obispo de Ginebra para pedirle que colaborase con él. Francisco era el único que se ofreció para el trabajo, y a él se unió su primo Luis de Sales. A su llegada a Thonon, la capital de Chablais, sólo encontró siete católicos. Los calvinistas le rehuían y algunos incluso atentaron contra su vida. No obstante, Francisco preservó y en 1598 la práctica de la religión católica se restauró en todo Chablais.

En 1599 su diocesano, Granier, procuró que se le hiciese su coadjutor, pero la aprehensión de las obligaciones adjuntas al episcopado fue tan fuerte que cayó enfermo. Cuando se hubo recobrado partió hacia Roma para recibir sus bulas. Después de la muerte de Garnier fue consagrado obispo en 1602. En su libro *El Amor de Dios* describe su propia alma y ha sido justamente admirado por ello. San Francisco, sintiendo que su salud declinaba y sus asuntos se multiplicaban, eligió como coadjutor a su hermano Juan Francisco de Sales, pero el santo todavía se dedicaba a sus funciones más que nunca. Predicó en Grenoble en 1617 y de nuevo en 1618, convirtiendo a muchos calvinistas. El obispo de Bellay le rogó en París que no predicase tres veces al día, por el bien de su salud.

En 1622 recibió orden de ir a Avignon para esperar a Luis XIII. Se le obligó a esperar al rey en Lyon, donde rehusó todas las grandes habitaciones que le ofrecieron, para alojarse en la habitación más pobre del jardinero del Monasterio de la Visitación. Después de la cena comenzó a aquejarse de apoplejía, fue llevado a la cama y expiró el 28 de diciembre de 1622.

Santa Margarita

PRINCESA DE HUNGRÍA *(lám. 9)*

† SIGLO XIII

Margarita era hija de Bala IV, el piadoso rey de Hungría. Sus padres la consagraron a Dios por una promesa realizada antes de su nacimiento, y cuando no tenía más que tres años y medio la llevaron al monasterio de las monjas dominicas en Vesprin, y a los diez la trasladaron a un nuevo convento de esta orden, fundado por su padre en una isla del Danubio, cerca de Buda, llamada en su honor Isla de Santa Margarita. A la edad de doce años tomó los votos. A su tierna edad aventajaba a los más devotos y fue favorecida con extraordinarias comunicaciones procedentes del cielo. Se deleitaba sirviendo a todo el mundo, y practicando toda clase de mortificaciones; nunca habló de sí misma, como si no fuese digna de atención: nunca apreció ver a sus reales padres, ni hablar de ellos, diciendo que era su desgracia no haber nacido de una estirpe pobre. Sus mortificaciones eran excesivas. Se esforzaba en ocultar sus enfermedades por miedo a ser dispensada o que mostrasen cualquier indulgencia con ella respecto al cumplimiento de las reglas.

Desde su infancia sintió la más ardiente devoción por su Redentor crucificado, y besaba con mucha frecuencia, tanto de día como de noche, una pequeña cruz de madera de la crucifixión de nuestro Salvador, que siempre llevaba consigo. Comúnmente elegía orar delante del altar de la cruz. Su afecto por el nombre de Jesús hizo que lo pronunciara con mucha frecuencia, repitiéndolo con un sentimiento increíblemente profundo y con dulzura. Su devoción por Cristo en el sagrado sacramento era el más remarcable: a menudo lloraba abundantemente, o caía en éxtasis durante la misa, y aún más cuando recibía al esposo divino en su alma: en vigilia no tomaba siquiera agua o pan, y velaba en la noche orando; en el día mismo permanecía en oración y ayuno hasta la noche, y entonces tomaba un pequeño refrigerio. Sentía una sensible alegría cuando oía anunciar cualquier festividad de Nuestra Señora, por su devoción por la madre de Dios; participaba en ellas, y durante las octavas, mil salutaciones cada día, se postraba en el suelo en cada una, además pronunciaba el oficio de Nuestra Bendita Señora todos los días.

Si creía haber ofendido a alguno, se echaba a sus pies y suplicaba su perdón, era siempre la primera en obediencia y no quería ser exceptuada si otras cumplían un castigo por haber roto el voto de silencio o por cualquier otra falta. Su cama era una burda piel tendida en el duro suelo, con una piedra como almohada. Fue favorecida con los dones del milagro y la profecía. Entregó su alma pura a Dios, después de una corta enfermedad, el 18 de enero, en el año 1271, y a la edad de veintiocho años. Fue honrada con un oficio en todas las iglesias de Hungría, especialmente en las de los dominicos, en virtud de un decreto del papa Pío II.

Santo Tomás de Aquino

AQUINAS, O DE AQUINO, DOCTOR DE LA IGLESIA *(lám. 10)*

† 1274

Los condes de Aquino eran aliados de los reyes de Sici-

FRANCISCVS SALESIVS

LAMINA 8. SAN FRANCISCO DE SALES, 24 DE ENERO. BUTLER, *VIDA DE LOS SANTOS*, EDICION ILUSTRADA DEL SIGLO XIX EN DOS VOLUMENES.

LAMINA 9. SANTA MARGARITA DE HUNGRIA, 26 DE ENERO. BUTLER, *VIDA DE LOS SANTOS*, EDICION ILUSTRADA DEL SIGLO XIX EN DOS VOLUMENES.

lia y Aragón. Santo Tomás nació en 1226. El conde le condujo a la abadía de Monte Cassino cuando tenía cinco años para ser instruido. Tenía diez cuando el abad dijo a su padre que era hora de enviarlo a la universidad, y el conde lo mandó a Nápoles. La Orden de Santo Domingo entonces abundaba en hombres llenos del Espíritu de Dios y Tomás sintió el deseo de consagrarse en dicha Orden, y en consecuencia recibió los hábitos en 1243. Su madre, al ser informada de ello, partió hacia Nápoles para separarlo de esa forma de vida, y dos de sus hermanos guardaron tan bien los caminos que cayó en sus manos. Le condujeron a la finca de sus padres llamada Rocca-Secca. Su constancia no se vio perturbada, y su madre ordenó que se le encerrase.

Después de sufrir nuestro santo de esta reclusión durante doce meses, su madre comenzó a enternecerse. Los Dominicos de Nápoles se apresuraron hacia Rocca-Secca donde su hermana había ideado sacarlo de su torre en una cesta. Le condujeron con alegría hacia Nápoles. Al año siguiente tomó sus votos. Pero su madre y sus hermanos renovaron sus quejas al papa Inocencio IV, quien mandó por Tomás a Roma y le preguntó sobre su vocación, y habiendo recibido satisfacción en este punto decisivo aprobó su elección.

Estando por entonces Alberto Magno enseñando en Colonia, el general, Juan el Teutón, llevó al santo consigo de Roma a París y de allí a Colonia. Tomás dedicó todo su tiempo a sus estudios. En 1252 fue elegido para enseñar en Colonia. Entonces comenzó también a publicar sus primeras obras. Después de cuatro años en Colonia, fue en 1252 a París donde consintió ser admitido como doctor en 1257. Los profesores de la Universidad de París, estando divididos acerca de las cuestiones de si los accidentes que permanecían realmente, o sólo en apariencia, en el sagrado sacramento del altar, se pusieron de acuerdo en 1258 en consultar a nuestro santo. El joven doctor se encomendó a Dios a través de la oración, y escribió entonces sobre estas cuestiones en un tratado aún existente. En 1259 asistió al Trigésimo Sexto Cabildo General de su Orden, que le comisionó para redactar normas para estudios que todavía existen, y en 1261 Urbano IV le llamó a Roma para enseñar. La primera parte de su *Summa Teologiae* la compuso Santo Tomás en Bolonia; de allí fue llamado a Nápoles.

El papa Gregorio X había convocado un concilio general en Lyon y ordenó a Santo Tomás encaminarse hacia allí. Indispuesto, se vio forzado a detenerse en Fossa-Nuova, una famosa abadía cisterciense, donde estuvo enfermo cerca de un mes. Entregó su alma el 7 de marzo de 1274.

29 DE ENERO

San Gildas
EL SABIO, O BADONICUS, ABAD

† SIGLO VI

Gildas era hijo de un lord británico, quien le llevó en su infancia al monasterio de San Iltutus en Glamorganshire. El sobrenombre de Badonicus le fue dado porque, como sabemos por sus escritos, nació en el año en el que los bretones bajo Aurelius Ambrosius, o según otros el rey Arturo, ganaron la famosa victoria sobre los sajones en el Monte Badon. Nuestro santo parece por tanto haber nacido en el año 494.

Algún tiempo después de haber hecho sus votos monásticos, pasó a Irlanda, para recibir allí las lecciones de los admirables maestros de la vida religiosa. Se compara este viaje con el de las abejas en la estación de las flores, para recolectar el néctar que convierten en miel.

Fue alrededor del año 527 cuando San Gildas navegó hacia Armonica, o Bretaña, en Francia; así escribió su invectiva diez años después de su llegada allí, como se deduce de su vida y escritos. Aquí eligió como lugar de su retiro la pequeña isla de Houac, tan árida como para no producir más que una pequeña cantidad de grano. El santo se prometió a sí mismo que viviría aquí desconocido para los hombres; pero ciertos pescadores que le descubrieron quedaron encantados con su conducta celestial y conversación, y dieron a conocer en el continente el tesoro que habían descubierto. Los habitantes se congregaron desde la costa para escuchar las lecciones del sabio divino que daba el sagrado anacoreta. San Gildas consintió finalmente en vivir entre ellos, y construyó un monasterio en Rhuis. Entonces, buscando la soledad más profunda que había dejado, eligió como habitación una gruta en una roca sobre la ribera del río Blavet que convirtió en una capilla.

San Gildas escribió ocho cánones de disciplina y una severa invectiva contra los crímenes de los bretones, llamado *De Excidio Britanniae*, con el que confundiría a aquellos a los que no podía convertir, y a quienes Dios entregó primero a los saqueos de los pictos y los escoceses, y después a los pérfidos sajones. Reprochaba a sus reyes horribles crímenes. Escribió además una invectiva contra el clero británico, a quien acusaba de pereza, falta de sacrificios ante el altar, etc. En su retiro no cejó en pedir a Dios por las almas de los ciegos pecadores, y murió en su amada soledad según Usher en el año 570, pero de acuerdo con Rafael de Disse en el 581. San Gildas es el patrón de la ciudad de Vannes. Su vida, compilada a través de los antiguos archivos de Rhuis por los monjes de esta casa en el siglo XI, es el mejor informe que tenemos de él, aunque el autor lo confunde a veces con San Gildas el Albano.

2 DE FEBRERO

Santa Brígida (Bridgit)
BRIDGET O BRIDE PATRONA DE IRLANDA

† SIGLO VI

Brígida nació en Fochard, en Ulster, poco después de que Irlanda fuera bendecida por la luz de la fe. Recibió el velo religioso en su juventud, de las manos de San Mel, sobrino y discípulo de San Patricio. Se construyó ella misma una celda bajo un gran roble, por eso llamado Kill-dara, o celda del roble, teniendo, como sus nombres indican (Bridgit o Bridget derivados del término *bright*, brillante o resplandeciente, N.T.), la brillante luz resplandeciente de ese país de acuerdo con sus virtudes.

Uniéndosela poco después muchas de su mismo sexo, se convirtieron en una comunidad religiosa, que se dividió en otros muchos conventos por toda Irlanda, todos ellos reconociéndola como su madre y fundadora, como de hecho lo fue de todos en este reino.

Pero no se ha transmitido hasta nosotros un relato

LAMINA 10. SANTO TOMAS DE AQUINO, 28 DE ENERO. BUTLER, *VIDA DE LOS SANTOS*, EDICION ILUSTRADA DEL SIGLO XIX EN DOS VOLUMENES.

completo de todas sus virtudes, junto con la veneración de su nombre. Sus cinco vidas modernas mencionan poco más que maravillosos milagros. Floreció en los inicios del siglo VI, como se dice en el martirologio de Beda, y en todos los demás desde esta época. Muchas iglesias en Inglaterra y Escocia están dedicadas a Dios bajo su nombre, como la de Santa Brígida en Fleet Street, Londres, entre otras; muchas también en Alemania, y algunas en Francia. Se la conmemoraba en el oficio sagrado en la mayoría de las iglesias de Alemania, y en la de París, hasta el año 1607, y en muchas otras de Francia. Una de las Hébridas, o islas occidentales que pertenecen a Escocia, cerca de la de Ila, se llama Brigidiani, por el famoso monasterio construido allí en su honor. Una iglesia de Santa Brígida, en la provincia de Athol, fue famosa por los milagros, y una parte de sus reliquias se guardan con gran veneración en un monasterio de canónigos regulares en Aburnethi, capital una vez del reino de los pictos. Su cuerpo fue encontrado con los de San Patricio y San Columba, en un triple panteón en Down-Patrick en 1185, como nos informa Giraldus Cambrensis. Los tres fueron trasladados a la catedral de esta misma ciudad; pero sus monumentos fueron destruidos en el reinado de Enrique VIII.

3 DE FEBRERO

San Blas

BLAISE, OBISPO Y MÁRTIR *(lám. 11)*

† 316

Blas era obispo de Sebaste en Armenia y fue coronado con el martirio en la persecución de Licinius, en 1316, por orden de Agricolaus, gobernador de Capadocia y el menor de Armenia. Se menciona en los hechos de San Eustratius, quien recibió la corona del martirio durante el reinado de Diocleciano, –es honrado el 13 de diciembre–, que San Blas, obispo de Sebaste, recibió con honor sus reliquias y las depositó junto a las de San Orestes, y ejecutó puntualmente cada artículo de la última voluntad y testamento de San Eustratius. Su festividad se mantiene como fiesta sagrada en la Iglesia Griega el once de febrero. Se le menciona en los antiguos martirologios occidentales que llevan el nombre de San Jerónimo. Ado y Usuard, junto con otros martirologios manuscritos, sitúan su onomástica el día quince.

En las Santas Cruzadas sus reliquias se dispersaron por

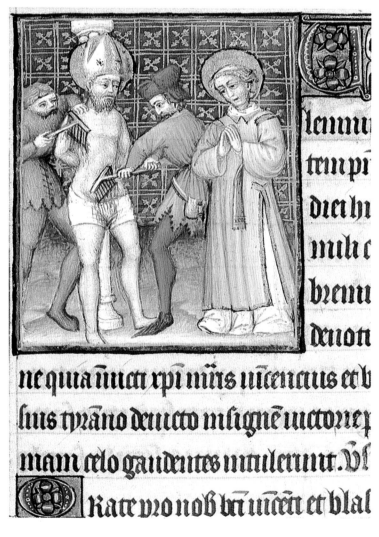

LÁMINA 11. SAN BLAS, 3 DE FEBRERO, BRITISH LIBRARY, ADD, MS 29433, F. 204.

todo Occidente, y su veneración se propagó gracias a muchas curas milagrosas, especialmente de los dolores de garganta. Es el patrón principal de la República de Ragusa. Ninguna otra razón que la de la gran devoción del pueblo por este célebre mártir de la iglesia parece haber dado ocasión a que los cardadores de lana le eligieran como el patrón titular de su profesión, en la que su festividad es conservada por ello con solemnidad en el gremio en Norwich. Quizás también su país podría determinar en parte esta elección, puesto que parece que la primera rama, o al menos la primera idea de esta manufactura, se tomó prestada de los más remotos países conocidos del Este, como la de la seda; o pudo ocasionar su elección los peines de hierro con los que se dice le atormentaron.

[Nota del editor: la bendición de San Blas se practica aún para aquellos afectados de enfermedades de garganta].

4 DE FEBRERO

San Andrés
CORSINO, OBISPO

† 1373

Este santo nació en Florencia en 1302. La familia de los Corsini era una de las más ilustres, pero no obstante el cuidado que sus padres pusieron en inculcarle buenos principios, pasó la primera parte de su juventud rodeado de vicio y prodigalidad en compañía de otros tan perversos como él. Su devota madre no cesaba de llorar y rezar por su conversión, y un día le dijo, «Veo que eres el lobo que vi en mi rebaño», dándole a entender que cuando estaba encinta de él había soñado que era llevada a la cama de un lobo, que al entrar en una iglesia, se convertía en cordero. Este discurso le impresionó tanto que fue inmediatamente a la iglesia de los frailes carmelitas y, habiendo rezado allí durante algún tiempo con gran fervor, tomó la resolución de no regresar más a la casa de su padre, abrazar la vida religiosa profesando en un convento. Se le admitió pronto en 1318, y después de un noviciado de un año y algunos meses tomó los hábitos solemnemente.

En el año 1328 fue ordenado sacerdote; pero para evitar la música y las fiestas que su familia preparaba, de acuerdo con la costumbre, para el día en el que dijese su primera misa, se retiró en secreto a un pequeño convento a 10 kilómetros de la ciudad donde ofreció sus frutos a Dios. Después de algún tiempo empleado en predicar en Florencia, se le envió a París, donde estudió algún tiempo en Avignon con su tío, el cardenal Corsini, y en 1332, al regresar a Florencia, fue nombrado prior de este convento.

Al morir el obispo de Fiesole, una ciudad a 5 kilómetros de Florencia, el cabildo eligió unánimemente a nuestro santo para llenar la sede vacante. Al ser informado de los procedimientos del cabildo se escondió y se mantuvo tanto tiempo encerrado que los canónigos iban a proceder a una segunda elección, cuando fue descubierto por un niño. Consagrado como obispo a principios del año 1360, duplicó sus anteriores austeridades. Gracias a un excelente talento para resolver las diferencias, siempre tuvo éxito en reconciliar personas con desavenencias y en aplacar todas las sediciones.

Urbano V, al enterarse, lo envió a Bolonia, donde la nobleza y el pueblo estaban divididos por desgracia. Felizmente los pacificó, y su unión perduró durante lo que le quedaba de vida. Tenía por costumbre lavar los pies a los pobres todos los martes. Imitando a San Gregorio El Magno, conservaba una lista con los nombres de los pobres, y daba a todos una ayuda. Nunca despidió a nadie sin una limosna. Cayó enfermo mientras cantaba misa mayor en la noche de Navidad en el año 1372. Al aumentar su fiebre, entregó su alma a Dios el seis de enero, 1373, a la edad de setenta y un años.

5 DE FEBRERO

Santa Águeda
MÁRTIR *(lám. 12)*

† 251

Las ciudades de Palermo y Catana, en Sicilia, se disputan el honor del nacimiento de Agueda. Se está de acuerdo en que recibió la corona del martirio en Catana, en la persecución de Decius, en el año 251 de Nuestro Señor. Era de una rica e ilustre familia, y habiendo sido consagrada a Dios en una edad muy temprana, triunfó sobre muchos asaltos a su castidad. Quintiliano, un hombre de dignidad consular, inclinado a gratificar tanto su avaricia como su lujuria, imaginó que fácilmente alcanzaría sus perversos deseos en la persona y riquezas de Agueda por medio del edicto del emperador contra los cristianos. Dio órdenes de que fuera puesta en manos de Afrodisia, una mujer de las más perversas, quien, con seis hijas, todas prostitutas, poseía un burdel público. La Santa sufrió en este infame lugar asaltos y estratagemas contra su virtud infinitamente más terribles para ella que cualquier otra tortura o la misma muerte. Depositando su confianza en Dios, nunca cesó en sus gemidos y lágrimas más ardorosas para implorar su protección, y gracias a ello pudo superar todos los infernales atentados durante el mes entero que estuvo allí.

Quintiliano, al ser informado de su constancia, ordenó la trajeran ante él. La virgen le dijo que ser una servidora de Cristo era la nobleza más ilustre y la verdadera libertad. El juez, ofendido con sus resueltas respuestas, la condenó a ser golpeada y llevada a prisión. Al día siguiente fue acusada por segunda vez y contestó con la misma constancia que Jesucristo era su vida y su salvación. Quintiliano ordenó entonces que fuera estirada en el potro de tortura, tormento que solía ir acompañado con latigazos, el desgarro de los costados con ganchos de hierro y la quemadura de los mismos con antorchas y mechas. El gobernador, enfurecido al verla sufrir todo esto con alegría, ordenó que su pecho fuese torturado y después cortado. A lo que le hizo este reproche, «Tirano cruel, ¿no te sonroja torturar esa parte de mi cuerpo, tú que mamaste de los pechos de una mujer?» La envió de nuevo a prisión con la orden severa de que no se le dieran ni ungüentos ni comida. Pero Dios mismo fue su médico, y el apóstol San Pedro en una visión la reconfortó, sanó todas sus heridas y llenó el calabozo de una luz celestial. Quintiliano, cuatro días después, no conmovido lo más mínimo por el milagro, ordenó que la hiciesen rodar desnuda sobre ascuas mezcladas con cascos rotos. Llevada de nuevo a prisión, invocó esta plegaria, «Señor, mi creador, siempre me has protegido desde la cuna; me has apartado del amor del mundo y

LAMINA 12. SANTA AGEDA, 5 DE FEBRERO. BUTLER, *VIDA DE LOS SANTOS*, EDICION ILUSTRADA DEL SIGLO XIX EN DOS VOLUMENES.

dado paciencia para sufrir, recibe ahora mi alma.» Después de estas palabras entregó dulcemente su espíritu. Su nombre se inserta en el canon de la misa en el calendario de Cartago y en todos los martirologios de los latinos y griegos.

6 DE FEBRERO

Los Mártires de Japón

San Francisco Javier llegó a Japón en 1549, bautizando a un gran número de personas, y todas las provincias recibieron la fe. En 1587 había en Japón más de doscientos mil cristianos, y entre ellos muchos reyes y príncipes, pero en 1588 el altivo emperador ordenó que todos los jesuitas abandonasen sus dominios en seis meses; sin embargo muchos permanecieron allí disfrazados. En 1592 la persecución se reanudó. El emperador fue incitado a la furia y a la envidia por la sospecha sugerida por ciertos comerciantes europeos de que el objetivo de los misioneros era facilitar la conquista del país por los portugueses o los españoles.

Tres jesuitas y seis franciscanos fueron crucificados en una colina cerca de Nagasaki en 1597. Los últimos tenían a la cabeza a Pedro Bautista, un nativo de Avila, España. Respecto a los jesuitas, uno era Pablo Michi, un noble japonés y un eminente predicador, por aquel entonces de treinta y tres años de edad. Los otros dos, Juan Gotto y Jaime Kisai habían sido admitidos en la Compañía poco antes de su sufrimiento.

Muchos japoneses conversos sufrieron con ellos. Los mártires fueron veintiséis en número, entre ellos tres niños que eran utilizados para ayudar a los sacerdotes en la misa. De estos mártires, veinticuatro habían sido llevados a Meaco, donde sólo una parte de sus orejas izquierdas les fue cortada, gracias a la mitigación de la condena que había ordenado la amputación de sus narices y de las dos orejas. Fueron conducidos a través de muchas ciudades y lugares públicos, sus mejillas manchadas de sangre, para causar terror a los otros. Cuando llegaron al lugar de la ejecución, se les permitió confesarse a dos jesuitas, y conducidos con premura a la cruz por medio de cuerdas y cadenas alrededor de sus brazos y piernas, y de un collar de hierro alrededor de sus cuellos, fueron elevados en el aire, cayendo el pie de cada cruz en un agujero preparado con tal propósito en el suelo. Las cruces fueron colocadas en línea, y cada mártir tenía un verdugo a su lado con una lanza preparada para atravesar su costado; pues tal es la forma japonesa de crucifixión. Tan pronto como todas las cruces estuvieron clavadas, los ejecutores levantaron sus lanzas y, a una señal, atravesaron a los mártires casi a un mismo tiempo, después de lo cual expiraron.

En 1616, Xosun sucedió a su padre en el imperio, sobrepasándolo en crueldad. El más ilustre de estos religiosos héroes fue Carlos Spinola, quien fue conducido desde su última prisión a Nagasaki; donde cincuenta mártires sufrieron juntos en una colina, veinticinco fueron quemados, y el resto decapitados. Las estacas fueron clavadas en una línea, y se ató a los mártires a ellas. Se prendió fuego al final de la pila de leños y gradualmente se fue acercando a ellos hasta que los alcanzó. Fray Spinola permaneció inmóvil hasta que cayó en las llamas y se consumió, el 2 de septiembre de 1622.

San Jerónimo
EMILIANO, FUNDADOR DE LA CONGREGACIÓN DEL CLERO REGULAR DE SOMASCHA

† 1537

Jerónimo nació en Venecia de una familia patricia; y en los tiempos más problemáticos de la república sirvió en las·tropas desde su juventud. Mientras era gobernador del nuevo castillo de las montañas de Tarviso, fue hecho prisionero, arrojado en una celda y cargado con cadenas. Santificó sus sufrimientos por medio de la penitencia y la oración; y al ser liberado gracias a la milagrosa protección de la Madre de Dios, al llegar a Tarviso, colgó sus cadenas ante un altar consagrado a Dios bajo la invocación de la Sagrada Virgen, y, al regresar a Venecia, se entregó al ejercicio de la plegaria y de todas las virtudes.

Por aquel tiempo, en el que una enfermedad contagiosa y el hambre habían reducido a muchas familias a una gran miseria, se dispuso a aliviar a todos, pero particularmente movido por la compasión hacia los huérfanos abandonados. Reunió a éstos en una casa que alquiló, los vistió y los alimentó a sus expensas, y los instruyó él mismo en la doctrina cristiana. Por consejo de San Cayetano y otros, pasó al continente y erigió hospitales para huérfanos en Brescia, Bergamo y otros lugares; y otros para la recepción de mujeres penitentes. En Somascha, en las fronteras entre Bérgamo y Milán, fundó una casa que destinó a los ejercicios de todos aquellos que recibía en su congregación, y en la que residió por mucho tiempo. De esta casa tomó su nombre la congregación.

La instrucción de la juventud y de los jóvenes clérigos se convirtió también en un objetivo para sus fundaciones y lo sigue siendo aún en su instituto. Los hermanos, durante la vida del fundador, eran todos seglares, y sólo se aprobó como una congregación piadosa. El santo fundador murió en Somascha el 8 de febrero de 1537, de una enfermedad contagiosa que había cogido atendiendo a los enfermos. Tres años después de su muerte, en 1540, su congregación fue declarada Orden religiosa por Pablo III y confirmada bajo la regla en San Agustín en 1572 y de nuevo en 1586. No tiene casa fuera de Italia y de los Cantones católicos de Suiza. Está dividida en las tres provincias de Lombardía, Venecia y Roma. El general es elegido cada tres años.

9 DE FEBRERO

Santa Apolonia
(lám. 13)

† 249

Cierto poeta de Alejandría, que pretendía predecir el porvenir, levantó a su gran ciudad contra los cristianos por motivos de religión. La primera víctima de la rabia de los habitantes fue un venerable anciano llamado Metras, a quien habrían compelido a pronunciar palabras impías contra la adoración del verdadero Dios, que, al negarse a hacerlo, fue golpeado con bastones, le clavaron astillas en los ojos y, habiéndole arrastrado hasta uno de los suburbios, le apedrearon hasta la muerte. La siguiente persona a quien cogieron era una mujer llamada Quinta, a quien llevaron a uno de sus templos para rendir culto divino a un ídolo. Cargó la execrable divinidad con muchos reproches que exasperaron tanto a la gente que la arrastraron por los talones sobre un pavimento de afiladas piedras, la azotaron cruelmente y le dieron muerte de la misma manera. Los rebeldes se encontraban en aquel momento en lo más alto de su furia. Alejandría parecía una ciudad tomada por la tormenta. Los cristianos no opusieron resistencia, pero se dispusieron a huir y a perder con alegría sus riquezas; puesto que sus corazones no tenían lazos con lo mundano.

La admirable Apolonia, a quien la edad y el estado de virginidad habían hecho igualmente venerable, fue prendida. Los repetidos golpes sobre su mandíbula le arrancaron todos sus dientes. Finalmente prendieron un gran fuego fuera de la ciudad y la amenazaron con arrojarla a él si no pronunciaba ciertas palabras impías. Pidió que esperaran un momento, como si hubiese sido para deliberar sobre la propuesta; pero para convencer a sus perseguidores de que su sacrificio era totalmente voluntario, que no se encontraría libre antes de lo que ella misma acordara, saltó sobre las llamas.

Una guerra civil entre los ciudadanos paganos puso fin ese año a su furia, pero el edicto de Decius la reanudó en

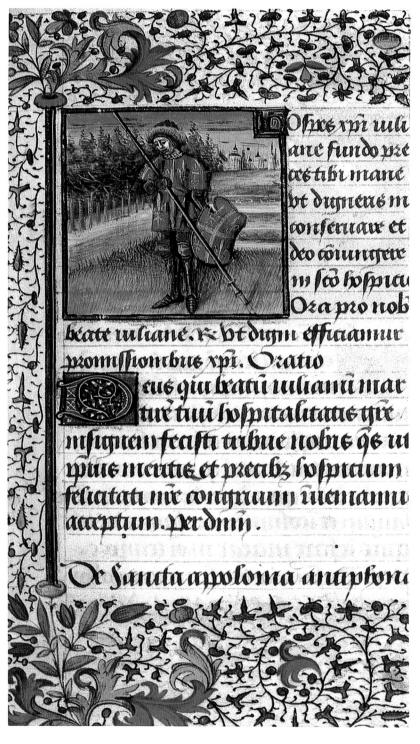

LÁMINA 13. SANTA APOLONIA, 9 DE FEBRERO, BODLEIN LIBRARY, MS. ADD. A. 185.

LAMINA 14. SANTA ESCOLASTICA, 10 DE FEBRERO. BUTLER, *VIDA DE LOS SANTOS,* EDICION ILUSTRADA DEL SIGLO XIX EN DOS VOLUMENES.

el 250. Una antigua iglesia en Roma, frecuentada con gran devoción, lleva el nombre de Apolonia, bajo cuyo patronazgo nos encontramos con iglesias y altares en muchas partes de la Iglesia occidental.

10 DE FEBRERO

Santa Escolástica

(lám. 14)

† ALREDEDOR DEL AÑO 543

Esta santa era hermana de San Benedicto. Se consagró a Dios desde los primeros años de su juventud. No se menciona donde se encontraba su primer monasterio; pero después de que su hermano se trasladase al Monte Cassino, eligió su retiro en Plombariola en los alrededores del mismo, donde fundó y gobernó un convento a unas cinco millas de distancia al sur del monasterio de San Benedicto. Instruyó en la virtud a muchas de su mismo sexo, y mientras San Benedicto gobernaba tanto monjas como monjes, su hermana debió haber sido su abadesa bajo la regla y dirección del santo. Visitaba a su santo hermano una vez al año, y como no se le permitía entrar en su monasterio, él salía con alguno de sus monjes para encontrarse con ella en una casa no lejos de allí. Empleaban estas visitas en alabanzas a Dios y en hablar juntos sobre materias espirituales.

San Gregorio relata un hecho remarcable de la última de estas visitas. Habiendo pasado Escolástica el día como era habitual cantando salmos y hablando piadosamente, ambos se sentaron por la tarde para tomar un refrigerio. Después de terminar, Escolástica, quizás previendo que sería la última entrevista en este mundo, urgía a su hermano para que retrasase su partida hasta el día siguiente, de forma que pudieran conversar hasta la mañana sobre la felicidad de la otra vida. San Benedicto, no queriendo transgredir su regla, le dijo que no podía pasar una noche fuera de su monasterio. Escolástica, al encontrarlo resuelto a volver a casa, suplicó con lágrimas al Todopoderoso Dios para que intercediera en su favor. Su plegaria apenas había terminado cuando comenzó una tormenta tal de lluvia, relámpagos y truenos que ni San Benedicto ni sus acompañantes pudieron poner sus pies en el exterior.

El se quejó a su hermana, diciendo, «Dios te perdone, hermana. ¿Qué has hecho?», ella respondió, «Te pedí un favor y me lo negaste: lo pedí de Dios Todopoderoso y me lo ha concedido.» San Benedicto fue obligado por tanto a cumplir sus peticiones y pasaron toda la noche conversando sobre asuntos piadosos, principalmente sobre la felicidad de la santidad, a la que ambos aspiraban ardientemente, y que ella disfrutó al poco tiempo.

Ellos partieron la mañana siguiente, y, tres días más tarde, Santa Escolástica murió en su soledad. San Benedicto estaba entonces sólo en contemplación en el Monte Cassino y, levantando sus ojos hacia el cielo, vio el alma de su hermana ascendiendo hacia allí en forma de paloma. Lleno de alegría por su feliz pasaje, dio gracias a Dios y anunció la muerte de la santa a sus hermanos, a alguno de los cuales mandó llevar su cuerpo a su monasterio, donde hizo que se depositara en una tumba que había preparado para él. Ella debió morir alrededor del año 543. Se cree que sus reliquias fueron trasladadas a Francia en el siglo XVII.

11 DE FEBRERO

San Benedicto (Benito)

DE ANIANO, ABAD

† ALREDEDOR 821

Benedicto era hijo de Aigulf, conde de Languedoc, y sirvió al rey Pepin y a su hijo Carlomagno en calidad de copero. A los veinte años de edad tomó la resolución de buscar el reino de Dios con todo su corazón. En el 774, escapado a duras penas de ahogarse en el Tesin, cerca de Pavía, al intentar salvar a su hermano, hizo la promesa de retirarse del mundo por completo. De regreso a Languedoc se reafirmó en su resolución gracias al consejo de un ermitaño llamado Widmar, y fue a la abadía de San Seine, a 8 kilómetros de Dijon, donde se convirtió en monje.

Pasó dos años y medio en maravillosa abstinencia, y practicando las más severas observancias prescritas por San Pancomio y San Blas. Sus hermanos, al morir el abad, se dispusieron a elegir a nuestro santo, no deseoso de aceptar el cargo al saber de la aversión que sentían por la reforma, los dejó y regresó a Languedoc en el año 780, donde construyó una pequeña ermita en un arroyo del Aniano, en su mismo estado. Allí vivió algunos años en extrema pobreza. Algunos solitarios, y con ellos el santo hombre Widman, se pusieron bajo su dirección. Se ganaban la vida con su trabajo y vivían de pan y agua, excepto los sábados y las festividades solemnes, en las que añadían un poco de vino y leche cuando se les daban en limosnas. El superior no se eximía de trabajar con los demás en los campos; algunas veces ejercía de capista.

Al aumentar el número de sus discípulos, abandonó el valle y construyó un monasterio en un lugar más espacioso en las cercanías. Al poco tiempo tenía ya trescientos religiosos bajo su dirección, y realizaba también una inspección general en los monasterios de la Provenza, Languedoc y Gasconia. Benedicto fue convertido en el oráculo de todo el reino y estableció su reforma en muchos grandes monasterios. El emperador Luis Debonnair, que sucedió a su padre en el 814, encargó al santo la inspección de todas las abadías de su reino. Para tenerlo cerca de su persona, el emperador construyó el monasterio de Inde, a 11 kilómetros de Aix-la-Chapelle. No obstante la residencia constante de San Benedicto en su monasterio pudo aún ayudar a restaurar la disciplina monástica por toda Francia y Alemania. Sus estatutos fueron adoptados por la orden y anexados a la regla de San Benedicto, el fundador. Escribió el *Código de Reglas*, una colección de todas las regulaciones monásticas que existían. En su *Concordancia de las Reglas* da todas las de San Benito con las de otros patriarcas para mostrar su uniformidad en las prácticas que prescribían. Este gran restaurador de la orden monástica en Occidente sufrió mucho por su enfermedad continua durante el último año de su vida. Murió en Inde el once de febrero de 821, contando entonces setenta y un años de edad.

13 DE FEBRERO

Santa Catalina

DE RICCI

† 1589

Los Ricci eran una antigua familia, que aún subsiste en una posición floreciente en la Toscana. La santa nació en

Florencia en 1522, y la bautizaron con el nombre de Alejandra, pero tomó el nombre de Catalina al tomar los hábitos religiosos. Habiendo perdido a su madre en su infancia, cuando tenía entre seis y siete años, su padre la llevó al Convento de Monticelli donde su tía Luisa de Ricci era monja. Este lugar fue un paraíso para ella; lejos del ruido y el bullicio del mundo, sirvió a Dios sin impedimento ni distracción. Después de algunos años su padre la llevó de vuelta a casa. Continuó con sus ejercicios habituales en la medida de lo posible, pero las interrupciones y disipaciones inseparables de su posición social le creaban tanto desasosiego que, con el consentimiento de su padre, que obtuvo no obstante con gran dificultad, en el año 1535, con catorce años de edad, recibió el velo religioso en el convento de Dominicas en Prat, en Toscana, del que su tío Timoteo era director.

Durante dos años sufrió indecibles dolores a consecuencia de una complicación de una virulenta enfermedad, que los remedios no hacían sino incrementar. Santificaba estos sufrimientos por medio de disposiciones internas con las que los soportaba. Después de recobrar su salud, que pareció milagroso, estudió con más dedicación cómo morir respecto a sus sentidos, y prosperar en una vida de penitencia y espiritual, en la que Dios había comenzado a conducirla, practicando las mayores austeridades que eran compatibles con la obediencia que profesaba. La santa fue elegida, cuando era muy joven, primero maestra de las novicias, luego sub-priora, y a los veinticinco años se la señaló como priora perpetua. La reputación de su extraordinaria santidad y prudencia atrajo muchas visitas de un gran número de obispos, príncipes y cardenales, entre ellos Cervini, Alejandro de Medici y Aldobrandini, que serían elevados a la silla de San Pedro después bajo los nombres de Marcelo II, Clemente VIII y León XI.

San Felipe Neri y Santa Catalina, habiendo mantenido durante algún tiempo un intercambio de correspondencia, para satisfacer su mutuo deseo de encontrarse el uno al otro, mientras él estaba en Roma, ella se le apareció en una visión, y ambos conversaron durante un tiempo considerable, estando cada uno sin duda en éxtasis. Este San Felipe, aunque se mostraba circunspecto de dar crédito o hacer públicas sus visiones, confesó que Catalina de Ricci, mientras vivía, se le había aparecido en una visión, y esto fue confirmado por el juramento de cinco testigos.

Los más maravillosos eran los éxtasis de Santa Catalina al meditar sobre la pasión de Cristo, que era su ejercicio diario, pero a los que se dedicaba totalmente una vez a la semana desde el jueves a mediodía hasta las tres de la tarde del viernes. Después de una larga enfermedad pasó de esta vida mortal a la eterna felicidad en la festividad de la Purificación de Nuestra Señora, el dos de febrero de 1589, con sesenta y siete años.

misión, y el veintiuno de junio del 950 llegó a Wexiow, en el país de los Godos. Primero erigió una cruz, luego construyó una iglesia de madera, celebró los divinos misterios y predicó al pueblo. Doce hombres principales de la provincia fueron por él convertidos, y uno que murió fue enterrado después a la manera cristiana, colocando una cruz sobre su tumba. Tan grande fue el número que en poco tiempo llevó a la fe, que la cruz de Cristo fue situada triunfalmente en todas las doce tribus en las que los habitantes del sur del país de los Godos estaban divididos.

El rey Olas se sintió muy complacido de los informes sobre este hombre de Dios, y muchos acudieron desde remotas partes para escuchar por mera curiosidad su doctrina. San Sigfrido ordenó dos obispos, uno del este y otro del oeste del país. La sede de Wexiow continuó gobernándola él mismo durante toda su vida. Sus tres sobrinos, Unaman, un sacerdote, y Sunaman y Wiamun, uno diácono y el otro subdiácono, fueron sus principales ayudantes en su labor apostólica. Habiendo encargado la administración de su sede a Unaman, y dejando a sus dos hermanos ayudarlo y reconfortarlo, el santo se puso en camino para llevar la luz del espíritu a las provincias del centro y del norte. El rey Olas le recibió con gran respeto, y fue bautizado por él, junto con toda su corte y su ejército. San Sigfrido fundó muchas iglesias y consagró un obispo en Upsal y otro en Strengues.

Durante la ausencia del santo, un grupo de rebeldes idólatras saquearon la iglesia de Wexiow y asesinaron de forma bárbara a Unaman y a sus dos hermanos. Enterraron sus cuerpos en medio del bosque, donde ellos siempre se habían mantenido escondidos. Pero los asesinos pusieron las cabezas de los mártires en una caja que tiraron a un gran estanque. Pero fueron después recogidas y conservadas religiosamente en la iglesia de Wexiow hasta que sus reliquias fueron trasladadas por los luteranos.

Al conocer las noticias de la masacre, San Sigfrido se apresuró hacia Wexiow para reparar las ruinas de su iglesia. El rey decidió dar muerte a los asesinos; pero Sigfrido gracias a sus ardorosas súplicas le persuadió para que los dejase con vida. Sin embargo, los condenó a pagar una elevada multa, que daría al santo, pero él rehusó aceptar siquiera un penique de ella, no obstante su extrema pobreza y las dificultades con las que había tenido que luchar para establecer la fundación de aquella nueva iglesia. Nuestro santo murió alrededor del año 1003 y fue enterrado en su catedral de Wexiow, donde su tumba se hizo famosa por sus milagros. Fue honrado por los suecos como su apóstol, hasta el cambio de religión que se produjo entre ellos.

San Sigfrido
APÓSTOL DE SUECIA

† ALREDEDOR DEL AÑO 1002

San Anscarius había implantado la fe en Suecia en el año 830, pero recayó pronto en la idolatría. El rey Olas suplicó al rey Edred, que murió en el 951, que le enviase misioneros para predicar el espíritu en su país. Sigfrido, un eminente sacerdote de York, se hizo cargo de esta

San Onésimo
DISCÍPULO DE SAN PABLO

† SIGLO I

San Onésimo era un frigio por nacimiento, esclavo de Filemón, una persona de notoriedad en la ciudad de Colosas, convertido a la fe por San Pablo. Habiendo robado a su amo, y viéndose obligado a huir, se encontró providencialmente con San Pablo, entonces prisionero por su fe en Roma, que allí lo convirtió y lo bautizó, y lo envió con una carta canónica de recomendación a Filemón, por quien fue perdonado, puesto en libertad y mandado de vuelta con su padre espiritual, a quien después sirvió fielmente. Este apóstol hizo de él, junto con Tychicus, el portador de su Epístola a los Colosenses, y después, como observan San Jerónimo y otros padres, un predicador del Evangelio y un obispo. Los griegos dicen que fue coronado con el martirio bajo Domitiano en el año 95, y conservan su festividad el 15 de febrero. Beda, Ado, los romanos y otros martirologios latinos lo mencionan el 16 de febrero.

Baronius y algunos otros los confunden con San Onésimo, el tercer apóstol de Efeso, después de San Timoteo, que fue primero sucedido por Juan y después por Caius. Este Onésimo mostraba un gran respeto y caridad por San Ignacio, durante su viaje a Roma en el año 107, y es altamente alabado por él.

18 DE FEBRERO

San Simeón
OBISPO DE JERUSALÉN
† 116

San Simeón era hijo de Clofás, hermano de San José, y de María, hermana de la Sagrada Virgen. Era por tanto primo de Cristo. Simeón y Simón son el mismo nombre, y este santo es, de acuerdo con los mejores intérpretes de la Sagrada Escritura, el Simón que era hermano de San Jaime el Menor. Era ocho o nueve años mayor que nuestro Salvador. No podemos dudar sino que fuera un seguidor de Cristo desde muy pronto. Tampoco nos deja San Lucas la más mínima duda de que recibió al Espíritu Santo el día de Pentecostés.

Habiendo sido llevado a la muerte San Jaime, obispo de Jerusalén, en el año 64, los apóstoles se reunieron en este lugar para designar un sucesor. Eligieron unánimemente a San Simeón, que probablemente había ayudado antes a su hermano en el gobierno de aquella iglesia. En el año 66, comenzó una guerra civil en Judea, a causa de las sediciones de los judíos contra los romanos. Los cristianos en Jerusalén fueron avisados por Dios de la destrucción inminente de aquella ciudad y a través de una divina revelación les ordenó abandonarla. Así partieron el mismo año y se retiraron más allá del Jordán a una pequeña ciudad llamada Pella, teniendo a San Simeón a la cabeza. Después de la toma y el incendio de Jerusalén regresaron allí y se establecieron en medio de sus ruinas.

San Simeón se afligía al ver elevarse dos herejías, a saber, la de los nazareos y los ebionitas. Los nazareos eran una secta de hombres entre judíos y cristianos, pero aborrecidos por ambos. Aceptaban que Cristo fuera el más grande de los profetas, pero decían que sólo era un hombre; unían todas las ceremonias de la antigua y la nueva ley, y observaban tanto de Sabbath judío como de Domingo. Ebión añadió otros errores a éstos y enseñaba muchas supersticiones, permitía divorcios y aceptaba las más infames abominaciones. La autoridad de San Simeón mantuvo a los herejes con algún temor durante su vida, que fue más larga sobre la tierra que la de cualquiera de los discípulos de Nuestro Señor. Pero, como dice Eusebio, murió y una avalancha de herejías estalló, que no se había atrevido abiertamente durante su vida.

Vespasiano y Domitiano habían ordenado dar muerte a todos los de la estirpe de David. San Simeón había escapado a sus persecuciones; pero al dar Trajano la misma orden, algunos herejes y judíos le acusaron de ser de la estirpe de David y además cristiano ante Atico, el gobernador romano de Palestina. El santo obispo fue por él condenado a la cruz; después de experimentar las torturas usuales durante algunos días, que, a pesar de tener ciento veinte años de edad, sufrió con tanta paciencia que le otorgó la admiración universal, murió en el año 106, según San Eusebio en su crónica, pero en el 116 de acuerdo con Dodwell, el obispo Loyde y el Padre Pagi. Debió gobernar la iglesia de Jerusalén durante unos cuarenta y tres años.

21 DE FEBRERO

San Pedro
DAMIANO, CARDENAL, OBISPO DE OSTIA
† 1072

Pedro, de sobrenombre Damiano, nació alrededor del año 988 en Ravena, de una buena familia, pero humilde. Fue el más pequeño de muchos hijos, y habiendo perdido a su padre y a su madre muy joven, quedó en manos de un hermano en cuya casa fue tratado casi como esclavo; cuando creció, fue enviado a cuidar a los cerdos. Tenía otro hermano llamado Damián, que era arcipreste de Ravena, quien, apiadándose de él, tuvo la caridad de darle educación. Parece haber tomado de él el sobrenombre de Damiano. Damián envió a Pedro a la escuela, primero en Faenza, después en Parma. No pasó mucho antes de que se encontrase capacitado para enseñar a los otros, lo que hizo con gran aplauso. Pero resolvió abrazar la vida monástica y mientras su mente se llenaba con estos pensamientos, dos religiosos de la orden de San Benito pertenecientes a Font-Avellano, un desierto en Umbría, vinieron a llamar al lugar de su residencia, y sintiéndose muy edificado por su desinterés, abrazó orden.

Esta ermita era entonces una de las de más reputación. Los ermitaños permanecían allí de dos en dos en celdas separadas, ocupados principalmente en la oración y la lectura. Pedro dedicó un tiempo considerable a los estudios sagrados y llegó a estar muy versado en las Escrituras. Su superior le ordenó hacer frecuentes exhortaciones a los religiosos y, con el consentimiento unánime de la ermita, tomar el gobierno del desierto después de su muerte. Así, en 1041 Pedro tomó la dirección de esta sagrada familia. Fundó además otras cinco ermitas en las que nombró a priores bajo su inspección. Su principal preocupación era inculcar en sus discípulos el espíritu de soledad, caridad y humildad. Durante doce años fue muy empleado en los servicios de la iglesia por muchos obispos y por cuatro Papas sucesivamente. Esteban IX, en 1056, le hizo cardenal de Ostia. Al morir Esteban en 1058, Nicolás II fue elegido Papa y Pedro, en un momento inoportuno, solicitó que le permitiera dejar su arzobispado, pero no lo obtuvo. Su sucesor, Alejandro II, por aprecio hacia el santo hombre, fue persuadido para permitirlo en 1062, pero no sin la condición de poder emplearlo en materias de la iglesia a partir de entonces. El santo desde aquel momento pensó no sólo librarse del peso de su feligresía, sino también de la calidad de superior, reduciéndose a la condición de simple monje.

En su retiro trabajó a través de sus escritos para reforzar la observancia de la disciplina y la moralidad. El santo hombre se vio obligado a interrumpir su soledad en obediencia al Papa quien le envió como legado a Francia en 1063 y a Ravena en 1072. Esta fue la última empresa que realizó para la Iglesia. A su regreso hacia Roma la fiebre hizo que se detuviera en Faenza y murió allí el 22 de febrero de 1072.

22 DE FEBRERO

Santa Margarita
DE CORTONA

† 1297

Era oriunda de Alviano, en la Toscana, la severidad de su madrastra y su propia propensión al vicio, la llevaron de cabeza a grandes desórdenes. La visión del cadáver de un hombre, medio putrefacto, que había sido su galán, la sobrecogió con un miedo tal al juicio divino y con un sentido tan profundo del tesoro de este mundo, que en aquel momento se convirtió en una absoluta penitente.

La primera cosa que hizo fue arrojarse a los pies de su padre, bañada en lágrimas, y suplicarle su perdón por los desacatos a su autoridad y a las admoniciones paternas. Pasó los días y las noches llorando; y para reparar el escándalo que había creado por sus crímenes, fue a la parroquia de Alviano, con una soga alrededor del cuello, y pidió perdón público por ellos.

Después de esto fue a Cortona, e hizo la confesión más penitente a un padre de la orden de San Francisco, quien admiró los sentimientos de compunción con los que estaba llena, y prescribió las austeridades y prácticas adecuadas a su fervor. Su conversión tuvo lugar en el año 1274, a los veinticinco años de edad. Le asaltaron violentas tentaciones de diversas clases, pero las superó con coraje, y después de una prueba de tres años, fue admitida entre los penitentes de la Tercera Orden de San Francisco en Cortona. Las extraordinarias austeridades con las que castigaba su carne pecadora pronto desfiguraron su cuerpo. Para la mortificación externa, sufrió todo tipo de humillaciones; y la confusión en que se veía cubierta al ver sus propios pecados, la llevaron continuamente a inventar extraordinarios medios de recubrirse y evitar mostrar esta confusión ante los hombres.

Este modelo de verdadera penitente, después de veintitrés años de severa penitencia, veinte de ellos con el hábito religioso, y estando agotada por las austeridades y consumida por el fuego del amor divino, murió el 22 de febrero de 1297. Después de la prueba de muchos milagros, León X ofreció un oficio en su honor en la ciudad de Cortona.

23 DE FEBRERO (26 DE ENERO)

San Policarpo
ARZOBISPO DE ESMIRNA

† 166

San Policarpo fue uno de los más ilustres padres apostólicos, quien al ser inmediato discípulo de los apóstoles,

recibió instrucciones de sus bocas. Abrazó el cristianismo siendo muy joven, alrededor del año 80, fue discípulo de San Juan Evangelista y nombrado por él obispo de Esmirna, probablemente antes de su muerte en Patmos en el 96. Formó a muchos santos discípulos, en los que estaban San Ireano y Papias. San Policarpo besó con respeto las cadenas de San Ignacio, que pasó por Esmirna de camino a su martirio y recomendó a nuestro santo el cuidado de su iglesia en Antioquía, pidiéndole que escribiera a las iglesias de Asia a las que no había tenido tiempo de escribir él mismo. San Policarpo escribió una carta a los filipinos poco tiempo después, que todavía existe.

Alrededor del año 158 emprendió un viaje a Roma para conversar con el papa Aniceto sobre ciertos puntos, especialmente sobre la época en la que celebrar la Pascua. San Aniceto, para testificar su respeto, le hizo el honor de celebrar la Eucaristía en su propia iglesia.

En el año sexto de Marco Aurelio, una violenta persecución estalló en Asia. El santo hombre, aunque sin miedo, había sido convencido por sus amigos para que huyera y se retirara a una aldea en las cercanías. Cuando los perseguidores dieron con él cambió su residencia, pero fue traicionado por un niño, que fue amenazado con la tortura si no lo descubría. Herodes, el mantenedor de la paz, mandó jinetes por la noche para rodear su casa. El santo bajó, los recibió en la puerta, ordenó que les diesen de cenar, y les pidió sólo algún tiempo para rezar antes de ir con ellos. Fue conducido al tribunal del procónsul que le exhortó a jurar por el Cesar y blasfemar contra Cristo. Policarpo replicó, «Le he servido estos ochenta y seis años, y nunca me ha hecho daño, sino mucho bien, ¿cómo podría blasfemar contra mi Rey y Salvador?» Mientras decía esto y otras muchas cosas parecía tan embargado de alegría y confianza, que el procónsul mismo quedó admirado. Sin embargo, ordenó a un pregonero que hiciera una proclama pública. «Policarpo se ha confesado cristiano.» La multitud pidió que fuera quemado vivo.

Se amontonó madera y otros combustibles a su alrededor, y se prendió fuego a la pila. Pero las llamas formaron un arco rodeando el cuerpo del mártir, que permanecía en el medio semejando oro y plata purificados. Los infieles ordenaron a un lancero que lo traspasara, y brotó tal cantidad de sangre de su costado izquierdo que apagó el fuego. El centurión, viendo que la controversia se alzaba entre los judíos, puso el cuerpo en el medio y lo quemó hasta convertirlo en cenizas.

24 DE FEBRERO

San Pretextato
O PRIX, ARZOBISPO DE ROUEN

† SIGLO VI

Pretextato fue elegido arzobispo de Rouen en el año 549, y en el 557 asistió al tercer concilio en París, convocado para abolir los matrimonios incestuosos y eliminar otros escandalosos abusos; también asistió al Segundo Concilio de Tours en el año 566. Por su celo en reprobar a Fredegonda por sus injusticias y crueldades, levantó la indignación de ésta. El rey Clotaire I en el 562 había dividido la monarquía francesa entre sus cuatro hijos, Charibert, Gontran, Sigebert y Chilperic. Sigebert se casó con Brunehault, hija del rey de los visigodos en España, y

Chilperic con su hermana mayor Galsvinda; pero después de su muerte tomó por esposa a Fredegonda, quien había sido cortesana y muy sospechosa de haber tramado la muerte de la reina con veneno. Por ello Brunehault incitó a Sigebert contra ella y su marido. Pero Fedregonda consiguió asesinar a Sigebert en el año 575 y Chilperic puso a buen recaudo a Brunehault, a su tres hijas y a su hijo Childebert. Este último pronto se escapó y marchó a Metz donde fue coronado rey de Austrasia.

Chilperic mandó a Meroveus, hijo de su primera esposa, para reducir al país cerca de Poitiers, que pertenecía a Childebert. Pero Meroveus en Rouen se enamoró de su tía Brunehault, entonces prisionera en esta ciudad; y el obispo Pretextato, para prevenir el doloroso escándalo, juzgando que las condiciones eran suficientemente convincentes como para requerir una dispensa, los casó, por lo que fue acusado de alta traición por Chilperic ante el Concilio de París del 577. Pretextato confesó el matrimonio, pero negó haber estado al tanto de la revuelta del príncipe, pero fue persuadido después por ciertos emisarios de Chilperic, para alegar culpabilidad, y confesó por afecto haber sido arrastrado por el favor del joven príncipe, quien era su ahijado. Por ello fue condenado por el consejo y desterrado a una pequeña isla cerca de Coutances. La rabia y el clamor con los que sus enemigos difundieron sus calumnias para destruir su reputación hizo titubear a muchos de sus amigos, pero San Gregorio de Tours nunca lo abandonó.

Meroveus fue asesinado por orden de su madrastra Fredegonda, de la que se sospechaba además haber tramado la muerte de su marido Chilperic en el año 584, Tardó tres años antes de conseguir que Clovis, el hijo menor de Chilperic, fuera asesinado, de forma que el trono recayera sobre su propio hijo; pero por su propia protección y la de su hijo se valió de Gontran, rey de Orleans y Burgundy. Por orden suya Pretextato, después de seis años de destierro, fue restituido a su sede. Asistió al Concilio de Macon en el año 585 y continuó sus labores pastorales en el cuidado de su rebaño. Fredegonda cada día se endurecía más y más en iniquidades, y por orden secreta suya San Pretextato fue asesinado mientras asistía a los maitines en su iglesia en medio de su clero el sábado, 25 de febrero.

San Ethelbert

EL PRIMER REY CRISTIANO ENTRE LOS INGLESES

† 616

Ethelbert era el rey de Kent, el quinto descendiente de Hengist, quien asentó por primera a los sajones ingleses en Gran Bretaña en el año 448. Se casó con Bertha, hija única de Charibert, rey de París, y prima de Clotaire de Soissons y Childebert de Austria. Ethelbert sucedió a su padre en el año 560. Habiendo disfrutado el reino de Kent una paz ininterrumpida durante cerca de cien años, alcanzó un grado de poder y riquezas que le dieron una preeminencia en la heptarquía sajona en Gran Bretaña, y una superioridad tal sobre el resto que Beda dice de Ethelbert haber reinado hasta el Humber, y se le llama con frecuencia rey de los ingleses.

Su reina, Bertha, era una cristiana muy apasionada y piadosa y gracias a los artículos de su matrimonio se le otorgaba libertad para practicar su religión, siendo ayudada en tal propósito por un venerable prelado francés llamado Luidhard. Este oficiaba siempre en una antigua iglesia dedicada a San Martín, situada a poca distancia de las murallas de Canterbury. La vida ejemplar de este prelado, y sus frecuentes discursos sobre religión movieron a muchos paganos vinculados a la corte a abrazar la fe. La Divina Providencia misericordiosamente preparó, por este medio, el corazón de un gran rey para albergar una opinión favorable de nuestra sagrada religión cuando San Agustín llegase a sus dominios. Desde este momento pareció haberse transformado en otro hombre, siendo durante los veinte años que le quedaban de vida su única ambición y esfuerzo establecer el perfecto reino de Cristo tanto en su alma como entre los corazones de todos sus súbditos.

En el gobierno de su reino sus pensamientos se centraban por completo en el mejor medio para promover el bienestar de su pueblo. Promulgó las leyes más saludables, que se tuvieron en alta estima en épocas posteriores; abolió el culto a los ídolos en todo su reino y destruyó sus templos o los transformó en iglesias.

Su palacio real en Canterbury lo cedió para el uso del arzobispo San Agustín; fundó en esta ciudad la catedral llamada Christchurch (iglesia de Cristo, N.T.) y construyó los muros de la abadía e iglesia de San Pedro y San Pablo, llamada posteriormente de San Agustín. La fundación de la de San Andrés en Rochester, la de San Pablo en Londres y muchas otras iglesias proporcionan pruebas permanentes de su munificencia para con la iglesia. Fue un instrumento para la conversión a la fe de Sebert, Rey de los sajones del Este, y su pueblo, y de Reswald, Rey de los anglos del Este, aunque este último recayó después intentando unir el culto a los ídolos con el culto a Cristo. El rey Ethelbert, después de haber reinado cincuenta y seis años, murió en el año 616.

San Porfirio

OBISPO DE GAZA

† 420

Porfirio, natural de Tesalónica en Macedonia, era de una noble y adinerada familia. El deseo de renunciar al mundo le hizo abandonar su país a la edad de veinticinco años, en el año 378, para pasar a Egipto, donde se consagró a Dios en un famoso monasterio en el desierto de Scete. Después de permanecer allí cinco años, marchó a Palestina para visitar los santos lugares de Jerusalén. Después de esto, tomó como residencia una cueva cerca de Jordania, donde pasó otros cinco años en gran austeridad, hasta que cayó enfermo, cuando una complicación de malestares le obligó a regresar a Jerusalén.

Allí no dejó de visitar diariamente todos los santos lugares, apoyándose en un bastón, ya que estaba demasiado débil como para permanecer erguido. Ocurrió en aquel tiempo que Marcos, un asiático, vino a Jerusalén con el mismo propósito. La devoción de Porfirio fue tan edificante para él que se apresuró a ofrecerle ayuda, que Porfirio rechazó diciendo, «No es justo que yo, que vine a pedir perdón por mis pecados, sea aliviado por alguien.» Su confianza nunca le abandonó. La única cosa que le afligía era que su fortuna no se había vendido en beneficio de los pobres. Solicitó a Marcos que hiciera esto por él, quien por consiguiente partió hacia Tesalónica y regresó a Jerusalén a los tres meses. Porfirio se encontraba ahora tan recuperado que Marcos apenas reconoció en él a la misma persona. Con respecto al dinero que Marcos había traído, lo distribuyó entre los necesitados, de manera que se rebajó a trabajar para su sustento diario. Por tanto, aprendió a hacer zapatos y curtir el cuero. Llevó esta vida hasta sus cuarenta años, cuando el obispo de Jerusalén le ordenó sacerdote en el año 393 y fue elegido obispo de Gaza en el 396.

Allí hubo en aquel año una gran sequía, que los paganos imputaron a la llegada del nuevo obispo cristiano. Como no llovió durante los dos meses siguientes a la llegada de Porfirio, los idólatras se reunieron para hacer súplicas a Marnas, a quien ellos llamaban el señor de las lluvias. Los cristianos, por orden de su obispo, salieron en procesión hacia la iglesia de San Timoteo. Pero al regresar a la ciudad encontraron las puertas cerradas contra ellos. En esta situación, los cristianos, y Porfirio por encima del resto, se dirigieron al Todopoderoso con redoblado fervor; cuando al poco tiempo cayó tal cantidad de lluvia que los paganos abrieron las puertas y acompañaron a los cristianos a la iglesia.

El buen obispo empleó el resto de su vida en los deberes pastorales; y aunque vivió para ver a la ciudad libre de la mayoría de los paganos restantes, hubo siempre suficientes para sufrir por los que continuaban obstinados en sus errores. Murió en el año 420, teniendo sesenta años de edad, el 26 de febrero.

28 DE FEBRERO

San Osvaldo

OBISPO DE WORCESTER Y OBISPO DE YORK

† 992

San Osvaldo era sobrino de San Odo, arzobispo de Canterbury, y de Oskitell, obispo primero de Dorchester, después de York. Fue educado por San Odo y convertido en Deán de Winchester; pero al pasar a Francia, tomó el hábito monástico en Fleury. Al hacerle volver para servir a la iglesia, sucedió a San Dunstan en la sede de Worcester alrededor del año 959. Brillaba como una estrella resplandeciente en esta dignidad, y estableció un monasterio de monjes en Westbury, un pueblo de su diócesis. Fue empleado por el duque de Aylwin para supervisar la fundación del gran monasterio de Ramsey, en una isla formada por pantanos y el río Ouse en Huntingdonshire en el 972.

San Osvaldo fue hecho arzobispo de York en el año 974, y dedicó la iglesia de Ramsey bajo los nombres de la Sagrada Virgen, San Benedicto y todas las santas vírgenes. No se conserva nada de esta rica abadía salvo una caseta y una estatua abandonada de su fundador Aylwin, con unas llaves y un mellado bastón de mando en su mano que denota su oficio; puesto que era el primo del glorioso rey Edgar, el valiente general de sus ejércitos y el juez principal y magistrado del reino, con el título de Concejal de Inglaterra, y medio rey, como el historiador de Ramsey le suele denominar.

San Osvaldo estaba casi siempre ocupado visitando su diócesis, predicando sin descanso y reformando los abusos. Fue un gran promotor del conocimiento y de los hombres doctos. San Dunstan le obligó a conservar la sede de Worcester junto con la de York. Cualquier descanso de sus funciones le permitía pasar algún tiempo en la iglesia y monasterios benedictinos de Santa María, que había construido en Worcester, donde se unía a los monjes en sus ejercicios monásticos. Desde esta época, esta iglesia se convirtió en catedral. El santo, para alimentar sus sentimientos de humildad y caridad, sentaba donde quiera que estuviese doce pobres a su mesa, a quienes servía, y lavaba y besaba sus pies.

Después de haber estado treinta y tres años cayó enfermo en Santa María en Worcester, y habiendo recibido la extrema unción, continuó rezando, repitiendo «Gloria a Dios Padre», palabras con las que expiró entre sus monjes, el 29 de febrero.

1 DE MARZO

San David

ARZOBISPO PATRÓN DE GALES

† 544

San David, Dewid en galés, era hijo de Xantus, Príncipe de Cardiganshire. Fue educado en el servicio de Dios, y al ser ordenado sacerdote, se retiró a la Isla de Wright y abrazó una vida ascética. Estudió durante largo tiempo para prepararse para las funciones de su sagrado ministerio. Finalmente, abandonando su soledad, predicó la palabra de la vida eterna a los britones. Construyó una capilla en Glastonbury, un lugar que había sido consagrado al culto divino por los primeros apóstoles de esta isla. Fundó doce monasterios, estando el principal de ellos en el valle de Ross, donde formó a muchos grandes pastores y eminentes servidores de Dios. Por su regla obligaba a todos los monjes a los trabajos manuales asiduos: no les permitía utilizar animales para aliviar su trabajo labrando la tierra. No se les permitía hablar salvo en el caso de extrema necesidad, y no dejaban nunca de orar, al menos mentalmente, durante sus labores. Su comida se componía sólo de pan y verduras con un poco de sal. Sus hábitos eran la piel de las bestias. Todos los monjes revelaban a su abad sus más secretos pensamientos y tentaciones.

La herejía pelagiana apareció por segunda vez en Gran Bretaña, y los obispos, para suprimirla, sostuvieron un sínodo en Brevy en Cardiganshire en los años 512 y 519. David, siendo invitado a éste, fue allí y en esta venerable asamblea refutó y silenció al monstruo infernal con su elocuencia, sabiduría y milagros. En el lugar donde se celebró el concilio, se construyó después una iglesia llamada Llan-Davi Brevi, o la iglesia de San David cerca del río Brevi. Al terminar el sínodo, San Dubritio, el Arzobispo de Caerleon, cedió su sede a San David, cuyas lágrimas y oposición tuvieron por único objeto aceptar el mandato rotundo del sínodo; que, sin embargo, le permitió, por su petición, la libertad de transferir su sede desde Caerleon, entonces una populosa ciudad, a Menevia, denominada ahora San David, un lugar apartado, creado por la naturaleza para la soledad, estando como estaba aislado del resto de la isla. Poco después del sínodo anterior, San

David convocó otro en un lugar llamado Victoria, en el que se confirmaron las actas del primero y se añadieron numerosos cánones relacionados con la disciplina; y estos dos sínodos fueron la regla y patrón para todas las iglesias británicas.

Por lo que respecta a San David, continuó en su última sede durante muchos años; y habiendo fundado numerosos monasterios y sido el padre espiritual de muchos santos, tanto británicos como irlandeses, murió alrededor del año 544, a una avanzada edad. Fue enterrado en su iglesia de San Andrés, que tomó desde entonces su nombre, al igual que lo hizo la ciudad y toda la diócesis. Cerca de la iglesia se levantaron numerosas capillas; la principal es la de Santa Nun, madre de San David.

2 DE MARZO

San Ceada
O CHAD
† SIGLO VII

Ceada era hermano de San Cedd, obispo de Londres, y de los dos sagrados sacerdotes Celin y Cymbel, y se educó en el monasterio de Lindisfarnes, bajo San Aidan. Para un mayor progreso en las Escrituras Sagradas y la divina contemplación fue a Irlanda y pasó un tiempo considerable en compañía de San Egberto, San Cedd lo llamó para que lo ayudase en el asentamiento del monasterio de Lestingay que había fundado en la Campiña de Yorkshire. Al ser nombrado San Cedd obispo de Londres, le dejó todo el gobierno de su casa.

Habiendo Oswi entregado el norte de su reino a su hijo Alefrid, este príncipe mandó a San Wilfrid a Francia para que pudiera ser consagrado para el obispado de York; pero permaneció tanto tiempo fuera que el mismo Oswi nominó a San Chad para esta dignidad, quien fue ordenado por Wini, obispo de Winchester en el año 666. Beda nos asegura que se dedicó celosamente a todas las funciones de su cargo, predicando el Evangelio y buscando a los más pobres para instruirlos y reconfortarlos. Cuando San Teodoro, arzobispo de Canterbury, llegó a Inglaterra adjudicó la sede de York a San Wilfrid. San Chad le hizo esta pregunta, «Si juzgas que no he recibido debidamente la ordenación episcopal, con gusto renunciaré a este cargo, no habiéndome considerado nunca digno de él; pero al que, aunque inmerecido, me sometí a emprender por obediencia.» El arzobispo estaba encantado por el candor y la humildad del santo, no admitiendo su abdicación.

Posteriormente, San Chad abandonó la sede de York, se retiró a su monasterio en Lestingay, pero no se le permitió enterrarse durante mucho tiempo en aquella soledad. Al morir el obispo Jaruman de los Mercedarios, San Chad fue llamado a hacerse cargo de esta extensa diócesis. Fue el quinto obispo de los Mercedarios, y el primero en fijar aquella sede en Lichfield, así llamada por el gran número de mártires asesinados y enterrados allí, significando el nombre la tierra de los muertos (*carcases* en el original inglés. El autor especifica el significado de *Lichfield*, campo de los cadáveres, por proceder del término *lich*, forma muy arcaica que significa cadáver. N.T.). San Teodoro, considerando la avanzada edad de San Chad y la gran extensión de su diócesis, le prohibió de forma categórica sus visitas a pie, como acostumbraba a hacer en York.

Cuando los laboriosos deberes de su cargo le permitían el retiro, gozaba de Dios en soledad con siete u ocho monjes, a quienes había emplazado en un lugar cercano a su catedral. Aquí recobraba fuerzas al liberarse de sus funciones. Gracias a la generosidad del rey Wulfere fundó un monasterio en un lugar llamado Barrow (en la parte norte de Lincolnshire).

San Chad gobernó su diócesis de Lichfield durante dos años y medio, y murió durante la gran peste el 2 de marzo del año 673. Fue enterrado en la iglesia de Santa María en Lichfield, pero sus reliquias fueron trasladadas a la gran iglesia construida en 1148, que es ahora la catedral.

3 DE MARZO

Santa Cunegunda
EMPERATRIZ
† 1040

Santa Cunegunda era hija de Sigefride, el primer conde de Luxemburgo, y su piadosa esposa. Inculcaron en ella desde la cuna los más tiernos sentimientos de piedad, y la casaron con San Enrique, duque de Bavaria, que fue elegido Rey de los Romanos y coronado el seis de junio de 1002. En el año 1004 fue con su marido a Roma, y recibió la corona imperial de manos del papa Benedicto VIII. Había hecho, con el consentimiento de San Enrique anterior al matrimonio, voto de virginidad. Los calumniadores la acusaron después ante su marido de libertades con otros hombres. La sagrada emperatriz, para eliminar el escándalo de tal calumnia, caminó sobre brasas al rojo vivo sin herirse. El emperador condenó sus temores e hizo ante ella grandes enmiendas. Desde entonces vivieron en la más estrecha unión de corazones.

Yendo en cierta ocasión a realizar un retiro en Hesse, cayó gravemente enferma, e hizo la promesa de fundar un monasterio si sanaba, en un lugar entonces llamado Capungen, ahora Kaffungen, cerca de Cassel, lo que cumplió de manera majestuosa, y lo entregó a las monjas de la orden de San Benedicto. Antes de que estuviera terminado, San Enrique murió, en 1024. Ella encomendó con ardor su alma a las plegarias de otros, especialmente las de sus monjas. Había gastado ya sus tesoros y su patrimonio en la fundación de arzobispados y monasterios, y en el alivio de los pobres. Le quedaba, por tanto, poco para vivir. Pero todavía sedienta de abrazar la pobreza total, en el aniversario de la muerte de su marido, 1025, reunió a un gran número de prelados para la dedicación de su iglesia de Kaffungen; y después de que se cantase el Evangelio en la misa, se despojó de sus ropas imperiales y se vistió con un pobre hábito; se cortó el pelo, y el obispo puso sobre ella el velo, y un anillo como muestra de su fidelidad para con su celestial esposo. Después de ser consagrada a Dios, pareció haber olvidado totalmente que fue una vez emperatriz, y se comportaba como la última en la casa, persuadida que así era ante Dios. Así pasó los últimos quince años de su vida. Su mortificación la redujo finalmente a una débil condición y la condujo a la enfermedad. Su monasterio y toda la ciudad de Cassel se afligían profundamente al pensar en su cercana pérdida. Ella parecía no preocuparse, yaciendo en una tosca crinolina, preparada para entregar su alma, mientras se leían las últimas plegarias a su lado. Al darse cuenta de que estaban preparando una mortaja orlada de oro para cubrir su cuerpo después de su mente, ordenó que se la llevasen, y no pudo descansar hasta que le prometieron que la enterrarían como una pobre religiosa en su hábito. Murió el 3 de marzo de 1040. Su cuerpo fue llevado a Bamberg y enterrado cerca del de su marido.

San Casimiro

PRíNCIPE DE POLONIA

† 1433

San Casimiro fue el tercero de los trece hijos de Casimiro III, rey de Polonia, e Isabel de Austria. Nació en 1458 el cinco de octubre. Desde su niñez fue piadoso y devoto. Su preceptor fue John Dugloss, llamado Longino, Canónico de Cracovia, un hombre de extraordinarios conocimientos que renunció constantemente a todos los obispados y otras dignidades que se le ofrecían. Casimiro y otro príncipe estaban tan unidos afectuosamente al santo hombre que no podían soportar estar separados de él. Pero Casimiro se benefició fundamentalmente de sus máximas y ejemplos. Consagró la flor de su juventud a los ejercicios de devoción y sentía horror por la tolerancia y magnificencia que reinaba en la corte. Tenía con frecuencia el suelo como cama y pasaba la mayor parte de la noche en oración y meditación. A menudo salía de noche a rezar ante las puertas de la iglesia. Respetaba hasta la más insignificante ceremonia de la iglesia.

Su amor a Cristo se manifestó en su consideración para con los pobres, para cuyo alivio daba todo lo que tenía, y empleaba su crédito con su padre, y su hermano Vladislas, rey de Bohemia, para procurarles auxilio. Los palatinos y otros nobles de Hungría no estaban satisfechos con Matías Corvin, su rey, y pidieron al rey de Polonia que les permitiera situar a Casimiro en el trono. El santo, que por entonces apenas contaba quince años, se mostraba muy reacio en consentir, pero para complacer la voluntad de su padre fue hacia las fronteras en 1471, a la cabeza de un ejército de veinte mil hombres. Allí, al oír que Matías había formado un ejército para defenderlo, y que todas las diferencias entre su pueblo y él se habían solucionado, Casimiro regresó muy contento. Sin embargo, como el fracaso de este proyecto desagradó a su padre, no fue directamente a Cracovia, sino que se retiró al castillo de Dobzki a cinco kilómetros de esa ciudad donde permaneció tres meses practicando la penitencia. Habiendo aprendido la injusticia del intento contra el rey de Hungría, en el que la obediencia a su padre le había persuadido para embarcar, no se comprometió más en volver a repetirlo a pesar de las reiteradas órdenes y súplicas de su padre.

Los doce años que vivió después de esto los dedicó a santificarse en la misma manera que lo había hecho antes. Observó hasta el final una inmaculada castidad, no obstante el consejo de los médicos que lo incitaban al matrimonio, creyendo éste el medio necesario para preservar su vida. Debilitado por una lenta consunción, predijo su última hora y murió felizmente en Vilna, la capital de Lituania, el cuatro de marzo de 1482, con veintitrés años de edad. Fue enterrado en la iglesia de San Estanislao. San

Casimiro es el patrón de Polonia y muchos otros lugares, y se propone a la juventud como un modelo de pureza.

Santa Colete

VIRGEN Y ABADESA

† 1447

Colete Boilet, hija de un carpintero, nació en Corbie en Picardy en 1380. Sus padres, muy devotos de San Nicolás, le dieron el nombre de Colete, el diminutivo de Nicolás. Fue educada en al amor a la humildad y a la austeridad. Su deseo de preservar su pureza sin la menor mácula hizo que evitara toda compañía, incluso la de las personas de su mismo sexo. Sirvió al pobre y al enfermo con un afecto que les reconfortaba y agradaba. Vivió en estricta soledad en un departamento pobre, pequeño y abandonado de la casa de su padre, y empleaba su tiempo en las labores manuales y la oración. Sus padres, que aunque pobres eran virtuosos, viéndola dirigida por el Espíritu de Dios, la permitieron total libertad en sus devociones.

Después de la muerte de ellos, distribuyó lo poco que dejaron entre los pobres, y se retiró entre las Beguinas, sociedades devotas de mujeres establecidas en muchas partes de Flandes, Picardy y Lorena, que se sustentaban por el trabajo de sus manos pero que no realizaban promesas solemnes. No encontrando esta forma de vida suficientemente austera, tomó el hábito de los Penitentes, y tres años después el de las Claras aliviadas, con el propósito de reformar esta Orden y reducirla a su austeridad primitiva.

Habiendo obtenido del Abad de Corbie una pequeña ermita, pasó en ella tres años. Después de esto, fue al convento de Amiens y de allí a otros muchos. Para realizar con éxito su empresa era necesario que fuese investida con apropiada autoridad; para lo cual viajó a Niza para presentar sus respetos a Pedro de Luna que en el gran cisma había sido reconocido Papa por los franceses. El la constituyó superiora general de la Orden de Santa Clara, con plenos poderes para establecer en ella todas las regulaciones que creyese conducentes al honor de Dios y a la salvación de los demás. Intentó revivir el espíritu de San Francisco en los conventos de París, Beauvais, Noyons y Amiens, pero se encontró con la más violenta oposición y la tacharon de fanática. Algún tiempo después encontró una más favorable recepción en Savoya y su reforma comenzó a echar raíces allí y pasó a Burgundy, Francia, Flandes y España. Muchos antiguos conventos la recibieron, y vivió para erigir diecisiete nuevos. Muchos conventos de frailes franciscanos recibieron también la reforma. Pero León X, en 1517, unió todas las diferentes reformas de los franciscanos, y así se extinguió la distinción de Colettinas.

Tan grande fue su amor por la pobreza que nunca se puso más que unas sandalias. Su hábito era del más tosco material, hecho de cien trozos cosidos. Continuamente inculcaba a sus monjas el rechazo de sus propios deseos en todo. Al alcanzarle su última enfermedad en el convento de Ghent, recibió los sacramentos de la iglesia y expiró felizmente a sus sesenta y siete años, el seis de marzo de 1447.

8 DE MARZO

San Juan

DE DIOS, FUNDADOR DE LA ORDEN DE LA CARIDAD

† 1550

San Juan, apellidado de Dios, nació en Portugal en 1495. Sus padres eran de la más baja condición, pero devotos. Juan pasó una parte considerable de su juventud sirviendo, y en 1522 sirvió en las guerras entre los franceses y los españoles, como lo haría después en Hungría contra los turcos. Al ser disuelta la tropa a la que pertenecía, fue a Andalucía en 1536, donde entró al servicio de una rica señora cerca de Sevilla, en calidad de pastor. A sus cuarenta años entonces, lleno de remordimientos por su conducta pasada, comenzó a concebir serios propósitos de cambiar de vida.

Su compasión por los afligidos le movió a pasar a Africa. En Gibraltar su piedad le sugirió convertirse en vendedor ambulante de pequeños cuadros y libros de devoción. Al aumentar sus existencias, se instaló en Granada, donde abrió una tienda en 1538. El gran predicador Juan de Avila predicaba aquel año en Granada. Juan, habiendo oído su sermón, se sintió tan afectado que corrió por las calles como una persona enloquecida. Empezó entonces a dar todo lo que tenía en el mundo y hacerse el loco, hasta que alguno tuvo la caridad de llevarlo a Juan de Avila, cubierto de barro y sangre. El santo hombre le aconsejó y le prometió ayuda. Juan fue aceptado y metido en una casa de locos. Juan de Avila le aconsejó emplearse en algo más conducente al bien público, y Juan se calmó inmediatamente. Continuó algún tiempo en el hospital, sirviendo a los enfermos, pero lo abandonó por completo en 1539. Empezó por vender madera en el mercado para alimentar a algunos pobres con su trabajo. Poco después, alquiló una casa para albergar a las personas pobres y enfermas. El obispo de Tuy, habiendo invitado a cenar al hombre santo, le dio el nombre de Juan de Dios y le prescribió un tipo de hábito, aunque San Juan nunca pensó en fundar una orden; las reglas que llevan su nombre fueron formuladas sólo seis años después de su muerte.

Agotado finalmente por los diez años de duro servicio en su hospital, cayó enfermo. Al principio ocultó su enfermedad que podría haberlo obligado a disminuir su trabajo cuando estaba revisando cuidadosamente el inventario de todas las cosas pertenecientes a su hospital. Al aumentar la enfermedad, las noticias de ello se propagaron. La señora Ana Osorio no había sido informada antes de ir a visitarlo, e hizo que lo cogieran y lo llevaran a su propia casa. Finalmente dio su bendición a la ciudad estando ya agonizante. El arzobispo dijo misa en su habitación. El santo expiró sobre sus rodillas, delante del altar, el ocho de marzo de 1550, teniendo exactamente cincuenta y cinco años.

9 DE MARZO

Santa Francisca

† 1440

Santa Francisca nació en Roma en 1384. Sus padres eran ambos de familias ilustres. Siempre tuvo aversión a los entretenimientos infantiles y amaba la soledad y la oración. A la edad de once años quiso entrar en un monasterio, pero en obediencia a sus padres se casó con un rico joven romano de noble familia, llamado Lorenzo Ponzani, en 1396. Todo su goce lo encontraba en la oración, en la meditación y en la visita a las iglesias. Por encima de todo, su obediencia y su condescendencia para con su marido eran inimitables, por lo cual se estableció un afecto mutuo tal que en los cuarenta años que vivieron juntos no se produjo entre ellos desavenencia alguna. Trataba a sus empleados domésticos no como sirvientes sino como futuros coherederos en el cielo. Sus mortificaciones eran extraordinarias, especialmente cuando algunos años antes de la muerte de su marido éste le permitió castigar su cuerpo con toda la dureza que deseara. Su dieta extraordinaria consistía en pan duro y enmohecido. Sus prendas eran una basta sarga. Su ejemplo edificaba a las damas romanas, al renunciar a una vida de ocio, lujo y comodidad, uniéndose a ella en sus piadosos ejercicios y poniéndose bajo la dirección de los monjes benedictinos de Monte-Oliveto, sin dejar el mundo, haciendo promesas o llevando determinados hábitos.

Complació a Dios poniendo a prueba su virtud con muchos sufrimientos. Durante la revuelta que ocasionó la invasión de Roma de Ladislao, rey de Nápoles, y el gran cisma de 1413 su marido fue desterrado de Roma, sus bienes confiscados, su casa destruida y su hijo menor tomado como rehén. Al extinguirse el cisma, su marido recuperó su dignidad y su patrimonio. Algún tiempo después, movido por la eminente virtud de su esposa, permitió que fundara un monasterio de monjas, llamado Oblates, para la recepción de aquellas de su sexo que estuvieran dispuestas a abrazar la vida religiosa. La fundación de esta casa tuvo lugar en 1425. Les dio la regla benedictina, añadiendo algunas normas propias, y lo amplió en 1433, año desde el cual se data la fundación de la orden. Santa Francisca no se pudo unir a su nueva familia; pero, tan pronto como había arreglado sus ocupaciones domésticas, después de la muerte de su marido, fue descalza y con una soga alrededor de su cuello al monasterio que había fundado y suplicó ser admitida. Así, tomó el hábito en 1437. Continuó con las mismas humillaciones y la misma pobreza absoluta, aunque poco después fue elegida superiora de su congregación. Era particularmente devota de San Juan Evangelista, y por encima de todo de Nuestra Señora, bajo cuya singular protección puso su orden.

Al salir a ver a su hijo Juan Bautista, que estaba gravemente enfermo, cayó ella también en una enfermedad que no le permitió regresar a su monasterio por la noche. Después de predecir su muerte, y recibir los sacramentos, expiró el nueve de marzo en el año 1440, a la edad de cincuenta y seis años.

10 DE MARZO

Los cuarenta Mártires

DE SEBASTE

Estos santos mártires sufrieron en Sebaste, Armenia, bajo el reinado del emperador Lucinius. Eran de diferentes países, pero enrolados en el mismo ejército. Era la décimo segunda legión, entonces acuartelada en Armenia. Lisias era el general de las fuerzas y Agricola el gobernador de la provincia. Habiendo este último transmitido las órdenes del emperador de sacrificarlo todo, estos cuarenta se presentaron ante él y dijeron que eran cristianos y que ningún tormento les haría abandonar su religión.

El juez primero intentó ganárselos con suaves modales; viendo que sus métodos eran infructuosos, recurrió a las amenazas, pero en vano. Después de algunos días, Lisias, su general, vino a Sebaste y fueron interrogados de nuevo, pero rechazaron no menos generosamente las promesas que les hicieron, que despreciaron los tormentos con los que se los amenazó. El gobernador, muy ofendido por su coraje, ideó un tipo de muerte que sería lento y severo, esperando que minara su constancia.

El frío en Armenia es muy severo, especialmente hacia el final del invierno cuando sopla viento del norte, y por aquel entonces se daba esto. Bajo los muros de la ciudad existía un estanque, que estaba tan helado que podía soportar un muro con seguridad. El juez ordenó que se pusiera a los santos casi desnudos sobre el hielo; y para tentarlos de la forma más poderosa a renunciar a su fe, un baño de agua caliente estaba preparado a poca distancia del estanque de forma que cualquiera de este grupo pudiera ir allí. Los mártires, al oír la sentencia, corrieron hacia el lugar, y sin esperar a ser desnudados, se desprendieron de sus ropas. Aunque no es fácil hacerse una idea del dolor que debieron sufrir, de todos ellos sólo uno, perdiendo el coraje, salió del estanque, pero tan pronto como se sumergió en el agua caliente murió. Un centinela que se calentaba cerca del baño tuvo una visión de sagrados espíritus descendiendo sobre los mártires y se convirtió gracias a ella. Se despojó de sus ropas y se situó entre los treinta y nueve mártires.

Por la mañana, el juez ordenó que tanto los que estaban muertos como los que seguían vivos fueran arrojados a un fuego. Cuando todos fueron arrojados a un vagón para ser llevados a la pira, el más joven (a quien las actas llaman Melito) fue encontrado vivo; y los ejecutores, esperando que cambiaría su resolución cuando llegase a él, lo dejaron. Su madre, una mujer de mediana condición pero rica en fe, se lo reprochó, lo tomó y lo puso con sus propias manos dentro del vagón junto con el resto de los mártires.

Sus cuerpos fueron quemados y sus cenizas echadas al río; pero los cristianos las sacaron secretamente o pagaron por ellas. Algunas de estas reliquias se conservaron en Casárea y fueron honradas por milagros.

12 DE MARZO

San Teófanes

ABAD

† 818

El padre de Teófanes, que era gobernador de las islas del Archipiélago, murió cuando él sólo tenía tres años, y le dejó en herencia una gran fortuna, bajo la tutela del iconoclasta Emperador Constantino Copronimus. Siendo ya un hombre, compelido por sus amigos tomó esposa; pero el día de su matrimonio habló de forma tan conmovedora a su consorte sobre la brevedad e incertidumbre de esta vida, que hicieron una mutua promesa de castidad. Ella después se haría monja y construiría dos monasterios en Misia, uno de los que gobernaría él mismo.

En el año 787 asistió al Concilio de Nicea, donde quedaron todos admirados al ver a alguien al que habían conocido con tanta grandeza mundana ahora vestido tan pobremente y tan lleno de autodesprecio como se presentaba. Nunca dejó su cilicio; su cama era una estera y su almohada una piedra. A los cincuenta años empezó a estar gravemente afligido por piedras y cólicos nefríticos; pero soportó con alegría los dolores más insoportables.

El emperador Leo, El Armenio, en el año 814 reanudó la persecución contra la Iglesia y abolió el uso de imágenes sagradas. Conociendo la gran reputación de Teófanes, se esforzó por ganarlo a través de civilidades y esmeradas cartas. El santo descubrió el anzuelo escondido bajo sus atractivos cebos, que no hicieron, sin embargo, que obedeciera las solicitudes del emperador para ir a Constantinopla. El emperador le envió este mensaje, «Por tu bondadosa y complaciente disposición abrigo esperanzas en que confirmes mis sentimientos. Es la mejor forma de obtener mi favor. Pero si rechazas cumplir mis deseos, provocarás mi mayor descontento». El santo hombre le mandó como respuesta, «Si pretendes obligarme a la complacencia con tus amenazas, como a un niño se le atemoriza con un bastón, sólo malgastarás tus esfuerzos.» El emperador empleó a muchas personas para intentar vencer su resolución, pero en vano; se vio tan derrotado, que le confinó tres años en una mazmorra pestilente donde sufrió mucho. También fue cruelmente torturado, recibiendo trescientos latigazos. En el año 818 se le sacó de su prisión y se le desterró a la isla de Samotracia, donde murió diecisiete días después de su llegada el veintiuno de marzo. Nos dejó su *Cronografía*, o breve historia desde el año 284 al 813. Su prisión no hizo que dejara de pulir el estilo.

13 DE MARZO

Santa Eufrasia

VIRGEN

† 410

Antigonus, el padre de esta santa, era un noble de primera categoría en la corte de Teodosio El Joven, emparentado estrechamente con el emperador. Se casó con Eufrasia, de la que tuvo sólo una hija y heredera, llamada también Eufrasia. Antigonus murió al año, y la santa viuda, para evitar las inoportunas peticiones de los jóvenes pretendientes y la distracción de los amigos, no mucho después se fue con su pequeña hija a Egipto, donde poseía un gran patrimonio.

En este país fijó su residencia cerca de un sagrado monasterio de ciento treinta monjas, que no se alimentaban más que de verduras y legumbres, que recogían sólo después de la puesta de sol. La devota madre visitaba con frecuencia a estas sirvientes de Dios y les imploraba que aceptasen una considerable asignación anual, con la condición de que orasen por el alma de su difunto marido. Pero la abadesa renunció al dinero y pudo convencerla sólo de que aceptara algo para el mantenimiento para el aceite de la lámpara de la iglesia y para el incienso que se quemaba en el altar.

La joven Eufrasia, a la edad de siete años, hizo la más ardorosa súplica a su madre para que le permitiera servir a

Dios en este monasterio. Su madre, al oír esto, lloró de alegría y no mucho después la presentó ante la abadesa. Volviéndose a su hija, dijo, «Pueda Dios que creó las montañas fortalecerte siempre en su sagrado temor.» Y dejándola en manos de la abadesa, se fue del monasterio. Algún tiempo después de esto, cayó enferma y descansó en paz.

Al conocer la noticia de su muerte, el emperador Teodosio mandó traer a la joven virgen a la corte, prometiéndola en matrimonio a su senador favorito, un joven. Pero la virgen le escribió de su propia mano la siguiente respuesta, «Invencible emperador, habiéndome consagrado a Cristo, no puedo desposar un hombre mortal. En honor a mis padres, compláceme en distribuir sus riquezas entre los pobres, los huérfanos y la Iglesia. Deja a mis esclavos en libertad y a mis sirvientes, dándoles todo lo que sea menester.» El emperador ejecutó puntualmente sus deseos poco antes de su muerte, en el año 395.

Santa Eufrasia fue un perfecto modelo de humildad, caridad y mansedumbre. Si se sentía asaltada por la tentación, se lo revelaba inmediatamente a la abadesa, quien con frecuencia le daba, alguna tarea humilde y penitencial; como a veces el llevar grandes piedras de un lugar a otro; labor que una vez realizó durante treinta días hasta que el diablo la dejó en paz. Limpiaba las habitaciones de las otras monjas y realizaba los trabajos más pesados. Fue dotada del don de los milagros antes y después de su muerte, que ocurrió en el año 410, cuando tenía treinta años de edad.

14 DE MARZO

Santa Matilde
O MATILDE, REINA DE ALEMANIA (lám. 15)

† 968

La princesa era hija de Teodoro, un poderoso conde sajón. Sus padres, sintiendo que la piedad era la verdadera grandeza, llevaron a su hija muy joven al monasterio de Erford, del que su abuela Matude era abadesa por entonces. Permaneció en esta casa hasta que sus padres la casaron con Enrique, hijo de Otho, duque de Sajonia, en 913. Su marido, al que llamaban Fowler (cazador de aves), por su afición a la cetrería, se convirtió en duque de Sajonia en el año 916 y en el 919 fue elegido rey de Alemania. Mientras él, con su ejército, comprobaba la insolencia de los húngaros y daneses y ampliaba sus dominios, Matilde ganaba victorias domésticas sobre los enemigos espirituales. Se deleitaba visitando, reconfortando y exhortando a los enfermos, sirviendo e instruyendo a los pobres, enseñándoles las ventajas de su condición, con el ejemplo de Cristo; y para permitirse caritativos socorros a los prisioneros, les procuraba la libertad cuando los motivos de la justicia lo permitían, o al menos aliviaba el peso de sus cadenas liberando sus almas; pero su principal objetivo era hacer que se librasen de sus pecados, por medio del sincero arrepentimiento. Su marido, edificado por el ejemplo, se unió a ella en su piadosa empresa.

Después de veintitrés años de matrimonio, Dios quiso llamar al rey a su presencia por una apoplejía en el año 936. Matilde, durante su enfermedad, fue a la iglesia para poner su alma en oración por él. Tan pronto como ella comprendió, por las lágrimas del pueblo, que había expi-

rado, se despojó de las joyas que llevaba y se las dio al sacerdote, como una muestra de que renunciaba desde aquel momento a la pompa del mundo.

Tuvo tres hijos: Otho, después emperador; Enrique duque de Baviera; y San Bruno, arzobispo de Colonia. Matilde, en la lucha de sus dos hijos mayores por la corona que era electiva, favoreció a Enrique, que era el menor. Estos dos hijos conspiraron para despojarla de su dote con el injusto pretexto de que ella había despilfarrado las riquezas del estado dándoselas a los pobres. Esta persecución fue larga y cruel, al venir de aquellos a los que ella más amaba en el mundo. Entonces ella se hizo más generosa en sus limosnas y fundó muchas iglesias junto con cinco monasterios; de ellos los principales fueron el de Polden, en el ducado de Brunswick, en el que mantuvo a trescientos monjes, y el de Quedlinbourg en el ducado de Sajonia.

En su última enfermedad se confesó con su nieto William, arzobispo de Mentz, que murió doce días después de ella, en su albergue. Hizo de nuevo una confesión pública ante los sacerdotes y monjes del lugar, recibiendo por segunda vez los últimos sacramentos, y permaneciendo en su arpillera con cenizas en su cabeza, murió el catorce de marzo del año 968.

16 DE MARZO

San Abraham
ERMITAÑO, Y SU SOBRINA, SANTA MARÍA,
UNA PENITENTE

† ALREDEDOR DEL AÑO 360

San Abraham nació en Chidana en Mesopotamia de padres nobles y ricos, quienes, después de haberle dado la más virtuosa educación, deseaban que se comprometiera con la condición del matrimonio. En complacencia con las inclinaciones de sus padres, Abraham tomó por esposa a una piadosa virgen; pero tan pronto como la ceremonia del matrimonio y la fiesta hubieron terminado, se retiró secretamente a una celda a dos millas de la ciudad de Edesa, donde sus amigos lo encontraron rezando después de una búsqueda de siete días. Después de la partida de éstos, tapió la puerta de su celda, dejando sólo una pequeña ventana, a través de la cual recibía lo necesario para sobrevivir. Durante cincuenta años no flaqueó nunca en su austera penitencia. Diez años después de que abandonase el mundo, por legado de sus padres, heredó una gran fortuna, pero encargó a un virtuoso amigo que la distribuyera en limosnas.

Una gran ciudad rural dentro de la diócesis continuaba practicando la idolatría y sus habitantes habían cargado de injurias a todos los santos monjes y otros que intentaron predicar entre ellos el Evangelio. El obispo finalmente posó su atención sobre Abraham, le ordenó sacerdote, no obstante contra su voluntad, y lo envió a predicar la fe a aquellos obstinados infieles. Aunque los ciudadanos estaban resueltamente decididos a no dejarle hablar, él continuó orando y llorando entre ellos sin parar y aunque con frecuencia fue abatido y maltratado y por tres veces expulsado por ellos, el siempre regresaba con el mismo celo. Después de tres años, los infieles fueron vencidos por su mansedumbre y paciencia y todos pidieron ser bautizados. Permaneció un año más con ellos y volvió a su celda.

LAMINA 15. SANTA MATILDE, 14 DE MARZO. BUTLER, *VIDA DE LOS SANTOS*, EDICION ILUSTRADA DEL SIGLO XIX EN DOS VOLUMENES.

LAMINA 16. SAN PATRICIO, 16 DE MARZO. BUTLER, *VIDA DE LOS SANTOS*, EDICION ILUSTRADA DEL SIGLO XIX EN DOS VOLUMENES.

Al morir su hermano poco después, dejó a su única hija llamada María, a quien el santo tomó para instruirla en la vida religiosa. Para ello, la situó en una celda cercana a la suya. Pasados veinte años fue seducida por un perverso monje y cayó en la desesperación, marchó a una distante ciudad, donde se entregó a los más criminales desórdenes. El santo no dejó de rezar por ella durante dos años. Al saber donde vivía, se vistió como un ciudadano de aquella ciudad, y yendo a la posada donde se hospedaba deseó que le hiciera compañía durante la cena. Cuando la vio sola, se quitó su manto que le disfrazaba. Viendo como el terror la invadía, la animó tiernamente, la puso en su caballo y la condujo de vuelta al desierto. Allí permaneció quince años de su vida. San Abraham murió cinco años antes que ella; al conocer la noticia de su enfermedad casi toda la ciudad y el país se congregaron para recibir su bendición. Cuando expiró, todos procuraron tomar algún trozo de sus ropas y San Ephrem cuenta que muchos enfermos se curaron con el roce de estas reliquias.

San Patricio

APÓSTOL DE IRLANDA *(lám. 16)*

† 464

San Patricio nació a finales de siglo IV en Escocia, entre Dunbriton y Glasgow. Se llamaba él mismo bretón y romano y dicen que su padre era de buena familia. A la edad de quince años cometió una falta, que parece no haber sido un gran crimen, aunque fue para él objeto de lágrimas durante el resto de su vida. A sus dieciséis años ciertos bárbaros le hicieron cautivo. Lo llevaron a Irlanda, donde le obligaron a cuidar un rebaño en las montañas y en el bosque, con hambre y desnudez. Sus aflicciones eran para él una fuente de bendiciones divinas, porque llevaba su cruz con paciencia, resignación y sagrada alegría. San Patricio después de pasar seis años en la esclavitud fue aconsejado en un sueño por Dios que volviera a su país y le informó que un barco estaba entonces listo para partir hacia allí. Llegó a la costa inmediatamente pero no pudo embarcar, probablemente por falta de dinero. Los marineros, aunque paganos, le subieron a bordo.

Cuando estuvo en casa con sus padres, Dios le manifestó en diversas visiones que le había destinado para la gran obra de conversión de Irlanda. Aún pensativo, viajó a Galia antes de emprender su misión. Pero parece, por su confesión, que fue ordenado diácono, sacerdote y obispo en su propio país. Se opuso gran resistencia a su consagración episcopal y misión, pero perseveró en su resolución. Abandonó a su familia, vendió su patrimonio y su dignidad y consagró su alma a Dios. En esta disposición fue a Irlanda a predicar el Evangelio donde la adoración de los ídolos reinaba todavía. Tales fueron los frutos de su predicación y sufrimientos que consagró a Dios por el bautismo a un gran número de gente, ordenó sacerdotes en todos los lugares e instituyó monjes. El éxito de sus esfuerzos le costaron muchas persecuciones.

San Patricio sostuvo muchos concilios para asentar la disciplina de la iglesia que había implantado. Fijó su sede metropolitana en Armagh. En el primer año de su misión

intentó predicar la palabra de Cristo en las asambleas generales que reyes y estados de toda Irlanda tenían una vez al año en Taraghe, principal asentamiento de los druidas y sus ritos paganos. El hijo de Neill, monarca principal, se declaró en contra del predicador; sin embargo, convirtió a muchos y después bautizó a los reyes de Dublin y Munster, y a los siete hijos del rey de Connaught, y antes de su muerte a casi toda la isla. Fundó un monasterio en Armagh, otro llamado Domnach-Padraig, o iglesia de San Patricio; también un tercero, llamado Sabhal-Padraig, y llenó el país de iglesias y escuelas de piedad y sabiduría, cuya reputación perduró durante siglos, arrastrando a muchos extranjeros a Irlanda. Murió y fue enterrado en Down, en Ulster.

San José

DE ARIMATEA

SIGLO I

San José era miembro del Sanhedrim judío, pero un fiel discípulo de Jesús. Existen grandes pruebas de su piedad, aunque tenía riquezas y honores que perder no temía el mal de los hombres. Cuando los apóstoles flaquearon, se declaró un seguidor de Jesús que estaba crucificado; y con esta gran devoción embalsamó y enterró su cuerpo sagrado.

Este santo es el patrón de Glastonbury donde existen una iglesia y una ermita, muy famosas en tiempos de los antiguos británicos, que construyeron los primeros apóstoles de esta isla, entre los cuales algunos contemporáneos sitúan al propio San José.

[Nota editorial: la leyenda que asocia a José de Arimatea con Glastonbury sugiere además que llevó a Inglaterra el Santo Grial, una copa que pretendidamente contenía la sangre de Cristo vertida en el Calvario, y una rama de espino que plantó en Glastonbury y se convirtió en el Santo Espino hasta que se encontró allí. En la Edad Media se decía que San José fue enterrado en Glastonbury, aunque su cuerpo nunca ha sido hallado, otros aseguraban que en la abadía de Moyenmoutier en Francia se conservaban sus reliquias.]

San Cirilo

ARZOBISPO DE JERUSALÉN

Cirilo nació cerca de la ciudad de Jerusalén alrededor del año 315. Leyó diligentemente a los Padres de la Iglesia y a los filósofos paganos. Maximus, obispo de Jerusalén, le ordenó sacerdote alrededor del año 145, y poco después le nombró predicador para su pueblo, como su catequista para instruir y preparar para el bautismo; así encomendó a su cuidado las dos funciones principales de su propio cargo pastoral. San Cirilo desarrolló este oficio durante muchos años. Sucedió a Maximus en la sede de Jerusalén a finales del año 350.

Los inicios de su episcopado fueron remarcables por prodigio. San Cirilo, un testigo, escribió al emperador Constantino contándole un milagroso fenómeno como sigue: «El nueve (o siete) de mayo, alrededor de las tres, un gran cuerpo luminoso con forma de cruz apareció en los cielos, justo sobre el sagrado Gólgota, llegando hasta el Monte sagrado de los Olivos, visto no sólo por una o dos personas, sino clara y evidentemente por toda la ciudad.»

Algún tiempo después de este memorable acontecimiento apareció una diferencia entre nuestro santo y Acacius, arzobispo de Casarea, primero un semi-arriano, después un arriano completo. Acacius en un concilio de los obispos arrianos convocado por él, declaró a San Cirilo depuesto por no parecer contestar, habiendo sido avisado dos años atrás, a los crímenes que se le atribuían. San Cirilo apeló a los más altos poderes pero partió hacia Antioquía y de allí fue a Tarsus. A la muerte de Constantino en el año 361, Julián El Apóstata, esperando en parte ver a las sectas cristianas y a la ortodoxa en mayor discordia, permitió que todos los obispos desterrados regresaran a sus iglesias. Así hizo Dios uso del mal de sus enemigos para devolver a San Cirilo su sede.

El emperador Julián mostró una gran moderación; pero intentó minar la fe. Lo hizo a través de un proyecto de reconstrucción del templo judío. Los judíos se regocijaron tanto que se congregaron en Jerusalén procedentes de todas partes y comenzaron a despreciar y a triunfar sobre los cristianos. Todas la cosas estaban preparadas, los trabajadores reunidos; piedra, ladrillo y entimbado abastecidos. Pero el buen obispo Cirilo, recién llegado del exilio, advirtió todos los preparativos sin preocupación. Empezaron a cavar nuevos cimientos, pero lo que sacaban en el día era arrojado en la zanja la noche siguiente por repetidos terremotos. Finalmente apareció sobre Jerusalén una cruz reluciente, tan grande como el reino de Constantinopla.

San Cirilo fue arrojado de nuevo de su sede en el 367, pero la recobró en el 378. Encontró a su congregación dividida en herejías y cismas; pero continuó su labor entre ellos. En el año 381 asistió al Concilio General de Constantinopla, en el que condenó a los semi-arrianos y a los macedonios, a cuya herejía siempre se había opuesto. Había gobernado su Iglesia en paz durante ocho años cuando en el año 386 pasó a la gloriosa inmortalidad.

19 DE MARZO

San José

(lám. 17)

† SIGLO I

San José era descendiente directo de los grandes reyes de las tribus de Judá; pero su verdadera gloria consistió en su humildad y su virtud. Dios le concedió la educación de su divino Hijo. Con este propósito se desposó con la Virgen María. Le fue otorgada para que fuese el protector de su castidad, para salvarla de las calumnias por el nacimiento del Hijo de Dios, y para ayudarla en sus viajes, fatigas y persecuciones. Este santo hombre parece que estaba informado del gran misterio de la Encarnación obrado por el Espíritu Santo. Consciente, por tanto, de su propia conducta casta hacia ella, no pudo sino albergar en su pecho

preocupación al encontrarla encinta. Pero siendo un hombre justo, determinó dejarla a solas sin condenarla ni acusarla. Estas disposiciones fueron tan aceptables para Dios que le envió un ángel de los cielos para disipar todas sus dudas.

Debemos estar muy agradecidos a este gran santo con sólo recordar que estamos en deuda con él por la preservación del Niño Jesús de los celos de Herodes. Un ángel se le apareció mientras dormía y le ordenó levantarse, tomar al niño Jesús y huir con él hacia Egipto. Después de la muerte de Herodes, Dios le ordenó regresar con el niño y su madre a la tierra de Israel, orden que nuestro santo obedeció prontamente, y se retiró a Galilea, a su anterior residencia en Nazaret.

Siendo San José un estricto observante de la ley de Moisés, iba cada año a Jerusalén para celebrar la Pascua. Teniendo nuestro Salvador ya doce años acompañó a sus padres allí; quienes, habiendo realizado las ceremonias usuales y regresando con muchos de sus vecinos a Galilea, no dudaban de que Jesús se había unido a ellos con alguno del grupo. Cuando llegó la noche y no tuvieron noticias de él, regresaron con la mayor premura a Jerusalén, donde, después de una desesperada búsqueda de tres días, lo encontraron sentado en el templo, sentado entre los sabios doctores de la ley haciendo tales preguntas y dejándoles atónitos. Cuando su madre le dijo: «Hijo, ¿por qué nos has tratado así? Mira, tu padre y yo te buscamos con gran aflicción en nuestro corazón», recibió como respuesta que él debía ocuparse de los asuntos de su Padre y por tanto para ello era lo más natural encontrarlo en la casa de su Padre.

Como no se hace más mención de San José, debió morir antes de las bodas de Caná, y el principio del ministerio de nuestro divino Salvador. No podemos dudar sino que disfrutara de la alegría de tener a Jesús y a María cuidándolo en su muerte, orando con él, ayudándolo y reconfortándolo en sus últimos momentos; por ellos es especialmente invocado por la gran gracia de una feliz muerte y la presencia espiritual de Cristo en aquella hora.

12 DE MARZO

San Cutberto

† 687

Cuando los Northumbrianos habían abrazado la fe cristiana, San Aidan fundó dos monasterios, el de Melrose (Mailros), en el Twees, y otro en la isla de Lindisfarne. San Cutberto nació no lejos de Melrose y en su juventud se sentía edificado por el devoto retiro de los sagrados habitantes de aquel monasterio cuyo fervor se esforzaba por imitar en las montañas donde cuidaba de las ovejas de su padre. Una noche ocurrió que, mientras estaba orando cerca de su rebaño, vio el alma de San Aidan conducida al cielo por ángeles en el mismo instante en el que dejaba la vida en la isla de Lindisfarne. El joven hombre marchó enseguida hacia Melrose donde se puso el hábito monástico, mientras Eata era abad y San Boisil prior.

Al ser llamado Eata para gobernar el monasterio de Rippon, llevó consigo a San Cutberto y le encomendó que se hiciera cargo de los extranjeros. Cuando San Widfrid fue nombrado abad de Rippon, Cutberto regresó a Melrose, y habiendo muerto San Boisil de una gran peste en el año 774, fue elegido prior en su lugar. En este puesto trabajó

LÁMINA 17. SAN JOSÉ, 19 DE MARZO. BUTLER, *VIDA DE LOS SANTOS*, EDICION ILUSTRADA DEL SIGLO XIX EN DOS VOLUMENES.

asiduamente entre el pueblo para sacarlos de las costumbres paganas y las prácticas supersticiosas que todavía imperaban entre ellos. Visitó principalmente aquellas aldeas algo alejadas que al estar entre altas y escabrosas montañas eran menos visitadas por otros maestros. Después de que San Cutberto hubiera vivido muchos años en Melrose, San Eata, abad también de Lindisfarne, le nombró prior de ese gran monasterio. El santo había gobernado Lindisfarne muchos años cuando, aspirando a una unión más estrecha con Dios, se retiró, con el consentimiento del abad, a la pequeña isla de Farne, a nueve millas de Lindisfarne, para llevar allí una vida de ermitaño. El lugar estaba deshabitado y no tenía ni agua, ni árboles ni grano. Cutberto se construyó una cabaña y obtuvo gracias a sus plegarias abundante agua fresca en su celda. Aunque los hermanos vinieron a visitarlo, les dio consejo espiritual sólo a través de una ventana, sin salir nunca de su celda.

En un sínodo de obispos en Twiford en Northumberland, se decidió que Cutberto fuera ascendido a la sede episcopal de Lindisfarne. Pero como ni las cartas ni los mensajeros lograron obtener su consentimiento, el rey Egfrid navegó hasta la isla y le conjuró a no rechazar. Sus amonestaciones fueron tan acuciantes que recibió la consagración en York la Pascua siguiente. En esta nueva dignidad el santo continuó con sus anteriores austeridades pero, recordando lo que debía su prójimo, salió a predicar e instruir.

San Cutberto, prediciendo que su muerte se acercaba, dejó el obispado que había mantenido durante dos años y se retiró a la soledad en la isla de Farne. Dos meses después, cayó enfermo y permitió a Herefrido, abad de Lindisfarne, que vino a visitarlo, dejar dos monjes para que lo atendieran. Murió el 20 de marzo del año 687.

22 DE MARZO

San Basilio

† 362

San Basilio era un sacerdote de Ancira bajo el obispo Marcelo, y un hombre de una vida ejemplar que predicaba la palabra de Dios con gran asiduidad. Los obispos arrianos en el año 360 le prohibieron mantener asambleas eclesiásticas; pero no hizo caso de la injusta orden y defendió la fe católica ante el mismo Constantino. Cuando Julián el Apóstata restableció la idolatría, Basilio corrió por toda la ciudad exhortando a los cristianos a continuar firmes y no mancharse con los sacrificios paganos. Los paganos utilizaron con él la violencia y lo arrastraron ante el procónsul, acusándole de sedición; de que provocaba al pueblo contra los dioses y había hablado irreverentemente del emperador. El procónsul lo condenó a tortura en el potro, remitiéndole a prisión e informando a su superior, Julián, sobre lo que había hecho. El emperador aprobó sus procedimientos y designó a dos cortesanos apóstatas para que ayudasen al procónsul en el caso del prisionero. Basilio no cesó de alabar y glorificar a Dios en su mazmorra.

Mientras tanto, Julián había salido de Constantinopla hacia Antioquía con el fin de preparar su expedición persa. Cuando llegó a Ancira, San Basilio fue conducido ante él, y el astuto emperador, adoptando un aire de compasión, le dijo, «Yo mismo estoy bien versado sobre tus misterios; y puedo informarte de que Cristo permanece en el mundo de los muertos.» El mártir contestó, «Estás engañado; has renunciado a Cristo en el momento en que te ha conferido el imperio. Pero te privará de él, junto con tu vida.» Julián replicó, «Designo el permiso para que te retires; pero tu imprudente manera de rechazar mi consejo me fuerza a causarte daño. Es por tanto mi condena que tu piel sea todos los días rasgada en siete lugares diferentes, hasta que no quede nada de ella.»

El santo, habiendo sufrido con admirable paciencia las primeras incisiones, deseó hablar con el emperador. Sin dudar de que Basilio pretendía acceder y hacer una ofrenda de sacrificio Julián instantáneamente ordenó al confesor que se encontrara con él en el templo de Esculapius. Pero el mártir replicó que no adoraría nunca a ídolos ciegos y sordos, y tomando un trozo de su carne que todavía colgaba de su cuerpo por un trozo de su piel, se lo arrojó a Julián. El emperador salió lleno de indignación y los tormentos del mártir se duplicaron. Tan profundas eran las incisiones hechas en su carne que sus entrañas quedaban expuestas a la visión y los espectadores lloraban de compasión. El mártir rezaba en voz alta todo el tiempo, y por la tarde era conducido de nuevo a prisión. La mañana siguiente Julián partió hacia Antioquía. El santo yacía sobre su vientre y su espalda era hecha pedazos con púas de hierro al rojo vivo. El mártir expiró bajo estos tormentos el veintinueve de junio del año 36; pero su nombre se conmemora, tanto por los latinos como por los griegos, el veintidós de marzo.

23 DE MARZO

San Alfonso

† 1606

San Toribio, o Turibius Alphonsus Mogrobejo, nació en el reino de León el dieciséis de noviembre de 1538. Comenzó sus estudios superiores en Valladolid, pero los completó en Salamanca. Pronto fue conocido por el rey Felipe II, honrado por él con muchas dignidades, y nombrado juez general de Granada. Desempeñó este oficio durante cinco años con tanta integridad, prudencia y virtud, que, quedando vacante el arzobispado de Lima, Toribio fue unánimemente juzgado la persona idónea entre todos los mejor cualificados para ser el apóstol de este gran país, y para remediar el escándalo que impedía la conversión de los infieles. El rey le nominó con presteza con esta dignidad. Toribio quedó anonadado con la noticia y escribió cartas muy urgentes al consejo del rey, en las que aludía a su incapacidad y resaltaba crédulamente los cánones que prohibían a un seglar promover tales dignidades de la Iglesia.

Siendo compelido por la obediencia a conformarse, después de una apropiada preparación recibió las cuatro órdenes menores en cuatro domingos sucesivos; después de haber pasado las otras órdenes, fue consagrado obispo. Inmediatamente después, partió hacia Perú, y desembarcó en Lima en 1581. Aquella diócesis tenía una extensión de ciento treinta leguas de costa y más de dos cordilleras de los montes de los Andes, consideradas las más altas y escarpadas del mundo. Las guerras civiles y las disensiones eran la desgracia del país, y la codicia, la crueldad y la corrupción parecían triunfar. El buen pastor, a su llegada, comenzó inmediatamente la visita de su vasta diócesis, una empresa que entrañaba grandes peligros. Para asentar y mantener la disciplina, convocó un sínodo diocesano a celebrar cada dos años y fue severo castigando el menor escándalo en el clero. Muchos de los primeros conquistadores de Perú eran hombres que sacrificaban todo por sus pasiones. De algunos de ellos sufrió persecuciones y frustraban con frecuencia sus planes al desempeñar su deber. Pero sobrepasó todos los enfrentamientos e injurias y extirpó los abusos más inveterados. Llenó el país de seminarios, iglesias y muchos hospitales; pero nunca consintió que su propio nombre fuera recordado en ninguna de sus caridades munificientes o fundaciones.

Pasó siete años realizando su primera visita, en la segunda empleó cuatro años, pero la tercera fue más corta. Predicó y catequizó, habiendo para este propósito aprendido varias lenguas de los pueblos del país. Incluso en sus viajes decía misa todos los días y usualmente se confesaba todas las mañanas. San Toribio, en 1606, cayó enfermo en Santa, una ciudad a ciento y una leguas de Lima. Como última voluntad, ordenó que lo que llevaba consigo fuera distribuido entre sus sirvientes y todo lo que poseía fuera dado a los pobres. Recibió la extrema unción en su lecho y murió el 23 de marzo.

La Anunciación de la Sagrada Virgen María

(lám. 18)

Esta festividad toma su nombre de las felices noticias traídas por el arcángel San Gabriel a la Sagrada Virgen María, concernientes a la encarnación del Hijo de Dios. Conmemora la embajada más importante de las que se conocen: una embajada enviada por el Rey de Reyes, realizada por uno de los príncipes principales de su corte celestial; no dirigida a ningún rey ni emperador de la tierra, sino a una pobre, desconocida y apartada virgen.

No es la primera vez que un ángel se le aparece a una

LÁMINA 18. LA ASUNCIÓN, 25 DE MARZO. BRITISH LIBRARY, KINGS M 59.

mujer; pero no encontramos ninguna en la que los ángeles la traten con tanto respeto como el que el ángel Gabriel mostró a María. Sara y Agar fueron visitadas por estos espíritus celestiales, pero ninguna con el honor con el que en esta ocasión el ángel se dirigió a la Sagrada Virgen, diciendo «Salve, llena de gracia», y concluyó con estas palabras: «Bendita seas entre las mujeres.» María, cautelosa por su modestia, se siente confusa ante este tipo de expresiones, y teme la menor demostración de falsa adulación. Tales altas alabanzas la hacen precavida en su contestación, hasta no haber considerado en silencio el asunto. ¡Ah, cuántas almas inocentes se han corrompido por falta de precauciones como éstas! María es retirada, pero que rara vez hoy en día las jóvenes vírgenes se complacen permaneciendo en casa.

Una segunda causa turbó a María al oír estas palabras del ángel; era porque contenían sus alabanzas. Las almas humildes siempre tiemblan y la confusión inunda sus propias mentes cuando se ven aduladas; porque están profundamente penetradas del sentido de su propia debilidad e insuficiencia.

El ángel, para calmar sus inquietudes, le dijo, «No temas María, porque has alcanzado el favor ante Dios.» Entonces le comunicó que iba a ser concebida y que iba a dar a luz a un hijo cuyo nombre era Jesús, que sería el Hijo del Altísimo. En sumisión a la voluntad de Dios, sin hacer preguntas, expresó su asentimiento con estas palabras: «He aquí la esclava del Señor, hágase en mí según su palabra.» En aquel momento el Reino de Dios se unió para siempre con la humanidad, siendo este el punto principal en todas las revelaciones de Dios hechas a su Iglesia desde la expulsión de Adán del paraíso.

San Agustín dice que, de acuerdo con una antigua tradición, este misterio tuvo lugar el veinticinco de marzo. Tanto la Iglesia occidental como la oriental lo celebran en este día, y lo han hecho así al menos desde el siglo V.

26 DE MARZO

San Ludgero

OBISPO DE MUNSTER, APÓSTOL DE SAJONIA

† 809

San Ludgero nació en Friseland alrededor del año 743. Su padre le puso desde muy pequeño al cuidado de San Gregorio de la sede de Utrecht. Gregorio lo educó en su monasterio y le dio la tonsura clerical. Ludgero, deseoso de avanzar más, pasó a Inglaterra y estuvo cuatro años y medio bajo Alcuin, rector de una famosa escuela de York. En el año 773 regresó a casa, y habiendo muerto Gregorio en el 776, su sucesor Alberic compelió a nuestro santo a recibir la orden sacerdotal y se empleó durante muchos años en la predicación en Friseland, donde convirtió a un gran número, fundando muchos monasterios y construyendo muchas iglesias.

Cuando los paganos sajones, saqueando el país, le obligaron a dejar Friseland, viajó a Roma para consultar al papa Adriano II el curso a seguir. Entonces se retiró durante tres años y medio al Monte Cassino, donde llevó el hábito y acató la regla, pero no hizo voto religioso. En el año 787 Carlomagno venció a los sajones y conquistó

Friseland y las costas hasta Dinamarca. Ludgero, al oír que la misión estaba de nuevo abierta, regresó al este de Friseland donde convirtió a los sajones, y lo mismo hizo en Westfalia. Fundó el monasterio de Werden a 45 kilómetros de Colonia.

En el año 802 Hildebald, arzobispo de Colonia, no considerando su extraordinaria resistencia, le ordenó obispo de Mimigardeford, una ciudad que después cambiaría su nombre por el de Munster, del gran monasterio de canónicos regulares que San Ludgero construyó allí para que sirviera de catedral. Añadió a su diócesis cinco cantones de Friseland, que él había convertido, y fundó además el monasterio de Helmstad, después llamado Ludger-Clooster, en el ducado de Brunswick.

Era muy versado en las Sagradas Escrituras y leía diariamente de ellas a sus discípulos. Excepto lo absolutamente necesario para su subsistencia, empleaba todos las riquezas de su propio patrimonio y del obispado en caridades. San Ludgero requería tanta atención durante el servicio divino, que estando en plegaria una noche con su clero y al parar uno de ellos para arreglar el fuego y evitar que humease, el santo después del rezo lo reprendió por ello severamente.

Su última enfermedad, si bien virulenta, no le quitó de continuar con sus funciones hasta el último día de su vida, que fue el Domingo de Pasión, en el que predicó muy temprano en la mañana, dijo misa hacia las nueve y predicó de nuevo antes de la noche, prediciendo además a aquellos que estaban con él que moriría la noche siguiente, y fijando un lugar, en su monasterio de Werden, donde eligió que le enterraran. Murió, por tanto, el veintiséis de marzo, a medianoche. Sus reliquias todavía se conservan en Werden.

30 DE MARZO

San Juan

CLIMACUS, ABAD

† 605

San Juan, generalmente distinguido por el nombre de Climacus, por su excelente libro titulado *Climax* o *La escalera hacia la Perfección*, nació alrededor del año 525, probablemente en Palestina. A la edad de dieciséis años renunció a todas las ventajas que el mundo le prometía y se dedicó a Dios. Se retiró al Monte Sinaí, que desde el tiempo de San Antonio se había poblado de hombres santos. Nuestro novicio decidió no vivir en el gran monasterio en la cumbre, sino en una ermita en la ladera de la montaña, bajo la disciplina de Martirio, un anciano anacoreta. Por el silencio se reprimió de hablar de cualquier cosa, un vicio común entre los hombres doctos. Por la perfecta humildad y la obediencia se despojó de la autocomplacencia en sus acciones.

En el año 560, a la edad de treinta y cinco años, perdió a Martirio. Por consejo de un director, abrazó entonces la vida de ermitaño en una llanura llamada Thole, cerca del valle del monte Sinaí. Su celda estaba a ocho kilómetros de la iglesia. Iba allí todos los sábados y domingos para asistir con todos los otros monjes de aquel desierto al santo oficio. Leía con asiduidad las Sagradas Escrituras y las obras de los Santos Padres, y fue uno de los doctores más sabios de la iglesia, pero ocultaba sus talentos. Como si su celda no estuviese lo suficientemente apartada, San Juan se retiraba con frecuencia a una cueva que había hecho en la roca donde nadie podía venir a turbar sus devociones.

San Juan tenía sesenta y cinco años, y había pasado cuarenta de ellos en su ermita cuando en el año 600 fue elegido abad del Monte Sinaí. Este retraso resultó sin embargo en beneficio de sus instrucciones, porque el abad de Raithu, un monasterio situado en dirección al Mar Rojo, le suplicó que formulase unas reglas por las que las almas fervientes pudieran alcanzar la perfección del cristianismo. Así tomó su pluma y se puso a trazar algunas líneas generales. Esto produjo la excelente obra que llamó *La escalera hacia la perfección religiosa*. Juan, abad de Raithu, explicó su libro con juiciosos comentarios, que todavía existen. Tenemos una carta parecida de San Juan Climatus a la misma persona, concerniente a los deberes de un pastor.

San Juan siempre suspiró bajo el peso de su dignidad durante los cuatro años en los que gobernó a los monjes del Monte Sinaí; y cuando tomó sobre sí esta carga con desgana encontró los medios para aliviarla un poco antes de su muerte. Murió en su ermita el treinta de marzo del año 605, teniendo ochenta años de edad.

1 DE ABRIL

San Hugo
CONFESOR, OBISPO DE GRENOBLE

(lám. 19)

† 1132

Hugo nació en Chateauneuf (Dauphiné) en 1053. Su padre, Odilo, servía a su país en el ejército, y por consejo de su hijo se hizo monje cartujo cuando llegaba casi a los ochenta años, y vivió dieciocho años en gran humildad bajo San Bruno en el Gran Charteuse, donde murió a los cien años, habiendo recibido la extrema unción de su hijo. Nuestro santo también asistió en sus últimos momentos a su madre, que había servido a Dios durante muchos años en su propia casa.

Hugo pareció desde la cuna ser un niño de bendición. Habiendo decidido servir a Dios en condición eclesiástica, aceptó una canonjía en la Catedral de Valencia. Era alto y atractivo pero naturalmente tímido, y tal era su modestia que por algún tiempo encontró el medio de ocultar su sabiduría y elocuencia.

LÁMINA 19. SAN HUGO, 1 DE ABRIL BRITISH LIBRARY, KINGS MS 9, F. 51V.

Hugo, entonces obispo de Die, pero poco después legado cardenalicio de la Santa Sede, quedó tan encantado al ver al santo cuando vino a Valencia que no se contentó hasta que se llevó al buen hombre a su casa. Lo empleó en extirpar simonía, y en muchos otros oficios de importancia. En 1081 el legado Hugo convocó un sínodo en Avignon en el que tomó en consideración la desolada condición en la que se encontraba la Iglesia de Grenoble. Los ojos de todo el consejo se fijaron en San Hugo como la persona mejor cualificada para reformar los abusos, pero su desgana y temor no pudieron vencerse hasta que fue compelido por las órdenes reiteradas del legado.

San Hugo, después de su ordenación, convocó a su feligresía, pero se afligió enormemente al encontrar al pueblo sumido en el vicio y la inmoralidad. Muchas tierras que pertenecían a la iglesia habían sido usurpadas; y las riquezas del obispado se habían disipado de forma que el santo no encontró nada con lo que ayudar a los pobres o suplir sus propias necesidades. Se puso ardorosamente a corregir los abusos y tuvo que consolarse con ver la fachada de su diócesis considerablemente cambiada en poco tiempo.

Después de dos años, abandonó el obispado en secreto y entró en la austera abadía de Chaise-Dieu en Auvergne. San Bruno y sus seis compañeros se dirigieron a él para pedirle consejo en su plan de renunciar al mundo y él les señaló el desierto que estaba en su diócesis, hacia donde los condujo en 1084. Se llama Chartreuse, o Montañas Cartujanas, lugar que da nombre a la Orden de San Bruno allí fundada. La conducta mansa y piadosa de estos siervos de Dios echó profundas raíces en el corazón de nuestro santo pastor. Algunas veces los encantos de la contemplación le retenían tanto tiempo en su ermita que San Bruno se vió obligado a ordenarlo que fuera a su feligresía. Eligió este camino penitencial el 1 de abril de 1132, faltando sólo dos meses para que cumpliera los ochenta años.

mentado mucho, una gran iglesia y un monasterio fueron construidos para ellos en el mismo lugar. La penitencia, la caridad y la humildad fueron las bases de su regla por él establecidas. Obligaba a sus seguidores a observar una perpetua Cuaresma y a abstenerse siempre de todas la comidas blancas, hechas con leche o huevos. Con el fin de reforzar aún más la obediencia de este mandato, prescribió un cuarto voto, y para mostrar el valor de la humildad con base de todas las demás virtudes, lès dio el nombre de Mínimos, para significar que ellos estaban al menos en la casa de Dios. El arzobispo de Cosenza aprobó la orden y la regla en 1471. El papa Sixto IV la confirmó por medio de una bula en 1474.

Luis XI, Rey de Francia, después de una dolencia apopléjica, cayó en una lenta decadencia. Nunca tuvo un hombre una muerte tan espantosa. Ordenó plegarias, procesiones y peregrinaciones por su muerte. Como su dolencia todavía aumentaba, mandó a buscar a nuestro santo ermitaño a Calabria suplicando que viniese a devolverle la salud. Al oír que San Francisco no accedería, deseó la intercesión del Papa. Sixto ordenó a San Francisco restablecer la salud del rey. En seguida el obediente santo partió y llegó el veinticuatro de mayo de 1482. El rey salió a recibirlo y le conjuró para obtener de Dios la prolongación de su vida. San Francisco le dijo que ningún hombre sabio debía albergar ese deseo. Por medio de sus plegarias y exhortaciones efectuó un verdadero cambio en el corazón del rey que murió entre sus brazos, totalmente resignado, en 1483.

San Francisco pasó los tres últimos meses de su vida en el interior de su celda, negándose toda comunicación con la humanidad para que nada pudiera distraer sus pensamientos de la eternidad. Cayó enfermo de una fiebre el Domingo de Ramos, en 1506. Murió el dos de abril, en 1508, teniendo noventa y un años.

2 DE ABRIL

San Francisco
DE PAULA, FUNDADOR DE LA ORDEN
DE LOS MÍNIMOS

† 1508

Este santo nació alrededor del año 1416 en Paula, una pequeña ciudad de Calabria. Sus padres eran muy pobres. Habiendo vivido juntos muchos años sin descendencia, le suplicaron ardientemente a Dios un hijo que le podría ser su fiel servidor. Nació un hijo algún tiempo después de esto, a quien pusieron el nombre de su patrón, San Francisco.

A los trece años de edad su padre le llevó al convento de San Marcos de los monjes franciscanos donde aprendió a leer y puso las bases de una vida austera que nunca ya abandonó. Habiendo pasado allí un año, realizó con sus padres una peregrinación de Asís a Roma. Cuando regresó a Paula, eligió un remoto retiro en un recodo de una roca sobre la costa. Apenas tenía quince años. Antes de cumplir los veinte, otras dos devotas personas se unieron a él. Los vecinos les construyeron tres celdas y una capilla. Esto se considera la fundación de su orden religiosa en 1436.

Casi diecisiete años después, su número se había incre-

3 DE ABRIL

San Ricardo
† 1253

San Ricardo nació en el señorío de Wiche, famoso por sus pozos de sal, a cuatro millas de Worcester, siendo el segundo hijo de Ricardo y Alicia de Worcester. Con el fin de mantener fielmente sus votos bautismales, desde su infancia rechazó toda la pompa mundana; en lugar de en ella su atención se empleó por completo en el establecimiento de una sólida base de virtud y conocimiento. La infortunada situación de los asuntos de su hermano mayor le otorgó la ocasión de ejercitar su benévola disposición. Ricardo aceptó ser su sirviente y gracias a su laboriosidad salvó a su hermano de las circunstancias angustiosas. Habiendo completado esta buena obra, continuó en París los estudios que había iniciado en Oxford, llevando junto con dos escogidos compañeros una vida de piedad y mortificación.

A su regreso a Inglaterra, continuó una especialización en arte en Oxford y de allí fue a Bolonia. Después de haber enseñado allí durante un breve período, regresó a Oxford y, en reconocimiento a sus méritos, fue ascendido a la dignidad de Canciller en aquella universidad. San Edmundo, arzobispo de Canterbury, le designó como su canciller. Acompañó a este santo prelado en su exilio en

Francia y después de su muerte se retiró a un convento de monjes dominicos en Orleans. Habiendo en este retiro recibido la ordenación sacerdotal, regresó a Inglaterra para servir a un coadjutor privado en la diócesis de Canterbury. Bonifacio, que había sucedido a Edmundo en aquella sede, le obligó a volver a tomar su oficio de canciller. Al morir Ralph Nevil, obispo de Chichester, el rey Enrique III recomendó para aquella sede un no meritorio cortesano favorito suyo llamado Roberto Passelaw; el arzobispo declaró que la persona no estaba cualificada y prefirió a Ricardo para el cargo. Fue consagrado en 1245. Pero el rey retiró sus temporalidades y el santo sufrió muchas dificultades por esta causa durante dos años hasta que recobró sus ingresos, pero muy deteriorados. Y cuando, después de haber expuesto su caso en Roma ante el papa Inocencio IV contra el rey, no permitió que ninguna persecución se interfiriera en el cumplimiento de sus deberes para con su feligresía; ahora que el mayor obstáculo había desaparecido, redobló su fervor y atención. Cuando su administración se quejó de que sus limosnas sobrepasaban a sus ingresos, el dijo, «Entonces, vende mi bandeja y mi caballo.» Las adversidades siempre las superó con favores. Para mantener la disciplina, fue inflexible, especialmente castigando los crímenes dentro del clero, aunque recibía a pecadores penitentes con inexpresable ternura y caridad.

Mientras se empleaba en predicar una guerra santa contra los sarracenos, habiendo sido comisionado para ello por el Papa, cayó enfermo con fiebres. Murió en un hospital en Dover, llamado Casa de Dios, el tres de abril del año 1253, habiendo dirigido su episcopado nueve años y contando él con cincuenta y seis. Su cuerpo fue trasladado a Chichester y enterrado ante el altar que él mismo había consagrado a la memoria de San Edmundo.

4 DE ABRIL

San Isidoro

OBISPO DE SEVILLA (lám. 20)

† 636

La ciudad de Cartagena fue el lugar del nacimiento de Isidoro, a quien sus padres, Severiano y Teodora, personas muy destacadas en el reino, edificaron con su ejemplo de extraordinaria piedad. Sus dos hermanos, Leandro y Fulgencio, obispos, y su hermana Florentina son honrados también entre los santos. Isidoro, habiéndose entregado en su juventud al servicio de la iglesia, ayudó a su hermano Leandro, arzobispo de Sevilla, en la conversión de los visigodos liberándolos de la herejía arriana. A la muerte de Leandro, en el año 600 o 601, le sucedió en la sede de Sevilla.

En el año 610, los obispos de España, en un concilio mantenido en Toledo, estuvieron de acuerdo en declarar al obispo de esta ciudad Primado de toda España. Sin embargo, nos encontramos que el Cuarto Concilio de Toledo, en el 633, San Isidoro presidía, no por el privilegio de su sede, sino en la simple consideración de su extraordinario mérito.

San Isidoro, para dejar a la posteridad los frutos que su labor había procurado a la iglesia, compiló muchas obras útiles, en las que abarcaba todo el ámbito de las ciencias y demostraba una extensa lectura y conocimiento de los autores antiguos, tanto sagrados como profanos. El santo era muy versado en las lenguas latina, griega y hebrea.

Al llegar casi a los cuarenta años, aunque la edad y las fatigas habían minado y debilitado su salud, nunca interrumpió sus ejercicios cotidianos ni sus labores. Durante los últimos seis meses de su vida, aumentó sus caridades con tal profusión que los pobres de todo el país se congregaban alrededor de su casa de la mañana a la noche. Percibiendo que su fin estaba próximo, hizo que dos obispos vinieran a verlo. Con ellos fue a la iglesia, donde uno de ellos lo cubrió con una arpillera, el otro puso cenizas sobre su cabeza. Vestido con el hábito penitencial, alzó sus manos al cielo, orando con gran devoción y rogando en voz alta perdón por sus pecados. Entonces recibió de las manos de los obispos el cuerpo y la sangre de Nuestro Señor, encomendándose a las plegarias de todos los que estaban presentes, remitiéndoles las obligaciones para con sus deudores, exhortando al pueblo a la caridad y dándoles todo el dinero que tenía para que no fuera sino vestido entre los pobres. Hecho esto, regresó a su casa y calmadamente dejó esta vida al cuarto día, que era cuatro de abril del año 636, como testifica su discípulo, que estuvo presente en la hora de su muerte. Su cuerpo fue enterrado en la catedral entre los de su hermano San Leandro y su hermana Santa Florentina. Fernando, rey de Castilla y León, recuperó sus reliquias de los moros y las depositó en la iglesia de San Juan Bautista en León, donde permanecen todavía.

5 DE ABRIL

San Vicente

FERRER

† 1419

San Vicente Ferrer nació en Valencia, España, el veintitrés de enero de 1357. Habiéndole su padre propuesto elegir entre una condición religiosa o secular, Vicente sin dudarlo dijo que era su mayor deseo consagrarse al servicio de Dios en la Orden de San Domingo y tomó el hábito en 1374, al principio de su octavo año. Hizo progresos con sorprendente rapidez en el camino de la perfección y publicó un tratado sobre *Las Suposiciones Dialécticas*, no teniendo aún los veinte años. Fue enviado a Barcelona y de allí a Lérida. Por la importunidad del obispo, el clero y el pueblo de Valencia, fue llamado de nuevo a su país y continuó allí sus lecturas y su predicación.

San Vicente había vivido así seis años cuando el cardenal Pedro de Luna, legado en España, fue designado para ir en esta misma condición ante Carlos VI, rey de Francia, y obligó al santo a acompañarlo. Al morir Clemente VII en Avignon en 1394, durante el gran cisma, Pedro de Luna fue elegido Papa por los franceses y los españoles y tomó el nombre de Benedicto XIII. Ordenó a Vicente a trasladarse a Avignon y lo hizo maestro de su Palacio. El santo se esforzó por persuadir a Benedicto para que pusiera fin al cisma, pero sólo obtuvo promesas, y después de dieciocho meses suplicó ser destinado a misiones apostólicas.

Antes de que terminara el año 1398, San Vicente dejó Avignon. Predicó en todas las ciudades con maravillosa eficacia; y el pueblo al haberlo escuchado en una plaza lo seguía en grupo a otra. Visitó todas las provincias de España de esta manera, excepto Galicia. Volvió a Francia y de

LAMINA 20. SAN ISIDORO DE SEVILLA, 4 DE ABRIL. BUTLER, *VIDA DE LOS SANTOS*, EDICION ILUSTRADA DEL SIGLO XIX EN DOS VOLUMENES.

allí fue a Italia, parte de Alemania y Flandes, Inglaterra, Escocia e Irlanda. Trabajó así casi veinte años, hasta 1417. Predicó a los mahometanos el Evangelio con gran éxito en Granada y convirtió a muchos. Curó innumerables enfermedades en todas partes.

Al caer finalmente en un total debilitamiento, sus compañeros le persuadieron para que regresara a su país. Por consiguiente, partió con este propósito, montando un asno, como era habitual en sus viajes. Pero después de que hubieron recorrido una distancia considerable, se encontraron cerca de la ciudad de Vannes. Allí sintió el santo empeorar su enfermedad determinando regresar a la ciudad, diciendo que Dios había elegido esta ciudad como el lugar de su enterramiento. Su fiebre aumentó y se preparó para la muerte recibiendo devotamente los sacramentos. Al décimo día de su enfermedad hizo que se le leyera la pasión de nuestro salvador. Fue un miércoles de Pasión, el cinco de abril, cuando descansó en el Señor, en el año 1419, habiendo vivido sesenta y dos años. Juana de Francia, duquesa de Bretaña, lavó su cuerpo con sus propias manos. El duque y el obispo señalaron la catedral como el lugar de su tumba.

9 DE ABRIL

Santa María

DE EGIPTO

† SIGLO V (?)

Durante el reinado de Teodosio el Joven, vivía en Palestina un monje llamado Zosimus famoso por su santidad. Alrededor del año 430 el santo hombre traspasó el Jordán con la esperanza de encontrar algún ermitaño de una perfección mayor a la de aquellos con los que había conversado. Habiendo avanzado así durante veinte días, cuando paró a mediodía para descansar, vio la figura de un cuerpo humano que parecía desnudo, extremadamente bronceado y con el pelo blanco y corto que huía de él. Se fue aproximando y cuando estuvo a una distancia suficiente para que lo oyera, gritó a la persona que se detuviese, quien contestó, «Abad Zosimus, soy una mujer; tírame tu manto para que me cubra.»

El, sorprendido al oír que ella le llamaba por su nombre, obedeció. Después de cubrirse, se aproximó hacia él y comenzaron a conversar. Ella dijo, «Debo morir de vergüenza al contarte quién soy. Mi país es Egipto. Cuando mi padre y mi madre aún vivían, a la edad de doce años, fui sin su consentimiento a Alejandría.» Entonces describió cómo fue una prostituta pública durante diecisiete años. Y añadió, «Continué con mi vida descarriada hasta mis veintinueve años, cuando, al ver a muchas personas dirigirse hacia el mar me dijeron que estaban cerca de la Exaltación. Me embarqué con ellos buscando sólo nuevas oportunidades para mis orgías. El día designado para la fiesta, yendo todos a la iglesia, una fuerza invisible me impidió entrar en el lugar. Eso me ocurrió tres o cuatro veces y comencé a considerar que mi vida de pecado podía ser la causa. Me levanté y me dirigí hacia el cuadro de la Madre de Dios y oré ante ella, suplicando su intercesión. Me pareció escuchar esta voz, 'Si vas más allá del Jordán, encontrarás allí la paz y el reposo.' Después de oír estas palabras, partí inmediatamente, pasé el Jordán y desde entonces he evitado cautelosamente toda compañía

humana, por lo que puedo saber, ya son cuarenta años.»

Zosimus al notar que hacía uso de las frases de la Escritura le preguntó si se había aplicado alguna vez al estudio de los Libros Sagrados. Su respuesta fue que ni siquiera sabía leer, ni había visto criatura humana desde que estaba en el desierto. Terminó pidiéndole tomar con él el Jueves Santo el cuerpo y la sangre de Nuestro Señor y que la esperase en la orilla del río. Al año siguiente, el Jueves Santo fue él al Jordán. Por la noche apareció ella, caminando sobre las aguas. Pidió a Zosimus que regresara la siguiente Cuaresma. Pero al llegar al lugar donde la había visto por primera vez, encontró su cuerpo tendido en el suelo. Zosimus lo enterró.

11 DE ABRIL

San Estanislao

MÁRTIR, OBISPO DE CRACOVIA (lám. 21)

† 1079

Estanislao nació el veintiséis de julio de 1030, en Sezepanow, en la diócesis de Cracovia. Sus padres habían pasado juntos treinta años sin descendencia cuando les fue dado este niño después de haber perdido todas las esperanzas. Lo recibieron dando las gracias a Dios por su nacimiento en el servicio divino.

Cuando creció, lo enviaron a proseguir sus estudios a Gnesna, la principal universidad del reino, y de allí a París. Después de siete años regresó a casa, y al perder a sus padres, dispuso de su fortuna en favor de los pobres. Recibió la orden sacerdotal de Lambert Zula, obispo de Cracovia, y éste le nombró su predicador y vicario general. A la muerte de Lambert, fue consagrado obispo en 1072.

Boleslas II era entonces rey de Polonia. Este príncipe mancilló la gloria de sus victorias por su lujuria desenfrenada y sus horribles actos de tiranía, que le procuraron el sobrenombre de El Cruel. Aunque casado, no sentía ninguna vergüenza al ofrecer la violencia a muchas mujeres de la nobleza. Estanislao le expresó lo horrible de su conducta y el rey hizo alguna muestra de arrepentimiento. Pero pronto esto desapareció, y el rey comenzó a expresar su aversión por el buen obispo. Tomó y retuvo por medio de la violencia a la mujer de un caballero en el palatinado de Sirad, y tuvo con ella varios hijos. El arzobispo de Fnesna y otros de la orden episcopal fueron solicitados por la nobleza para que expusiesen ante él lo horrible de su crimen; pero el temor a ofender a su soberano dejó sus bocas cerradas. Estanislao fue la única persona que tuvo el coraje de desempeñar este deber. Fue a la corte y una vez más conjuró al rey para que pusiera fin a sus escandalosos desórdenes, diciendo que corría el riesgo de ser excomulgado.

No encontrando ningún remedio que aplicar a los males que deploraba, y viendo que todas las medidas eran infructuosas, Estanislao lo excomulgó finalmente. Y, habiendo dejado órdenes de cerrar la iglesia en caso de que el rey intentase entrar en ella mientras se celebraba el servicio, dejó la ciudad y se retiró a San Miguel, una pequeña capilla a poca distancia de Cracovia. El rey lo siguió hasta allí con sus guardias, a quienes ordenó masacrarlo en el sitio, pero el respeto y el miedo se apoderaron de ellos de tal manera que no se atrevieron a hacerlo, hasta

LÁMINA 21. SAN ESTANISLAO, 11 DE ABRIL. BUTLER, *VIDA DE LOS SANTOS*, EDICIÓN ILUSTRADA DEL SIGLO XIX EN DOS VOLÚMENES.

que el rey mismo corrió hacia él y lo mató con sus propias manos. Los guardias cortaron el cuerpo del mártir en trozos que extendieron por los campos. Pero se dice que las águilas los defendieron hasta que los canónigos de la catedral los reunieron y los enterraron en la puerta de la capilla en la que había sido martirizado. Diez años después, el cuerpo fue trasladado a la catedral de Cracovia en 1088.

12 DE ABRIL

San Zenón

OBISPO DE VERONA

† 380

Este santo prelado fue citado como mártir por San Gregorio el Magno, y en muchos martirologios; pero fue honrado sólo con el título de confesor en el antiguo Misal de Verona y parece que no murió por la espada. Viviendo en tiempos de Constantino, Julián y Valens, pudo merecer el título de mártir por sufrir las persecuciones llevadas a cabo por estos príncipes. De ahí que en muchos calendarios aparezca como mártir, en otros como confesor. Algunos afirman a causa de su nombre que era griego; pero el Ballerini muestra que fue por nacimiento o por educación un latino y un africano.

Nuestro santo parece haber sido ordenado obispo de Verona en el año 362. Sabemos por muchos de sus sermones que bautizaba cada año a un gran número de idólatras, y que ejerció con gran éxito contra los arrianos, cuyo partido se había extendido por aquellas tierras con los cabecillas de aquella secta. También se opuso a los errores de los pelagianos. Habiendo crecido su congregación en un gran número, creyó necesario construir una gran iglesia. Por sus preceptos y ejemplo el pueblo era tan generoso en sus limosnas que sus casas estaban siempre abiertas a los pobres extranjeros y ninguno de los compatriotas tenía necesidad de pedir alivio. Después de la batalla de Adrianópolis en el año 378, los vándalos hicieron un número increíble de cautivos. Parece haber sido en esta ocasión cuando las caridades de los habitantes de Verona se extendieron como fructíferas semillas hasta las más remotas provincias, y por ello muchos fueron liberados de la esclavitud, muchos rescatados de una muerte cruel, muchos aliviados del duro trabajo.

San Zenón mismo vivía en una gran pobreza. Hace frecuentes menciones del clero al que educaba y de los sacerdotes que eran sus compañeros de labor. Habla de las ordenaciones que se llevaban a cabo en Pascua; también de la solemne reconciliación de los penitentes que era otra función de esta santa época. San Ambrosio menciona, en Verona, vírgenes consagradas a Dios por San Zenón, que llevaban el velo sagrado y vivían en sus propias casas en la ciudad; y otras que vivían en un monasterio del que parece haber sido fundador y director. Las fiestas de Amor, o ágapes, fueron originariamente establecidas en las festividades de los mártires en sus cementerios, que por la degeneración de las costumbres se convirtieron en ocasiones para la intemperancia y la vanidad. San Zenón lanzó invectivas contra el abuso.

San Zenón extendió su caridad a los fieles difuntos y condenó severamente la grave intemperancia de aquellos que interrumpían con sus lamentaciones por sus amigos muertos los divinos sacrificios y el oficio público de la iglesia. Fue coronado por su labor con una feliz muerte en el año 380, el doce de abril.

13 DE ABRIL

San Hermenegildo

† 186

Leovigildo el Godo, rey de España, tuvo dos hijos de su primera esposa Teodosia, llamados Hermenegildo y Recaredo. A éstos los educó en la herejía arriana, que él mismo profesaba, pero casó a Hermenegildo con Ingondes, una ferviente católica. Los grandes habían dispuesto que la herencia de la corona fuese por elección, pero Leovigildo asoció a sus dos hijos a ésta, y repartió a cada uno una parte de sus dominios, cayendo Sevilla en la dote de Hermenegildo.

Ingondes tuvo que sufrir mucho a causa de Gosvint, una fanática arriana, con quien Leovigildo se había casado a la muerte de Teodosia; pero a pesar de todos sus crueles maltratos, se adhirió firmemente a la fe católica. Y tal fue la fuerza de su ejemplo que el príncipe se convirtió, adjurando de la herejía, y fue recibido en la iglesia a través de la imposición de manos y la unción del crisma en la frente. Leovigildo en un ataque de rabia le quitó el título de rey y decidió privarlo de sus posesiones, su princesa e incluso de su mujer, a menos que volviera a sus anteriores convicciones. Hermenegildo decidió insistir en su defensa, y fue apoyado por todos los católicos de España; pero eran demasiado débiles para defenderlo de los arrianos.

Por tanto, el príncipe mandó a San Leandro a Constantinopla para solicitar socorro a Tiberio. Pero murió poco después, y al verse su sucesor obligado a emplear todas sus fuerzas para defender sus propios dominios de los persas, no pudo obtener ninguna ayuda. Hermenegildo imploró entonces ayuda a los generales romanos en esta parte de España. Se comprometieron a protegerlo, y recibieron a su esposa y a su hijo pequeño como huéspedes pero, comprados por el dinero de Leovigildo, le traicionaron. El príncipe buscó refugio en una iglesia; y el rey arriano, para no violar aquel lugar sagrado, permitió a su segundo hijo Recaredo ir a por él y prometerle el perdón. Hermenegildo creyendo en la sinceridad de su padre, salió y se postró a sus pies. Leovigildo lo cargó de cadenas y lo condujo a prisión en la torre de Sevilla.

Habiendo llegado la solemnidad de la Pascua, el pérfido padre le envió un obispo arriano por la noche, ofreciéndole favorecerlo si tomaba la comunión de las manos del prelado, pero Hermenegildo se negó a la propuesta con indignación. El furioso padre, viendo en la fe de su hijo una prueba contra todos sus esfuerzos por pervertirlo, mandó a los soldados para que lo mataran. Encontraron al santo dispuesto para recibir el golpe mortal, que inmediatamente le infringieron, cortando su cabeza con un hacha. El santo recibió la corona del martirio en Vigilia Pascual, el trece de abril.

17 DE ABRIL

San Esteban

CONFESOR, ABAD DE CITEAUX

† 1134

San Esteban Harding era un inglés de una honorable familia. Recibió su educación en el monasterio de Sherbourne en Dorsetshire. Con el propósito de aprender los medios de perfección cristiana viajó a Escocia, y después a París y Roma. Esteban oyó en Lyon acerca de la gran austeridad y santidad del monasterio benedictino de Molesme, fundado por San Roberto. Encantado con esta casa eligió llevar a cabo allí una vida de sacrificio por Cristo.

Era tal la extrema pobreza de este lugar que los monjes eran con frecuencia obligados a vivir de hierbas salvajes. La compasión de todo el vecindario les cubría sus necesidades, pero con la abundancia un espíritu de relajación les invadió y les apartó de sus deberes. San Roberto, Alberic su prior, Esteban y otros monjes fervientes, siendo veintiuno en número, con el permiso de Hugo arzobispo de Lyon, se retiraron a Cîteaux, una zona pantanosa a cinco leguas de Dijon. Los monjes talaron los árboles con sus propias manos y construyeron ellos mismos un monasterio, y en él hicieron una profesión de la regla de San Benito en el día de San Benito del año 1098, que se considera la fecha de la fundación de la Orden Cisterciense. Después de un año, Esteban fue llamado desde Molesne y Alberic fue elegido el segundo abad de Cîteaux. Alberic terminó su vida el 26 de enero, 1109, y San Esteban fue elegido el tercer abad.

La orden estuvo entonces en gran peligro de sucumbir; fue la admiración del universo, pero parecía tan austera que apenas alguno tenía el coraje de abrazar aquella institución. San Esteban condujo su regla con la más alta perfección. Las frecuentes visitas de extranjeros se evitaban, y sólo al duque de Burgundy se le permitía la entrada. Se le pidió además que no tuviera a su corte en el monasterio los días sagrados. El duque y su corte se ofendieron mucho y les retiraron sus ayudas y su protección. Este desastre fue sucedido por otro. En 1111 y 1112, la enfermedad barrió la mayor parte de esta pequeña comunidad. San Esteban temía no poder dejar ningún sucesor a su pobreza, y muchos supusieron que su instituto era demasiado severo. San Esteban tuvo el consuelo de recibir dentro de su comunidad al mismo tiempo a San Bernardo junto con treinta caballeros, cuyo ejemplo fue seguido por muchos otros. San Esteban vivió entonces para fundar trece abadías y ver como más de cien eran fundadas por monjes de su Orden bajo su dirección. Publicó muchos estatutos, llamados la *Carta de la Caridad*, y creó una colección de ceremonias y costumbres para ser redactadas bajo el nombre de *Costumbres de Cîteaux*. El santo, habiendo congregado al capítulo de su orden, alegando su avanzada edad e incapacidad, suplicó ser liberado de su cargo, lo que podría permitirle prepararse para aparecer ante el Juicio Final. Pasó a la gloria inmortal el veintiocho de marzo de 1134.

19 DE ABRIL

San Elfego

MÁRTIR, ARZOBISPO DE CANTERBURY

† 1012

San Elfego nació de padres nobles y virtuosos que le dieron una buena educación. Sirvió a Dios primero en el monasterio de Derherste en Gloucester. Algunos años después se construyó él mismo una celda en un desierto lugar de la abadía de Bath donde se encerró. Su virtud resplandecía ante los hombres a través de su velo de humil-dad y se le obligó finalmente a tomar la dirección de la gran abadía de Bath.

Al morir San Ethelwold, obispo de Winchester, en el año 984, San Dunstano obligó a nuestro santo abad a aceptar la consagración episcopal, aunque no tenía más que treinta años de edad. Era tan severo consigo mismo como remarcable en su caridad con su prójimo. Durante este tiempo no hubo mendigos en toda la diócesis de Winchester. El santo prelado había gobernado la sede veintidós años cuando en 1006 le trasladaron a la de Canterbury, teniendo cincuenta y dos años.

Los daneses por aquel tiempo estaban haciendo los más aterradores estragos en Inglaterra. Desembarcaron donde les complació, y no sólo saquearon el país, sino que cometieron tremendas barbaridades con los nativos, con poca o ninguna oposición por parte del débil rey Ethelred. Habiéndose unido a su ejército el traidor conde Edric, marcharon sobre el Este y se asentaron ante Canterbury. La nobleza inglesa deseaba que el arzobispo entonces en la ciudad les diera su protección luchando, lo que se negó a hacer. Canterbury fue tomada por asalto. Los infieles mataban brutalmente a todo el que se cruzaba en su camino. El santo prelado se abrió camino entre las tropas danesas y se dirigió al lugar de la masacre. Volviéndose al enemigo les rogó que contuvieran la matanza de su pueblo. El arzobispo fue prendido inmediatamente, puesto entre rejas y confinado durante varios meses en una deplorable mazmorra asquerosa.

Aquejada su armada de un cólico epidémico mortal y atribuyendo este azote al cruel tratamiento que habían dado al santo, lo sacaron de la prisión y la calamidad cesó. Sus jefes deliberaron sobre la posibilidad de ponerlo en libertad, pero prevaleciendo la codicia, exigieron por su rescate trescientos marcos de oro. El dijo que su patrimonio, el de los pobres, no debía malgastarse. Entonces fue atado de nuevo y el Domingo de Pascua fue conducido ante los jefes de su flota, que estaba entonces en Greenwich, y amenazado con tormentos y la muerte a menos que pagara el rescate. Contestó que no tenía otro oro que ofrecer que no fuera su verdadera sabiduría. Los bárbaros, furiosos por esta respuesta, lo derribaron con sus hachas de guerra y lo lapidaron. Un danés que había sido anteriormente bautizado por un santo, apenado al verlo sufrir de aquella forma tan lenta y dolorosa, cortó su cabeza y dio el último golpe a su martirio. Así murió San Elfego a los cincuenta y nueve años de edad.

20 DE ABRIL

Santa Inés

DE MONTEPULCIANO, VIRGEN Y ABADESA

† 1317

Esta santa virgen era oriunda del Monte Pulciano, en la Toscana. Apenas tenía uso de razón, cuando desarrolló un extraordinario ardor y deleite por la oración, y en su infancia pasaba horas enteras recitando el Padre Nuestro y el Ave María, de rodillas, en alguna esquina recogida de una habitación. A los nueve años de edad sus padres la llevaron a un convento de Sackins, de la Orden de San Francisco, así llamado por su hábito, o al menos por su escapulario, hecho de tela de saco. Inés, a su tierna edad, era un modelo de virtud para su austera comunidad; y renunció al mundo, aunque poseía una gran fortuna, sensible a sus peligros antes de conocer sus goces. A los quince años se trasladó a la nueva fundación de la Orden de San Domingo, en Proceno, en el país de Orvieto, y fue nombrada abadesa por el papa Nicolás IV.

Dormía en el suelo, con una piedra bajo su cabeza en lugar de una almohada, y durante quince años ayunó siempre a base de pan y agua, hasta que sus directores la obligaron, considerando la enfermedad, a mitigar sus austeridades. Sus conciudadanos, deseosos de tenerla consigo de nuevo, demolieron una casa indecente y erigieron en el lugar un convento de monjas, que le entregaron. Esto prevaleció sobre la decisión de regresar, y estableció en esta casa monjas de la Orden de San Domingo, cuya regla profesaba. Los dones del milagro y la profecía la hicieron famosa entre los hombres, aunque la humildad, la caridad y la paciencia durante su larga enfermedad fueron las gracias que encomendó a Dios. Murió en el Monte Pulciano, el veinte de abril de 1317, teniendo cuarenta y tres años de edad. Su cuerpo fue trasladado a la iglesia de los dominicos de Orvieto en 1435, donde permanece.

21 DE ABRIL

San Anselmo

ARZOBISPO DE CANTERBURY

† 1109

San Anselmo nació de padres nobles en Piedmont alrededor del año 1033. A la edad de quince años, pidió a un abad que le permitiese entrar en su convento, pero fue rechazado al conocer el desacuerdo de su padre. La desavenencia con su padre le indujo, después de la muerte de su madre, a abandonar su propio país, y después de una diligente dedicación a sus estudios durante tres años en Burgundy, invitado por la gran fama de Lanfranc, prior de Bec en Normandía, fue allí y se convirtió en estudioso, y en un miembro de esta casa a la edad de veintisiete años, en 1060. Tres años después, Lanfranc fue nombrado abad de San Esteban en Caen y Anselmo prior de Bec.

San Anselmo se aplicó con diligencia al estudio de todas las partes de la teología. En 1078 fue elegido abad de Bec, teniendo cuarenta y cinco años. Poseyendo la abadía en aquel tiempo algunas tierras en Inglaterra, esto obligó al abad a personarse allí. Fue recibido con grandes honores por toda clase de gente. En el año 1092 Hugo, conde de Chester, pidió a Anselmo que fuera a Inglaterra. La sede metropolitana de Canterbury había quedado vacante desde la muerte de Lanfranc en 1089. El sacrílego rey William Rufus había usurpado los ingresos de los beneficios vacantes, pero aquejado de una violenta enfermedad que en pocos días lo llevó a una situación extrema, nominó a Anselmo para la sede de Canterbury, convencido de que perdería su alma si moría antes de que la archidiócesis fuese ocupada. Anselmo declinó el cargo, hasta que el rey hubo prometido la restitución de todas las tierras y fue consagrado el cuatro de diciembre de 1093.

Al ver que el rey estaba siempre buscando la ocasión para oprimir a su Iglesia, abandonó Canterbury en 1097 para ir a Roma. Habiendo el Papa oído acerca de su causa, le aseguró su protección. Anselmo se retiró al monasterio de San Salvador en Calabria donde concluyó su obra *Por qué Dios creó al Hombre*. Pidió al Papa ser liberado de la carga del obispado, creyendo que podría ser más útil al mundo en un puesto retirado, pero el Papa no consintió de ningún modo.

Siendo el rey William Rufus arrebatado por una muerte repentina en 1100, San Anselmo se apresuró hacia Inglaterra, donde fue invitado por el rey Enrique I. Pero esta armonía no duró mucho. Anselmo siguió negándose a ordenar obispos nombrados por el rey, sin una elección canónica. La lucha se hacía más seria de día en día. Finalmente el rey convenció a Anselmo para que fuese en persona a consultar al Papa sobre aquel asunto. El papa Pascual II condenó al rey y excomulgó a aquellos que habían recibido las dignidades de la Iglesia de él. Después de otros desacuerdos con el rey, Anselmo finalmente regresó a Inglaterra en 1106. Los últimos días de su vida los pasó falto de salud y expiró en Canterbury el veintiséis de abril de 1109.

23 DE ABRIL

San Jorge

MÁRTIR *(lám. 22)*

† ALREDEDOR DEL 303

La extraordinaria devoción de toda la Cristiandad por este santo es una auténtica prueba de cómo su glorioso triunfo y su nombre han estado siempre en la Iglesia. Según lo que nos narra Metaphrastes, nació en Capadocia, de padres nobles y cristianos. Después de la muerte de su padre fue con su madre a Palestina, al ser ella de aquel país. Allí su madre tenía un patrimonio considerable, que recayó sobre su hijo Jorge. Su cuerpo era fuerte y robusto, y habiendo abrazado la profesión de soldado, fue nombrado tribuno o coronel del ejército. Por su valor y conducta pronto fue ascendido a los puestos más altos por el emperador Diocleciano.

Cuando este príncipe declaró la guerra contra la religión cristiana, San Jorge dejó a un lado las insignias de su dignidad, tiró sus comisiones y puestos, y se quejó al emperador por la severidad y lo sangriento de sus edictos. Fue inmediatamente arrojado en prisión y tratado con amenazas, después con interrogatorios y torturado con gran crueldad; pero nada pudo hacer que se quebrase su constancia. Al día siguiente fue conducido a la ciudad y decapitado.

Algunos piensan que fue él mismo, el ilustre joven, quien rompió los edictos cuando fueron por primera vez fijados en Nicomedia. La razón por la que San Jorge ha sido considerado como el patrón de los militares, es en parte debido a su profesión, y en parte por el crédito de una revelación de su aparición ante el ejército cristiano en la guerra santa, antes de la batalla de Antioquía. El éxito de esta batalla dando la fortuna a los cristianos, bajo Godfrey de Bouillon, hizo el nombre de San Jorge famoso en Europa y dispuso que los militares imploraran más su particular intercesión. Esta devoción se confirmó, según se dice, por una aparición de San Jorge al rey Ricardo I en su expedición contra los sarracenos; visión que al ser declarada a sus tropas sirvió de estímulo y pronto derrotaron al enemigo.

A San Jorge se le representa habitualmente sobre un caballo blanco y luchando contra un dragón, bajo sus pies; pero esta representación no es más que una figura emblemática, significando que, por su fe y fortaleza cristiana, venció al diablo, que es llamado «dragón» en el Apocalipsis.

LÁMINA 22. SAN JORGE, 22 DE ABRIL. BUTLER, *VIDA DE LOS SANTOS*, EDICION ILUSTRADA DEL SIGLO XIX EN DOS VOLUMENES.

24 DE ABRIL

San Fidel

DE SIGMARENGEN, MÁRTIR

† 1622

Fidel nació en 1577 en Sigmarengen, una ciudad de Alemania. El nombre de su padre era Juan Rey. El santo fue bautizado como Mark, realizó sus estudios en la universidad de Friburgo en Suiza, y mientras enseñaba filosofía comenzó su doctorado en leyes. Por aquel tiempo bebía vino y llevaba un cilicio. En 1604 acompañó a tres jóvenes nobles del país en un viaje por las principales regiones de Europa de seis años de duración. Después de esto ejerció leyes en Colmar, en Alsacia, con gran reputación. La justicia y la religión dirigían sus acciones. Su caridad le hizo ganar el sobrenombre de abogado de los pobres, pero las injusticias de un compañero suyo le dieron un disgusto sobre una profesión que era para muchos una ocasión para el pecado, y decidió entrar a formar parte de los monjes capuchinos. En la festividad de San Francisco en 1612 se consagró a Dios tomando el hábito.

Aún no había acabado su curso de teología cuando ya estaba predicando y oyendo confesiones. La congregación *De Propaganda Fide* mandó al Padre Fidelis una comisión para que fuera a predicar entre los grisones, y él fue el primer misionero mandado a esta región despúes de que este pueblo abrazara el Calvinismo. Los calvinistas, estando encolerizados, lanzaron fuertes amenazas contra su vida, y se preparó para el martirio. El 24 de abril de 1622 se confesó con su compañero con gran compunción, dijo misa y predicó en Gruch, una importante villa. Al final de su sermón, que pronunció con un furor mayor que de ordinario, estuvo en silencio por un momento, predijo su muerte a bastantes personas y suscribió su última carta de esta manera: «Hermano Fidelis, quien será pronto comida de los gusanos.» Desde Gruch fue a predicar a Sevis donde exhortó a los católicos a la constancia en la fe. Al descargar un calvinista su mosquetón sobre él en la iglesia, los católicos le suplicaron que se fuera. En el camino de vuelta a Gruch, se encontró a veinte soldados calvinistas con un ministro a su cabeza. Primero le llamaron falso profeta y le urgieron a abrazar su secta. El contestó, «Me han enviado a refutaros, no a abrazar vuestra herejía.» Uno de ellos lo tiró al suelo de un golpe en la cabeza con el puño de su espada. El mártir se levantó sobre sus rodillas y dijo con voz débil, «Perdona a mis enemigos, Oh Señor, que cegados por la pasión no saben lo que hacen.» Otro golpe partió su cráneo y cayó al suelo. Los soldados, no contentos con esto, apuñalaron repetidas veces su cuerpo y cortaron su pierna derecha como castigo por sus muchos viajes a aquellas partes donde había predicado. Fue enterrado por los católicos al día siguiente. El ministro se convirtió a causa de este acontecimiento y adjuró públicamente de su herejía.

25 DE ABRIL

San Marcos

EVANGELISTA *(lám. 23)*

† SIGLO I

San Marcos era de condición judía. Por su oficio de intérprete de San Pedro, algunos creyeron que fue el autor del estilo de sus epístolas; otros que fue empleado como traductor al griego o al latín de lo que el apóstol había escrito en su propia lengua, como la ocasión parecería requerirlo. San Jerónimo y otros lo toman como el mismo que San Juan, de sobrenombre Marcos, hijo de la hermana de San Bernabé, que estuvo con San Pablo en el Este. De acuerdo con Papias y San Clemente de Alejandría, escribió su Evangelio a petición de los romanos; quienes, como cuentan, deseaban consignar por escrito lo que San Pedro les había enseñado por medio de la palabra. Habiendo revisado San Pedro la obra, la aprobó, y autorizó que fuese leída en las asambleas de los creyentes.

Este evangelista es conciso en su narración, y escribe con la más placentera simplicidad y elegancia. Escribió su Evangelio en Italia, antes del año 49 de Nuestro Señor.. Fue enviado por San Pedro a Egipto y fue designado por él obispo de Alejandría. Se nos dice que Marcos llegó a Cyrene, una parte de Libia que bordea Egipto, y por innumerables milagros arrastró a muchos a la fe. De la misma manera llevó el Evangelio a otras provincias de Libia y otras partes de Egipto antes de entrar en Alejandría, donde pronto reunió a numerosos feligreses de los que se cree muchos eran judíos conversos.

El prodigioso progreso de la fe en Alejandría enfureció a los paganos. El apóstol, en consecuencia, abandonó la ciudad y regresó a Pentapolis donde predicó dos años. A su regreso a Alejandría los ateos le llamaron mago a causa de sus milagros y resolvieron darle muerte. Dios, sin embargo, le ocultó durante largo tiempo de ellos. Finalmente, en una fiesta pagana del ídolo Serapis, algunos se dedicaron a buscar al hombre santo y lo encontraron ofreciendo a Dios la plegaria de la misa. Lo cogieron, ataron sus pies con cuerdas y lo arrastraron por las calles. El santo fue así arrastrado durante todo el día, manchando las piedras con su sangre y dejando en el suelo trozos de su piel. Por la noche, fue arrojado en prisión donde Dios lo reconfortó con dos visiones. Al día siguiente, los infieles lo arrastraron de nuevo hasta que felizmente murió el 25 de abril, día en el que las iglesias celebran su festividad. Los cristianos reunieron los restos de su despedazado cuerpo y lo enterraron en Bucoles. Se dice que su cuerpo fue llevado con cautela a Venecia en el año 815 y que fue depositado en la capilla del Dux de San Marcos en un lugar secreto bajo los grandes pilares. Este santo es honrado por esta república con extraordinaria devoción como patrón principal.

27 DE ABRIL

Santa Zita

VIRGEN

† 1272

Zita nació al principio del siglo XIII en un pueblo cercano a Lucca en Italia. Fue criada con el mayor de los cuidados por su pobre madre quien redujo toda su instrucción a dos breves principios, y nunca tuvo ocasión de usar otra amonestación para reforzar su educación más que decir «Esto es lo que más place a Dios; esta es su divina voluntad», o «Esto no complace a Dios». La dulzura de la joven hija encantaba a todo el mundo. Hablaba poco y era más asidua en sus labores; pero su trabajo nunca pareció interrumpir sus oraciones.

A la edad de doce años se le puso a servir en la familia de un ciudadano de Lucca, llamado Fatinelli, cuya casa era contigua a la iglesia. Zita consideró su trabajo como un empleo asignado por Dios; y obedecía a su amo y a su ama en todo. Siempre se levantaba mucho antes que el resto de la familia, y empleaba en la oración una parte considerable del tiempo que los otros utilizaban para dormir. Oía misa cada mañana. ¿Quién dejaría de imaginar que una persona tal fuese estimada y querida por todos los que la conocían? Sin embargo, no era así, y durante muchos años sufrió las más duras pruebas. Su modestia era denominada por sus compañeros sirvientes simpleza y falta de sentido; y su diligencia se creía que surgía de la afectación y el orgullo. Su ama se predisponía contra ella, y su amo no la podía ver sin llenarse de rabia. La santa nunca se quejó ni perdió la paciencia, y finalmente su amo y su ama descubrieron el tesoro que su familia poseía y los otros sirvientes alabaron debidamente su virtud.

Al hacer las labores domésticas, ponía especial cuidado en la economía, y aunque era la sirvienta principal nunca se permitió el menor privilegio o exención de su trabajo por esta causa. Ayunaba todo el día, y con frecuencia sólo tomaba pan y agua; descansaba sobre el desnudo suelo, o en una tabla. Nunca se quedó nada para sí sino los pobres vestidos que llevaba, y todo lo demás se lo daba a los pobres. Su amo, viendo que los bienes se multiplicaban en sus manos, le dio libertad para dar generosas limosnas a los pobres. Felizmente expiró el 27 de abril, de 1272, a los sesenta años de edad.

29 DE ABRIL

Santa Catalina
DE SIENA *(lám. 24)*

† 1380

Santa Catalina nació en Siena en 1347. Su padre, un tintorero, era solícito a dejar a sus hijos una sólida herencia de virtud. Su madre, Lapa, sentía un afecto particular por ella. Catalina se retiró muy joven a la soledad a poca distancia de la ciudad para imitar la vida de los santos padres en el desierto. Al volver algún tiempo después a la casa de su padre, continuó guiada por el mismo espíritu. En su niñez consagró su virginidad a Dios por una promesa secreta.

A los doce años sus padres pensaron en comprometerla en matrimonio. Catalina los encontró sordos a sus súplicas de que quería vivir soltera, y por tanto duplicó sus plegarias, ayunos y austeridades. Sus padres se esforzaron por sacarla de su soledad y la pusieron al cuidado de todo el trabajo pesado de la casa como si fuera una persona contratada por una familia para ese propósito. Su padre, edificado por su paciencia, finalmente aprobó y secundó su devoción y en 1365 recibió el hábito de la Tercera Orden de Santo Domingo. Desde entonces su celda se convirtió en un paraíso, la oración en su elemento y sus mortificaciones ya no tenían ninguna restricción. Durante tres años nunca habló con nadie salvo con Dios y su confesor. Empleaba sus días y sus noches en la contemplación; los frutos de todo ello fueron luces sobrenaturales.

Una peste asoló el país en 1375 y Catalina se dedicó a servir a los infectados y consiguió curar a muchos. Cientos se congregaban sólo para oírla y verla. Mientras estaba en Pisa en 1374, el pueblo de Florencia y Perugia, junto con una parte del de Toscana, formaron una liga contra la Santa Sede. El papa Gregorio XI, que residía en Avignon, envió a su legado con un ejército y puso la diócesis de Florencia bajo interdicción. Los magistrados de Florencia mandaron a Siena para rogar a Santa Catalina que fuese su mediadora. La Santa llegó a Avignon en 1376 y fue recibida por el Papa con grandes signos de distinción. La conclusión de esta obra fue aplazada hasta 1378, cuando tuvo lugar una memorable reconciliación, y Catalina se apresuró hacia su solitaria residencia en Siena. Lo que verdaderamente desgarró su corazón fue el gran cisma que siguió a la muerte de Gregorio XI, cuando Urbano VI fue elegido en Roma. Nuestra santa escribió a Urbano, exhortándolo a que aplacara aquella rigidez a la que había conducido al mundo. El Papa la escuchó y mandó por ella para que fuese a Roma.

Excluimos los éxtasis y otros maravillosos favores que esta virgen recibió del cielo. Nos ha dejado, además del ejemplo de su vida, seis tratados, un discurso sobre la Anunciación y trescientas sesenta y seis cartas. Mientras trabajaba para extender la obediencia a Urbano VI, sus enfermedades y dolores se incrementaron y murió en Roma el veintinueve de abril de 1380.

30 DE ABRIL

San Pío

V, PAPA

† 1572

Miguel Ghisleri, conocido después como Pío V, nació en Bosco, una pequeña ciudad de la diócesis de Tortona, en 1404. Estudió gramática con los frailes dominicos y

LÁMINA 24. SANTA CATALINA DE SIENA, 29 DE ABRIL. BRITISH LIBRARY, YATES THOMSON MS 29, F. 36.

tomó el hábito de esta Orden cuando tenía sólo quince años. Habiéndose preparado gracias a un prolongado retiro, fue ordenado sacerdote en Génova en 1528. Enseñó filosofía y teología dieciséis años y se empleó durante mucho tiempo en la instrucción de los novicios y en el gobierno de diferentes monasterios de esta Orden. El papa Pablo IV en 1556 le ascendió a los obispados unidos de Nepi y Sutri. En 1557 fue ordenado cardenal por el mismo Papa. Sus dignidades le sirvieron para hacer su humildad más conspicua, pero no alteró su mobiliario, su mesa, sus ayunos y sus devociones. Al morir el papa Pablo IV en 1559, le sucedió Pío IV, quien trasladó a nuestro cardenal al obispado de Mondoví en el Piamonte, una iglesia mermada por las guerras y reducida a una deplorable condición. El santo restableció la paz, reformó los abusos y restauró el esplendor de aquella iglesia. Pero una orden de su santidad le llamó a Roma.

El papa Pío IV, después de una tediosa enfermedad, expiró en los brazos de San Carlos Borromeo en diciembre, 1565. San Carlos se unió al cónclave a favor de nuestro santo, que dio su consentimiento el siete de enero, 1556, y tomó el nombre de Pío. La grandeza usualmente otorgada por los Papas en su coronación se distribuyó entre los pobres. Prohibió la presentación pública de la vista de bestias salvajes, por su sabor demasiado inhumano, y por medio de rigurosos edictos desterró a un gran número de mujeres indecentes. Sus caridades no se pueden expresar. Sus rigurosos ayunos y abstinencias no eran nunca mitigadas, ni siquiera al considerar la enfermedad. Ayudó generosamente a los caballeros de Malta cuando fueron sitiados por los turcos. En una época de escasez en Roma, importó grano a sus propias expensas desde Sicilia y Francia. Era un gran entusiasta del estudio y escribió a la reina María Estuardo en 1570 para reconfortarla en su prisión.

Selimus, emperador de los turcos, se propuso arrasar toda la Cristiandad. Alarmado ante el peligro, San Pío se unió a la liga de Felipe II y de los venecianos para evitar el progreso de los mahometanos. El Papa fue declarado jefe de la liga, fue designado Marco Antonio Colonna general de sus galeras y Don Juan de Austria Generalísimo de todos los ejércitos. En la batalla de Lepanto, los infieles perdieron treinta mil hombres, junto con su general. Como consecuencia de esta milagrosa victoria, el Papa hizo que se decretara un triunfo a Don Juan y se otorgaran honores a los otros generales. Al año siguiente, el 1 de mayo de 1572, murió después de haber gobernado la Iglesia seis años.

2 DE MAYO

San Atanasio

O PATRIARCA DE ALEJANDRíA,
DOCTOR DE LA IGLESIA

† 373

San Atanasio era oriundo de Alejandría y parece haber nacido en el año 296. San Alejandro tomó bajo su dirección sus estudios y lo empleó como secretario. El deseo de obtener los conocimientos básicos para la práctica más perfecta de la virtud llevó a San Atanasio a introducirse en el desierto hacia el gran San Antonio, alrededor del año 315. Cuando se hubo preparado para el ministerio regresó a la ciudad y fue ordenado diácono alrededor del 319. San Alejandro en el 325 llevó al santo diácono al Concilio de Nicea y participó mucho en las discusiones y decisiones de aquella venerable asamblea. Cuatro meses después del concilio, San Alejandro, yaciendo en su lecho de muerte, recomendó la elección de San Atanasio como su sucesor.

Se lanzaron alegaciones contra Atanasio, acusándolo de haber asesinado a Arsenius, un obispo meletiano, y de otros crímenes. Constantino mandó una orden a Atanasio para que se explicase en el Concilio de Tyre de agosto del 335, cuyos participantes eran en su mayor parte arrianos. La verdad era que Arsenius había caído en alguna irregularidad y había huido. El santo por tanto lo hizo aparecer ante la asamblea. Los arrianos llamaron mago al santo y lo habrían desgarrado en trozos si el gobernador no lo hubiera rescatado y mandado fuera en un barco que zarpaba esa misma noche.

Habiendo escapado así, fue a Constantinopla. Constantino, que se había negado a ver o a dar audiencia a nuestro santo, a quien consideraba como justamente condenado, pidió que sus pretendidos jueces se enfrentaran a él. Pero sólo seis obedecieron las órdenes. Estos estuvieron de acuerdo en atacar a Atanasio con una nueva acusación, que fue creída por Constantino, que los desterró en consecuencia a Triers, entonces la ciudad principal de los galos belgas. El año siguiente, Constantino murió. Los tres hijos de Constantino dividieron el imperio, y Constantius, el segundo hijo, devolvió a Atanasio su sede.

Los arrianos acusaron a San Atanasio de nuevo por sedición y otros crímenes. El fue a Roma a presentarse al papa Julio, quien lo absolvió y lo confirmó en su sede; pero fue obligado a permanecer en Roma tres años. Los arrianos colocaron a Gregorio en la sede de Alejandría en el año 341. Un Concilio General del Este y el Oeste tuvo lugar en el 347, y San Atanasio fue absuelto. Los arrianos no cesaron nunca de predisponer al emperador contra Atanasio, y el santo se vio obligado a dejar Alejandría durante más de seis años. En el año 359 el Concilio de Rimini tuvo la debilidad de omitir en el credo la palabra consubstancial. San Atanasio en el 362 reunió un concilio en Alejandría que condenó a aquellos que negaban al Espíritu Santo, y esta decisión fue aprobada en Roma. Después de innumerables luchas y muchas grandes victorias, este glorioso santo fue llamado a la vida exenta de sufrimientos el dos de mayo del 373.

3 DE MAYO

San Felipe

Y SAN JAIME EL MENOR, APÓSTOLES *(lám. 25)*

† SIGLO I

San Felipe era de Bethsaida en Galilea, y fue llamado por Nuestro Señor para que lo siguiera después de San Pedro y San Andrés. Por aquel entonces era un hombre casado, y tenía muchas hijas, pero lo dejó todo por él. Felipe tan pronto como descubrió al Mesías estuvo deseoso de hacer partícipe a su amigo Nathanael de su felicidad, diciendo, «Hemos encontrado a aquel del que escribieron Moisés en la ley y los profetas.» Nathanael no estaba preparado para creer en su aserción. Por ello, Felipe hizo que él mismo viniera a Jesús y lo viera. Nathanael asintió.

Cuando Nuestro Señor creó el colegio de los apóstoles, Felipe fue designado uno de ellos, y en muchos pasajes del Evangelio se muestra que sentía un cariño especial por su Maestro divino. Un poco antes de la Pasión del Salvador, ciertos gentiles, deseosos de ver a Cristo, se dirigieron primero a San Felipe, y gracias a él y a San Andrés obtuvieron ese favor.

Después de la Ascensión del Señor, el Evangelio fue predicado por todo el mundo. Para que esto pudiera realizarse, era necesario que los apóstoles se dispersasen con rapidez. San Felipe, por tanto, predicó en las dos Phrygias, como aseguran Eusebio y Teodoro. San Policarpo, que se convirtió sólo en el año 80, disfrutó de su conversación durante algún tiempo, consecuentemente San Felipe debió vivir hasta una edad muy avanzada.

San Jaime, para distinguirlo del otro apostol que lleva el mismo nombre, hijo de Zebedee, fue llamado El Menor; apelación que se supone responde o bien a que fue llamado después al apostolado, o que era de menor estatura, o que era más joven. Era hijo de Alpheus y María, hermana de la Virgen, y parece haber nacido algunos años antes que Nuestro Señor. Jaime y su hermano Judas fueron llamados al apostolado en el segundo año de la predicación de Cristo, en el año 31. Se vio favorecido con la aparición de su Maestro después de su resurrección.

En el año 51 asistió al concilio que los apóstoles tuvieron en Jerusalén. Este apóstol, siendo obispo de una iglesia que estaba entonces constituida por judíos conversos, toleró el uso de las ceremonias legales. Es el autor de una epístola canónica que escribió en griego, algún tiempo después de la de San Pablo a los gálatas en el 55 y a los romanos en el 58.

Josefo, el historiador judío, dice que San Jaime fue acusado de violar las leyes y se dejó que el pueblo lo lapidase. Esto ocurrió en la festividad de la Pascua, el 10 de abril, en el año 62. Fue enterrado cerca del templo, en el lugar en el que fue martirizado, donde se erigió una pequeña columna.

5 DE MAYO

San Hilario
ARZOBISPO DE ARLÉS

† 449

Este santo nació de noble familia alrededor del año 401. Su pariente, San Honorato, quien había abandonado el país para buscar a Cristo en la soledad de la Isla de Lèrins, donde fundó un gran monasterio, fue el instrumento usado por el Todopoderoso para abrir sus ojos. Este santo hombre había siempre amado a Hilario. Por eso dejó su retiro por algunos días para ir a buscarlo y se esforzó para

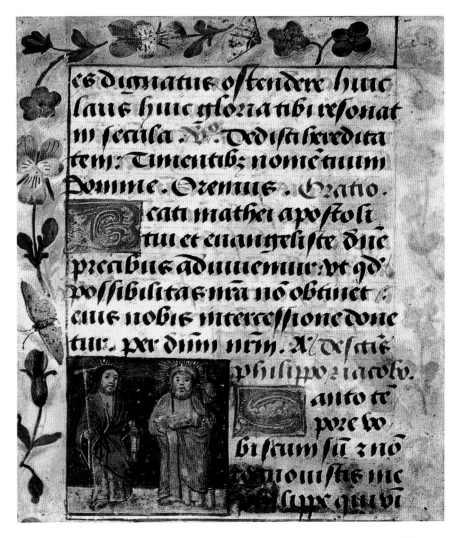

LÁMINA 25. SAN FELIPE Y SAN JAIME, 3 DE MAYO. BODLEIAN LIBRARY, MS LAUD MISC.7, F.166.

moverlo a romper sus cadenas con el mundo. Al encontrar Honorato estos esfuerzos infructuosos, se dejaron el uno a otro. Hilario no tardó mucho en empezar a sentir un conflicto dentro de sí mismo. «Por un lado», se decía, «me parece que veo al Señor llamándome; por otro, el mundo ofreciéndome sus seductores encantos.» Entonces fue a buscar a Honorato, y apareció ante él tan humilde y dúctil como el santo había dejado su altivez e indocilidad.

Habiendo sido San Honorato elegido arzobispo de Arles en el 426, Hilario lo siguió a esta ciudad, pero no tardó mucho en que su amor por la soledad le hiciera volver a Lèrins. San Honorato suplicó su ayuda; y como él no contestaba a sus ruegos, fue él mismo a traerlo desde Lèrins. Poco después Dios llamó a Honorato a su presencia en el 428 o 429. Hilario, aunque sensiblemente afligido, salió directamente hacia Lèrins. Pero fue alcanzado, traído de vuelta y consagrado arzobispo, aunque sólo tenía veintinueve años.

En este alto puesto redujo todo a lo estrictamente necesario. Soportaba la debilidad con ternura, pero nunca fue indulgente con las pasiones o la pereza de cualquiera. Visitaba a los obispos de su provincia y se esforzaba para hacerlos caminar siguiendo el perfecto espíritu de Cristo. Estableció muchos monasterios y se preocupó especialmente por reforzar la estricta obediencia de la disciplina monástica. Tenía una buena amistad con San Germanus, a quien llamaba su padre.

Su celo exasperaba a muchas personas poco entusiastas, y algunos de ellos dieron al papa San León un retrato de él nada ventajoso. Chelidonius, obispo de Besançon, había sido depuesto por Hilario por una legación según la cual antes de ser consagrado había estado casado con una viuda. Chelidonius salió hacia Roma para justificarse ante el Papa quien recibió su apelación y lo absolvió. San Hilario pensaba que la causa debía ser juzgada por los magistrados delegados por el Papa. Esta petición fue denegada. Otro asunto llevó a Hilario a grandes dificultades. Al estar enfermo Projectus, un obispo de su provincia, Hilario se apresuró hacia su sede y ordenó un nuevo obispo; al recobrarse después Projectus, había dos obispos para la misma sede. San León juzgó tal ordenación irregular y que podía producir un cisma. Por lo que prohibió a San Hilario ordenar más obispos en el futuro.

Exhausto por sus austeridades y sus labores, San Hilario pasó a mejor vida el cinco de mayo del 559, teniendo sólo cuarenta y ocho años de edad.

7 DE MAYO

San Juan
DE BEVERLEY

† 721

Este ilustre santo nació en Harpham, un pueblo de Yorkshire. Un deseo muy ardoroso de cualificarse para el servicio de Dios lo llevó en su juventud a Kent, donde hizo grandes progresos en la famosa escuela de San Teodoro, el arzobispo, bajo la dirección del santo abad Adrián. De vuelta en su país, continuó sus ejercicios con piedad en el monasterio de hombres dirigido por San Gildas en Whitby, hasta que, al inicio del reinado del rey Alfred, al morir Eata, fue nombrado obispo de Hexam. El tiempo que le quedaba libre de sus funciones lo dedicaba a la contemplación celestial, retirándose a la iglesia de San Miguel más allá del río Tyne, especialmente durante la Cuaresma. Acostumbraba a llevar con él a algún pobre a quien servía durante este tiempo. Una vez llevó a un joven mudo cuya cabeza estaba cubierta de cicatrices y escamas, sin pelo. El santo hizo construir una casa para este joven dentro de su recinto y a menudo lo admitía en su propia celda. Al segundo domingo, hizo la señal de la cruz sobre su lengua y la soltó, comenzando éste a hablar. Entonces empezó a enseñarle las letras del alfabeto y después las sílabas y las palabras. El joven milagrosamente obtuvo el habla. Además, gracias a los benditos remedios del santo prescritos por un médico al que había empleado, su cabeza sanó por completo y empezó a cubrirse de pelo.

A la muerte de Bosa, como testifica Beda, fue situado en la silla de York. El venerable Beda que recibió las santas órdenes de diácono y sacerdote de sus manos, da amplios testimonios de su santidad y relata la realización de milagros, tomados del testimonio de Berethun, abad de Beverley, y Hereblad, abad de Tynemouth, que fueron testigos de algunos de ellos. San Juan realizaba frecuentes retiros para su deleite y para renovar con ellos su espíritu de devoción. Eligió para su retiro un monasterio que había construido en Beverley, entonces un bosque a veintisiete millas de York. Este monasterio, de acuerdo a las costumbres de aquel tiempo, lo erigió para el uso de los dos sexos y lo puso bajo el gobierno de su discípulo Berethun.

En el año 717, estando muy debilitado por la edad y las fatigas, renunció a su obispado en beneficio de su capellán, San Wilfrid El Joven, y habiéndolo ordenado obispo de York, se retiró a Beverley, donde pasó los cuatro años que le quedaban de vida realizando puntualmente todos sus deberes monásticos. Murió allí justo el siete de mayo del 721. Habiendo sido destruido el monasterio de Beverley, por los daneses, el rey Athestan, que había obtenido una gran victoria sobre los escoceses por intercesión de San Juan, fundó en su honor, en el mismo lugar, una rica iglesia colegiata de canónigos.

8 DE MAYO

San Pedro
ARZOBISPO DE TARENTAISE

† 1174

Pedro era oriundo de Dauphiné. A los veinte años tomó el hábito cisterciense en Bonnebaux, un monasterio que había sido llenado por una colonia procedente de Clairvaux. Empleaba gran parte del día cortando madera y arando la tierra, en perpetuo silencio y oración interior. El año siguiente a su toma de los hábitos, su ejemplo fue seguido por Amadeus, pariente cercano del emperador Conrad III. Amadeus construyó cuatro monasterios de su orden; entre ellos estaba el de Tamies en el desierto de las montañas de Tarentaise, del que procuró que su amigo San Pedro, que contaba apenas treinta años, fuera designado como el primer abad en 1140.

El monasterio de Tamies parecía una casa de ángeles terrenales. San Pedro, con la ayuda de Amadeus, fundó en él un hospital para recibir a todas las personas pobres del país que estuvieran enfermas y a los extranjeros; y él mismo los atendería. En 1141 el conde de Savoya procuró su elección para el arzobispado de Tarentaise, y fue compelido por San Bernardo y el capítulo general de su Orden a que aceptara. En realidad, aquella diócesis necesitaba de forma urgente un pastor apostólico como él, habiendo sido usurpada por un ambicioso lobo llamado Idrael, cuya deposición la dejó en la más desolada condición. Los diezmos de las iglesias parroquiales eran administrados por seglares, el cabildo de la catedral estaba lleno de irregularidades. Pedro recobró los diezmos; hizo muchas funciones en favor de la educación de los jóvenes y el alivio de los pobres y restituyó en todas partes el decoroso servicio a Dios. En 1155, después de haber soportado el peso del cargo episcopal durante trece años, desapareció de repente y se dirigió a un monasterio en Alemania, donde no era conocido. Se preguntó en todas las provincias de los alrededores, pero en vano, hasta que un joven que había sido puesto a su cuidado llegó al monasterio donde permanecía oculto y lo dio a conocer. El santo fue obligado a regresar a su diócesis donde se aplicó a sus funciones con mayor dedicación que nunca. Fundó hospitales en los Alpes, para los pobres viajeros, con frecuencia reconciliaba a los príncipes entre los que había diferencias y evitó muchas sangrientas guerras. El emperador Federico I puso a un cismático Papa bajo el nombre de Víctor contra Alejandro III. San Pedro fue casi el único del imperio que tuvo el coraje de oponerse abiertamente al tirano.

El Papa le ordenó ir a Normandía para trabajar por la reconciliación de los reyes de Inglaterra y Francia que se habían peleado. Aunque por aquel entonces era ya muy viejo, fue a Chaumont y convenció a los dos príncipes para que pusieran fin a sus diferencias, pero fue enviado poco tiempo después por el Papa de nuevo al rey de Inglaterra para crear diferencias entre él y su hijo. Su viaje no tuvo el efecto deseado, cayó enfermo a su regreso y murió en Besançon en 1174.

9 DE MAYO (14 DE MAYO)

San Pacomio

ABAD

† 348

San Pacomio nació en el alto Tebas alrededor del año 292 de padres idólatras. A los veinte años aproximadamente, fue reclutado para formar parte de las tropas del emperador y, junto con otros muchos reclutas, embarcó en un navío cayendo en el río Thebes, en el que habitaban muchos cristianos. Estos verdaderos discípulos de Cristo fueron movidos por la compasión hacia los reclutas, quienes estaban confinados y recibían malos tratos. Cuidaron lo más posible de ellos y les dieron dinero y lo que necesitaron. Tal virtud causó una gran impresión a Pacomio. Cuando las fuerzas se dispersaron, ya no volvió a casa sino que reparó en una ciudad en la que había una iglesia cristiana y allí inscribió su nombre entre los de aquellos que estaban siendo preparados para el bautismo.

Cuando Pacomio fue bautizado, comenzó a considerar la manera de cumplir las obligaciones que había contraído. Al oír que un venerable anciano llamado Palemón servía a Dios en el desierto, fue a buscarlo y le pidió vivir bajo su dirección. Habiéndole el ermitaño expuesto las dificultades de su forma de vida, le aconsejó hacer una prueba de su fervor en algún monasterio; y añadió, «Considera, hijo mío, que mi dieta consiste sólo en pan y sal:

no bebo vino, ni uso aceite y algunas veces paso toda la noche sin dormir.» Pacomio no se desanimó y prometió obedecer todo lo que Palemón creyese apropiado para ellos, quien lo admitió en su celda.

Pacomio solía ir algunas veces a una zona deshabitada y desértica en las orillas del Nilo llamada Tabenna. Mientras estaba allí un día en oración oyó una voz que le ordenó construir un monasterio en aquel lugar. Al mismo tiempo recibió de un ángel ciertas instrucciones relativas a la vida del monasterio. Pacomio participó a Palemón su visión; y ambos fueron a Tabenna, y construyeron allí una pequeña celda, después de un corto tiempo Palemón regresó a su anterior residencia.

Pacomio recibió primero a su propio hermano, Juan, y después de su muerte a muchos otros, de forma que su casa se agrandó. Construyó otros seis monasterios en Tebas, y desde el año 336 eligió como residencia habitual la de Pabau cerca de Tebas. Construyó una iglesia en un pueblo para el beneficio de los pobres pastores en la que llevaba a cabo el oficio de lector. Se opuso celosamente a los arrianos, y en el 333 fue favorecido por la visita de San Atanasio. Su hermana vino al monasterio deseando verlo; pero él gritó en la puerta que ninguna mujer podía entrar. Sin embargo construyó para ella un convento de monjas al otro lado del río Nilo. En el año 348 Dios afligió a su monasterio con una peste que mató a cien monjes. El santo mismo cayó enfermo y entregó su alma a su Creador a los cincuenta y siete años. Vivió para ver en sus monasterios siete mil monjes.

10 DE MAYO

San Antonio de Florencia

† 1459

San Antonio, o Pequeño Antonio, nació en Florencia en 1389. Sus padres eran nobles ciudadanos de aquella plaza. Fray Domingo, un predicador de la orden dominica, convertido después en obispo de Ragusa, estaba entonces construyendo un monasterio en Fiesoli, a dos millas de Florencia. Antonio quedó deleitado por sus maravillosos sermones y pidió el hábito dominico. El padre, creyéndolo demasiado joven, le aconsejó que esperara y que estudiase primero la ley canónica, añadiendo que cuando aprendiera el decreto de Graciano de memoria su petición sería concedida. En menos de un año Antonio se presentó de nuevo ante el prior y pidiendo que lo examinara de todo el decreto de Graciano, dio una sorprendente prueba de su capacidad. El prior no vaciló más, y le dio el hábito a los diecisiete años.

Siendo ascendido al sacerdocio, Antonio fue elegido muy joven para gobernar el gran convento de Minerva en Roma; y después fue sucesivamente prior en Nápoles, Cortona, Siena y Florencia. La obra que publicó aumentó su reputación. Fue llamado desde Roma y el papa Eugenio IV le convocó al concilio general de Florencia. Mientras se esforzaba en introducir la disciplina en su Orden en Nápoles, la sede de Florencia quedó vacante. Las intrigas de muchos candidatos retrasaron la elección de un sucesor. Pero el papa Eugenio no nombró a Fray Antonio para la sede florentina hasta que todos estuvieron enterados de su elección. Antonio se sorprendió de que se le hubiese considerado digno de tan eminente dignidad y tan contrario que todas las peticiones para que lo aceptase no tuvieron éxito hasta que el Papa le envió una orden para que obedeciera. Antonio finalmente aceptó y fue consagrado en marzo de 1446.

Practicó todas las observancias de su regla en la medida que fueran compatibles con sus funciones. Se declaró protector de los pobres y fundó el Colegio de San Martín para ayudar a las personas de pocos recursos, suprimió los juegos de azar y visitó toda su diócesis cada año, siempre a pie. En 1447 apareció la peste, que hizo estragos durante todo el año siguiente. El santo arzobispo se expuso él mismo y su clero asistiendo a los infectados de forma que casi todos los frailes se contagiaron. El hambre siguió a este primer azote y el arzobispo obtuvo de Roma grandes ayudas para aliviar a los afligidos. Florencia fue sacudida por violentos terremotos con frecuencia durante tres años a partir de 1453. El santo abasteció de nuevo a los más necesitados y reconstruyó sus casas. Pero trabajó más asiduamente para hacer de estas calamidades públicas un instrumento de reforma de las costumbres de su pueblo.

Dios lo recompensó por sus labores llamándolo a su presencia el dos de mayo de 1459.

dido al sacerdocio, lo presentó al patriarca Elías. Cuando llegaron a la iglesia donde la ordenación iba a tener lugar, Juan dijo al patriarca, «Padre, he sido ordenado obispo; pero teniendo en cuenta el número de mis pecados he huido y vengo a este desierto a esperar la visita del Señor.» El patriarca estaba asombrado y, llamando a San Sabas, le dijo, «Deseo ser excusado de ordenar a este hombre.» San Sabas volvió muy afligido, temiendo que Juan fuese culpable de algún terrible crimen. En esta incertidumbre Dios le reveló el estado de la cuestión. Al encontrarse descubierto, Juan vivió cuatro años en su celda sin hablar con nadie. En el año 503 el mal espíritu de ciertos discípulos obligaron a San Sabas a abandonar Laura. San Juan se retiró a una zona salvaje donde pasó seis años. Cuando San Sabas fue llamado para que regresara a casa, trajo a San Juan en el año 510. El santo estuvo confinado en su celda cuarenta años y murió algo después del 558, habiendo vivido setenta y seis años en el desierto, sólo interrumpidos por los nueve años de su cargo episcopal.

13 DE MAYO

San Juan

EL CALLADO

† 559

Juan nació en Nicópolis, Armenia, en el año 454. La descendencia de sus padres procedía de los más ilustres generales y gobernadores de aquella parte del país. Después de la muerte de éstos, construyó un monasterio en el que, con diez fervientes compañeros, se encerró cuando sólo tenía dieciocho años. Su dulzura, su prudencia y piedad ganaron la estima y el afecto de todos sus hermanos; pero cuando tenía sólo veintiocho años el arzobispo de Sebaste le obligó a dejar su retiro y le ordenó obispo de Colonia, en el año 482. San Juan cumplió con todos los deberes de un santo obispo durante nueve años. Instruyó a su pueblo por medio de la predicación. Fue el consuelo de todos los afligidos. Algunos males que encontró imposible remediar le causaron un enorme deseo de abandonar su cargo. Fue primero a Jerusalén y se retiró a los alrededores de Laura de San Sabas, que en aquel tiempo contenía ciento cincuenta monjes. San Juan tenía entonces treinta y ocho años.

San Sabas lo puso primero bajo el administrador de Laura, para servir a un trabajador en la construcción de un nuevo hospital. Después de esta prueba, el superior lo designó para recibir y ocuparse de los extranjeros. San Sabas observó cada paso, y entonces se dio cuenta de que el novicio estaba eminentemente dotado del espíritu de la vocación. Por tanto, para darle ocasión de que se ocupara en la contemplación ininterrumpida, le asignó una ermita retirada. Durante cinco días en semana, Juan nunca salía de su celda; sólo los sábados y los domingos asistía al culto público en la iglesia. Después de pasar tres años en esta vida de ermitaño, fue nombrado administrador de Laura.

Nuestro santo había desempeñado su oficio cuatro años cuando San Sabas, juzgando que merecía ser ascen-

14 DE MAYO (24 DE FEBRERO)

San Matías

APÓSTOL

† SIGLO I

Sabemos por los Hechos de los Apóstoles que Matías fue un constante servidor de Nuestro Señor desde el día de su bautismo a manos de San Juan hasta su ascensión. Habiendo declarado San Pedro, en una asamblea general que mantuvieron poco después, por las Sagradas Escrituras la necesidad de elegir un duodécimo apóstol en el lugar de Judas, dos fueron elegidos unánimemente por la asamblea como los más merecedores de la dignidad, José llamado Barsaba, y teniendo en cuenta su piedad apellidado El Justo, y Matías. Después de rogar devotamente a Dios que les dirigiera en su elección, procedieron con ella por medio del azar y recayó sobre Matías, quien por consecuencia se unió a los once y se encontró entre los apóstoles. Al deliberar las dos opciones y verse igualadas puede ser lícito utilizar a veces la suerte. Sin embargo, los sueños milagrosos y los sorteos que encontramos en los profetas no deben autorizar un uso supersticioso de tales medios en otras personas que no tiene la misma autoridad.

San Matías recibió al Espíritu Santo con el resto poco después de su elección; después de la dispersión de los discípulos, se aplicó con celo a las funciones de su apostolado de convertir a las naciones a la fe. San Clemente de Alejandría dice de él que fue remarcable por inculcar la necesidad de la mortificación de la carne para superar todos los deseos sensuales e irregulares, una importante lección que recibió de Cristo y que practicó asiduamente en su propia carne.

La tradición de los griegos en sus menologías nos narra que San Matías implantó la fe en Capadonia y en las costas del mar Caspio, residiendo principalmente cerca del puerto Issus. Debió sufrir grandes durezas y trabajos entre estos pueblos tan salvajes. El mismo autor añade que recibió la corona del martirio en Colchis, que ellos llamaban Etiopía.

15 DE MAYO

San Isidro
PATRÓN DE MADRID

† 1170

Isidro nació en Madrid, de padres pobres, y fue bautizado con el nombre de su patrón, San Isidoro de Sevilla. No tenían medios para procurarle una educación o una instrucción, pero infundieron en su alma tierna un indecible horror al pecado y el más vehemente ardor por todas las virtudes. Los buenos libros son una gran ayuda para la sagrada meditación, pero no un requisito indispensable. En su juventud se puso al servicio de un caballero llamado Juan de Vargas de Madrid para trabajar sus tierras y hacer las labores del campesinado. El santo tomó después como esposa a una mujer muy virtuosa, llamada María Toribia. Después del nacimiento de un hijo, que murió joven, los padres de mutuo acuerdo sirvieron a Dios en perfecta continencia.

San Isidro continuó siempre al servicio del mismo amo. Don Juan de Vargas, al reconocer por la larga experiencia del tesoro que poseía en su fiel campesino, lo trató como a un hermano. Le dio la libertad de asistir diariamente al oficio público en la iglesia. Por otro lado, San Isidro se cuidaba de levantarse muy temprano, para que sus devociones no impidieran la realización de su trabajo, ni ninguna intromisión en sus obligaciones para con su amo. Inspiró a su mujer la misma confianza en Dios, el mismo amor por los pobres y el mismo desprendimiento de las cosas de este mundo. Ella murió en 1175 y es honrada en España entre los santos.

Al sufrir San Isidro la enfermedad de la que moriría, presintió su última hora y se preparó para ella con redoblado fervor, y con la más tierna devoción, paciencia y alegría. La piedad con la que recibió el último sacramento arrancó las lágrimas de todos los que estaban presentes. Repitiendo inflamados actos de amor divino expiró el quince de mayo de 1170, teniendo cerca de sesenta años. Su muerte fue glorificada por los milagros. Después de cuarenta años su cuerpo fue trasladado del cementerio a la iglesia de San Andrés. Desde que fue situado en la capilla del obispo, ha sido honrado con una sucesión de frecuentes milagros.

16 DE MAYO

San Juan
DE NEPOMUCENO

† 1383

Este sirviente de Dios nació en Nepomuc, una pequeña ciudad en Bohemia a algunas leguas de Praga, alrededor del año 1330. Cuando hubo recibido la primera educación en casa, fue enviado a Staaze a aprender latín. Sobrepasaba a sus compañeros en gramática y en retórica. Carlos IV, emperador de Alemania, había fundado la universidad de Praga. Al ser enviado Juan allí, se distinguió en filosofía, teología y ley canónica, y se doctoró en las dos últimas facultades. Consideraba desde su más tierna infancia el sacerdocio como el gran objetivo de su ambición. Incre-

mentó el fervor de su preparación para esta sagrada orden, que recibió de manos de su obispo. Este prelado, enterado de sus extraordinarios talentos, le ordenó que los utilizase en la predicación. Toda la ciudad se congregaba para escucharlo, los estudiantes se amontonaban ante sus discursos y muchos libertinos empedernidos se volvían a escucharlo llenos de compunción.

El emperador Carlos murió en 1378 y su hijo Wenceslao lo sucedió, teniendo sólo diecisiete años. Residía en Praga, y al oír grandes alabanzas de San Juan, lo eligió para que predicara la Cuaresma en su corte. La emperatriz Juana era una princesa muy virtuosa, y lo eligió como su director espiritual. También se hizo cargo de la dirección del convento de monjas del Castillo de Praga. La emperatriz se convirtió en una persona más devota desde que empezó a seguir sus consejos y no temía parecerlo. Sus oraciones sólo eran interrumpidas por sus caridades con los pobres.

Wenceslao se impacientó por la piedad de su consorte y su conducta era objeto de su sospecha. Creo un plan para exhortar a San Juan para saber que le había desvelado ella en confesión. El santo le expresó lo injurioso y sacrílego de tal acción, y Wenceslao ordenó que lo arrojaran a una mazmorra. Fue torturado en el potro, quemado lentamente con fuego y martirizado de otras maneras. Entre tanto se informó a la princesa, y gracias a sus plegarias consiguió obtener de Wenceslao la liberación del sirviente de Dios. Así apareció de nuevo en la corte, pero, como un santo perseguido, se preparó para la muerte. Visitó un lugar de gran devoción entre los bohemios y volvía a casa cuando el emperador lo vio pasar. La visión del hombre santo reavivó en él la indignación y el emperador gritó, «Atrapad a ese hombre y arrojarlo al río tan pronto como oscurezca, para que su ejecución no sea conocida por el pueblo.» La orden bárbara fue ejecutada y el mártir fue arrojado por el puente que une la Gran y la Pequeña Praga sobre el río Muldaw, con sus manos y sus pies atados el 16 de mayo de 1383. Tan pronto se ahogó el mártir en el agua, una luz celestial apareció sobre su cuerpo.

17 DE MAYO

San Pascual
BAYLON

† 1592

San Pascual Baylon nació en 1540, en Torre-Hermosa, una pequeña ciudad del reino de Aragón. Sus padres eran jornaleros y sus medios eran tan escasos que no permitían enviarlo a la escuela; pero el piadoso niño llevaba con él un libro a los campos donde cuidaba del rebaño, y pedía a los que se encontraba que le enseñasen las letras; y así, en un tiempo breve, siendo todavía muy joven, aprendió a leer.

Cuando tuvo la edad apropiada, empezó a trabajar con un maestro para cuidar su rebaño como pastor. Esta vida solitaria tenía muchos encantos para él. Leía continuamente en el libro de la naturaleza y, además de los objetos externos, tenía también continuamente un libro espiritual en sus manos. Su amo estaba encantado con su conducta, y le hizo la oferta de adoptarlo como hijo, y convertirlo en su heredero. Pero Pascual, que deseaba sólo la bondad de

73

la otra vida, declinó modestamente el favor. Cuán grande fue siempre su amor por sus profesión, encontró, sin embargo, severas dificultades en ella que le hicieron pensar en dejarla. Algunos de sus compañeros eran demasiado adictos a discutir, pelear y luchar; ni podían ser corregidos por sus reprimendas. Decidió por tanto dejarlos y convertirse en un hombre religioso.

Teniendo por entonces veinte años, dejó a su amo, a sus amigos y su país y fue al reino de Valencia donde había un austero convento de franciscanos descalzos reformados que estaba en una apartada soledad, a no mucha distancia de Montforte. Para apartarse del mundo, hizo la más firme petición del hábito de hermano lego en el convento, y fue admitido en 1564. Los padres quisieron persuadirlo para que entrara entre los clérigos; pero fueron obligados a rendirse ante su humildad y lo aceptaron entre los hermanos legos. No sólo fue un ferviente novicio, sino también un ferviente religioso. Siempre que cambiaba de convento, según prescribía la Orden, lo mejor para evitar cualquier lazo personal afectivo, nunca se quejaba por nada.

Teniendo que ir el general de la Orden a París, Pascual fue mandado allí con él por algunos asuntos. Muchas de las ciudades de Francia por las que pasaban estaban en manos de los hugonotes, que estaba por entonces en armas. Como viajaba con su hábito y sin siquiera unas sandalias, los hugonotes lo perseguían con frecuencia y recibió una herida en el hombro. El mismo día de la llegada al convento después de su tedioso viaje, se puso a trabajar en sus labores y deberes como era usual, y nunca habló de nada de lo que le ocurrió en su viaje a menos que le preguntaran.

Murió en Villa Reale, cerca de Valencia, el 17 de mayo de 1592, teniendo cincuenta y dos años.

18 DE MAYO

San Erico
REY DE SUECIA

† 1151

Erico descendía de una de las más ilustres familias suecas; en su juventud tuvo una sólida formación en virtud y conocimientos, y tomó por esposa a Cristina, hija de Ingo IV, rey de Suecia. A la muerte del rey Smercher, en 1141, fue emplazado en el trono por la elección de los estados, de acuerdo con la antigua tradición de aquel reino. Su primera preocupación en este eminente y peligroso cargo fue velar por su propia alma. Trataba su cuerpo con gran severidad, ayunando y privándose mucho, para mantener a los enemigos domésticos en la apropiada sumisión al espíritu y para prepararse para los sagrados ejercicios de la contemplación divina y la oración. Era verdaderamente un padre y un servidor de su pueblo. Con infatigable dedicación, administraba él mismo justicia, especialmente a los pobres, a cuyas quejas estuvieron sus oídos siempre abiertos, y cuyas desgracias y opresiones se cuidó de aliviar. Con frecuencia visitaba a los pobres que estaban enfermos, y los consolaba con dadivosas limosnas. Contento con su propio patrimonio, no cobraba impuestos. Construyó iglesias, y por medio de saludables leyes eliminó los salvajes y brutales vicios de sus súbditos. Las frecuentes incursiones de los idólatras fineses en sus territorios le obligaron a entrar en campaña contra ellos.

Los venció en una gran batalla; pero después de su victoria lloró amargamente al ver los cuerpos muertos de sus enemigos cubriendo el campo, porque habían sido muertos sin bautizar.

Cuando hubo vencido a Finlandia, mandó a San Enrique, obispo de Upsala, a predicar la fe de Dios en esta salvaje e infiel nación, de la que se le llama su apóstol. Entre los súbditos de este buen rey estaban ciertos hijos de Belial, que hicieron de su piedad objeto de burlas, al ser unos obstinados idólatras. Magno, hijo del rey de Dinamarca, cegado por su ambición por la corona de Suecia, se puso a la cabeza de estos descontentos, y se comprometió en una conspiración para arrebatar la vida al soberano. El santo rey estaba oyendo misa en el día posterior a la Ascensión, cuando le llegaron las noticias de que los rebeldes se habían levantado en armas, y marchaban contra él. Tranquilamente respondió: «Dejadnos terminar el sacrificio; el resto de la festividad lo tendré en cualquier otra parte.» Después de la misa, encomendó su alma a Dios, hizo el signo de la cruz y evitando la sangre de los ciudadanos que estaban dispuestos a defender su vida a expensas de la suya propia, marchó sólo delante de su guardia. Los conspiradores se lanzaron hacia él, lo tiraron de su caballo y cortaron su cabeza. Su muerte ocurrió el 18 de mayo de 1151. San Erico fue honrado como el patrón principal del reino de Suecia hasta que cambió de religión en el siglo XVI.

19 DE MAYO

San Dunstano
ARZOBISPO DE CANTERBURY

† 988

San Dunstano era oriundo de la ciudad de Glastonbury y recibió su educación bajo ciertos monjes irlandeses que en aquel tiempo residían en Glastonbury, que a causa de las guerras había quedado en una lamentable condición. Gracias a la recomendación de Athelmo, arzobispo de Canterbury, su tío, con el que había vivido algún tiempo, fue llamado a la corte del gran rey Athelstan. Dunstano había recibido en su juventud la tonsura clerical y las órdenes menores. Después de dejar la corte, tomó el hábito monástico, aconsejado por Elphegus El Franco, arzobispo de Winchester, también tío suyo, que no mucho después lo ordenó sacerdote. Cuando estaba bien asentado en su profesión, el obispo lo envió a Glastonbury con el propósito de que sirviera en aquella iglesia. Allí construyó para él una pequeña celda y en esta ermita pasó su tiempo en oración y ayuno. Sus labores consistían en hacer cruces, frascos, incensarios y vestimentas sagradas; del mismo modo pintaba y copiaba libros.

Al morir el rey Athelstan, su hermano Edmundo lo sucedió en la corona en el año 900, e informado de la santidad de Dunstano lo instaló como abad en Glastonbury. El rey Edmundo había reinado sólo seis años cuando fue asesinado. Al ser sus hijos Eswi y Edgar demasiado jóvenes para gobernar, se llamó a su hermano Edred a la corona, quien seguía siempre todos los consejos de Dunstano. Murió en el año 955 y fue sucedido por Edwi, un joven libertino, quien el mismo día de ser coronado rey, dejó a sus nobles en un banquete para ir a ver a su ramera. San Dunstano lo siguió y se esforzó por hacerle comprender su deber para con Dios y los hombres. En desquite, el tirano lo desterró, persiguió a todos los monjes de su reino y destruyó todas las abadías que habían escapado a la devastación de los daneses, excepto Glastonbury y Abingdon.

San Dunstano pasó un año en el exilio; pero los mercianos se deshicieron del yugo del tirano y dieron la corona a Edgar, que inmediatamente llamó a Dunstano para que regresara, y en el 957 lo eligió para el obispado de Worcester. El rey Edwi finalizó con su vida pecaminosa en el 959, cuando Edgar se convirtió en el soberano único de Inglaterra. En el año 961 Dunstano ascendió a la sede de Canterbury. Fue además designado por el Papa legado de la Santa Sede. Se puso a restablecer la disciplina eclesiástica en todos los lugares donde las invasiones de los daneses la habían deteriorado y restauró los monasterios. La reforma del clero no fue un objetivo menos de su celo. Visitaba con frecuencia las iglesias de todo el país, predicando e instruyendo la fe por todas partes. Glastonbury fue su más querido retiro y allí se iba con frecuencia para apartarse del mundo. En Canterbury, encontrándose enfermo en la festividad de la Ascensión, predicó tres veces y cayó en cama, y el domingo siguiente expiró en calma. Su muerte ocurrió el 19 de mayo de 988.

20 DE MAYO

San Bernardino
DE SIENA (lám. 26)

† 1444

San Bernardino nació en Massa en 1380. Perdió a su madre cuando tenía tres años, y a su padre, que era magistrado general de Massa, antes de que cumpliera los siete. El cuidado de su educación recayó en su virtuosa tía que lo amaba como si fuera su propio hijo. A los diecisiete años, se enroló en la confraternidad de Nuestra Señora en el hospital de Scala para servir a los enfermos. Había servido en este hospital cuatro años, cuando, en 1400, una horrible peste que había hecho ya grandes estragos en otras partes de Italia, llegó a Siena; morían cada día del orden de doce, dieciocho o veinte personas en este hospital, y entre otros perecieron casi todos los sacerdotes, los boticarios y los sirvientes. Bernardino por tanto persuadió a doce jóvenes para que le ayudasen y se le confió el total cuidado del hospital, que, en espacio de cuatro meses, estuvo en total orden. Entonces regresó a casa, pero enfermó de fiebre que había contraído a causa de sus fatigas, que le obligaron a estar en cama cuatro meses.

Apenas se había recobrado, cuando volvió a las mismas labores de caridad y atendió a su tía moribunda durante catorce meses. Cuando Dios la llamó, Bernardino se retiró a una casa a cierta distancia de la ciudad, y allí en soledad, ayunando y orando, se esforzó por conocer la voluntad de Dios. Después de algún tiempo, tomó el hábito de la Orden de los franciscanos e hizo su profesión el ocho de septiembre de 1404. Al haber nacido en la festividad de la Natividad de la Sagrada Virgen, eligió esta misma fecha para las principales acciones de su vida; en ella tomó el hábito religioso, hizo sus votos, dijo su primera misa y predicó su primer sermón.

Habiéndose preparado en el retiro para el oficio de la predicación, sus superiores le ordenaron emplear su talento en esta forma. Durante catorce años sus labores se confinaron a su propio país, pero cuando la reputación de su virtud se extendió por el extranjero, brilló como una luz para toda la Iglesia. Con frecuencia, al final de sus sermones mostraba curiosamente al pueblo el sagrado nombre de Cristo grabado en una tabla con letras doradas, invitándolos a adorar a Cristo con él. Esto fue mal interpretado por algunos, y ante sus quejas el papa Martín V lo hizo llamar. Pero su santidad después de un completo examen de su doctrina le dio permiso para retirarse con libertad para predicar por todas partes. El mismo Papa le pidió que aceptara el obispado de Siena en 1427, pero él declinó la oferta. En 1431 rehusó no menos resolutamente la de Ferrara y de nuevo en 1435 la de Urbino.

San Bernardino predicó muchas veces por la mayor parte de Italia. Fue designado vicario general de su orden en 1438, pero después de cinco años obtuvo la dispensa de esta obligación y a su avanzada edad siguió predicando. Murió el 20 de mayo de 1444.

23 DE MAYO

Santa Julia
VIRGEN Y MÁRTIR (lám. 27)

† SIGLO V

Julia fue una noble virgen en Cartago, quien, cuando la ciudad fue tomada por Genseric en el año 439, fue vendida como esclava a una mercader pagano de Siria. Bajo los más mortificantes trabajos de su condición, encontró a través de la alegría y la paciencia una felicidad y bienestar reales. Todo el tiempo que no dedicaba a los asuntos de su amo lo empleaba en la plegaria y la lectura de libros piadosos. Ayunaba todos los días menos el domingo, tampoco podían todas las súplicas de su amo, ni la dureza de su situación, prevalecer para que fuese más compasiva con ella.

El comerciante creyó apropiado llevarla con él a un viaje a Galia. Habiendo llegado a la parte norte de Córcega, echó el ancla y fue a la costa para unirse a los paganos del lugar en una fiesta. Julia se quedó a alguna distancia porque desconfiaba de las ceremonias supersticiosas. Félix, el gobernador de la isla, le preguntó al comerciante quién era aquella mujer que osaba insultar a los dioses. Le informó de que era una cristiana y que toda su autoridad sobre ella no había conseguido que renunciase a su religión; pero que la encontraba tan diligente y fiel que no podía separarse de ella. El gobernador le ofreció cuatro de sus mejores hembras esclavas a cambio de ella. Pero el comerciante, que se llamaba Eusebio, replicó, «No; todo lo que posees no podrá comprarla; pues antes me desprendería de las cosas más valiosas que de ella.»

Sin embargo, el gobernador, mientras Eusebio estaba bebido y dormido, se encargó de él para compelerla a que hiciera un sacrificio a los dioses. Le prometió su libertad si aceptaba. La santa contestó que era todo lo libre que deseaba ser, en la medida que se le permitía servir a Cristo; y pasara lo que pasara, nunca compraría su libertad con un crimen tal abominable. Félix creyéndose ofendido por su aire resoluto e impávido, en un ataque de rabia hizo que la golpearan en la cara, y que arrancaran el pelo de su cabeza; y finalmente, ordenó que la colgaran en una cruz hasta que expirase. Ciertos monjes de la isla de la Gorgona (que está situada entre Córcega y Leghorn) se llevaron su cuerpo.

LAMINA 26. SAN BERNARDINO, 20 DE MAYO. BODLEIAN LIBRARY, MS LAT. LITURG, G5,

24 DE MAYO

San Vicente

DE LÉRINS

† 450

San Vicente era de extracción gala, tuvo una esmerada educación, fue por algún tiempo un oficial del ejército y vivió con dignidad en el mundo. Habiendo sido algún tiempo azotado por las tormentas de la vida militar, deseó tomar refugio al abrigo de la religión. En esta disposición se retiró a una pequeña y remota isla. Este Gennadius nos asegura que fue en el famoso monasterio de Lérins, en la menor de las dos islas no lejanas de la Provenza hacia Antibes. En este lugar se encerró y escribió un libro, que tituló *Un Comunitorio contra los Herejes,* que compuso en el año 434, tres años antes de que el Concilio General de Éfeso condenara a los nestorianos. Tenía en cuenta principalmente a los herejes de su tiempo, pero lo rebatió con

principios tan claros y generales que pueden vencer a todas las herejías hasta el fin de los tiempos. Junto con los ornamentos de la elocuencia y la erudición, la belleza interior de su mente y la brillantez de su devoción llena cada página.

Llevado por la humildad, se puso el nombre de Peregrino, para expresar la calidad de ser un peregrino, y mostrar el principio fundamental de que tal doctrina es católica verdaderamente como se ha creído en todas partes, y en todos los tiempos, y por todos los creyentes. El dice, «Aquellos que se han atrevido con un artículo de fe seguirán a otros; y cuál será la consecuencia de esta reforma de la religión, sino sólo la que estos refinadores no habrán hecho hasta que la hayan reformado por completo.» Nota que los herejes citan las Sagradas Escrituras literalmente, pero en esto son como los envenenadores o charlatanes que ponen sus destructivas pociones bajo la inscripción de drogas buenas, y bajo el título de curas infalibles.

Si surgen dudas en la interpretación de las escrituras, debemos confiar en los santos padres que vivieron y murieron en la fe y la comunión de la Iglesia Católica. Después de que un punto ha sido decidido en un concilio

LAMINA 27. SAN JULIA, 23 DE MAYO. BUTLER, *VIDA DE LOS SANTOS*, EDICION ILUSTRADA DEL SIGLO XIX EN DOS VOLUMENES.

general, la definición es incuestionable. Estos principios generales por los que se rebaten con facilidad todas las herejías, San Vicente los explica con perspicacia; y no hay otro libro de controversia que los explique mejor y con un sentido más profundo en tan pocas palabras. Las mismas reglas son expuestas por Tertuliano en su libro de Prescripciones, por San Irenaeus y otros padres. San Vicente murió en los reinados de Teodosio II y Valeriano III, consecuentemente antes del año 450. Sus reliquias se conservan con respeto en Lérins y su nombre aparece en el Martirologio Romano.

25 DE MAYO (27 DE MAYO)

San Beda

PADRE DE LA IGLESIA

† 735

El venerable Beda (quien no debe confundirse con un monje de Lindisfarne del mismo nombre, pero mayor) nació en el año 673 en un pueblo que sería parte del patrimonio del monasterio de Jarrow, pero fue ganado por el mar antes del tiempo de Simeón de Durham. San Bennet obispo fundó la abadía de San Pedro en Weremouth en el año 674 y la de San Pablo en Jarrow en el 680 a orillas del Tyne, más abajo del *Caprae caput*, todavía llamado cabeza de Cabra o Gateshead. Para su cuidado Beda fue internado a la edad de siete años, pero después fue trasladado a Jarrow, donde continuó sus estudios bajo la dirección del abad Ceolfrid.

Supliendo sus talentos su corta edad, fue ordenado diácono en el año 691 a la edad de diecinueve años, y desde entonces continuó sus estudios, hasta que en el 702 fue ordenado sacerdote. Desde entonces comenzó a escribir libros; e hizo una gran escuela en la que educó a muchos eminentes y santos eruditos e instruyó a sus hermanos monjes, que llegaban al número de seiscientos. Dice que desde el tiempo en el que fue ordenado sacerdote a la edad de cincuenta y nueve años, compiló cuarenta y cinco obras diferentes, de las que treinta consistían en comentarios al Nuevo y al Antiguo Testamento. Manejaba todas las ciencias y todas las ramas de la literatura; filosofía natural, astronomía, aritmética, gramática, historia eclesiástica y las vidas de los santos.

Su vida es un modelo de devoción, obediencia, humildad y penitencia. Declinó la dignidad de abad que le fue pedida. Malmesbury nos deja una carta del papa Sergio, por la que le invita a Roma. No sabemos lo que impidió su viaje; pero sabemos por su palabra que vivió desde su niñez en su monasterio sin viajar al extranjero. Su reputación atrajo muchas visitas de los hombres más importantes de Gran Bretaña. Egbert, que fue consagrado obispo de York en el año 734, había sido alumno de Beda, y respondiendo a su invitación, nuestro santo fue a York, y enseñó allí algunos meses, pero se excusó de abandonar su monasterio al año siguiente. Esta escuela instalada en York tuvo un gran florecimiento, y Alcuin, uno de sus mayores ornamentos, se dice que fue discípulo de Beda.

San Beda murió en el año 735, a la edad de sesenta y dos años, un miércoles por la tarde, el 26 de mayo, después de las primeras vísperas de la Ascensión de Nuestro Señor; de ahí que muchos autores digan que murió en la festividad de la Ascensión pues nuestros ancestros sajones cuentan las festividades desde las primeras vísperas. Beda fue enterrado en la iglesia de San Pablo en Jarrow. En 1020 sus restos fueron llevados a Durham y depositados en un baúl de madera en el relicario de San Cuthbert.

26 DE MAYO

San Felipe

NERI

† 1595

Felipe Neri nació en Florencia en 1515, era hijo de Francisco Neri, un abogado. Habiendo terminado sus estudios de gramática cuando tenía dieciocho, su padre lo envió con su tío que era muy rico, para que fuera su heredero. Felipe pronto dejó a su tío y fue a Roma en 1533. Allí, al ser tomado en la casa de Galleotto Caccia, un noble florentino, como preceptor de sus hijos, llevó un vida tan edificante que la reputación de su santidad se extendió ampliamente. Pasaba mucho tiempo retirado en una pequeña habitación, pasando algunas veces toda la noche orando. Estudió la ley canónica y se convirtió en uno de los mejores eruditos de la época; pero deseoso de aproximarse más a Jesucristo, a la edad de veintitrés años vendió sus libros para el alivio de los pobres.

Visitaba con frecuencia los hospitales para servir a los enfermos, y echaba de menos la costumbre de servir a las personas pobres enfermas abandonadas en el mundo. Por ello deseó revivirla para lo cual creó la confraternidad de la Sagrada Trinidad en Roma, con la ayuda de su confesor, Persiano Rosa. Estableció la primera fundación de esta entidad con catorce compañeros en 1548 en la iglesia de Nuestro Salvador del Campo. En 1550 trasladó esta confraternidad a la iglesia de la Santa Trinidad y erigió un nuevo hospital bajo el nombre de Sagrada Trinidad que subsiste hasta nuestros días y es uno de los hospitales más asiduos del mundo. La humildad hizo que el santo pensara en dedicarse al servicio de Dios en condición de laico, pero Rosa le pidió insistentemente que entrara en las santas órdenes, y después de una larga preparación, fue ordenado sacerdote en junio de 1551. Desde entonces eligió vivir en una pequeña comunidad donde Rosa y otros sacerdotes vivían.

Deseando por todos los medios poder ayudar a su prójimo, fundó la Congregación de Oratorios en 1551. Muchos sacerdotes y jóvenes eclesiásticos comenzaron a ayudarlo en sus conferencias y en la lectura de las oraciones al pueblo en la iglesia de la Santa Trinidad. Fueron llamados Oratorios porque a ciertas horas cada mañana y cada tarde, haciendo sonar una campana, llamaban al pueblo a la iglesia. En 1564 el santo transformó su Congregación en una comunidad regular, usando una bolsa y una mesa comunes, y dándoles reglas y estatutos. San Felipe obtuvo del papa Gregorio XIII la aprobación de su Congregación en 1575 y vivió para ver muchas casas de su Oratorio erigirse en Florencia, Nápoles, Lucca, etc.

San Felipe era de constitución enfermiza y todos los años era atacado por una o dos fiebres. En 1595 pasó todo abril enfermo y en mayo tuvo un vómito de sangre. Expiró justo después de medianoche entre los días 25 y 26 de mayo de 1595.

San Agustín
APÓSTOL DE LOS INGLESES

† 604

Los sajones, ingleses y yutes habían reinado en esta isla alrededor de ciento cincuenta años, cuando Dios quiso abrirles los ojos a la luz del Evangelio. San Gregorio El Magno, cuando llegó a la silla apostólica, dirigió sus pensamientos hacia esta parte abandonada del viñedo, y resolvió enviar allí a un número de celosos trabajadores. Para esta gran obra ninguno parecía mejor cualificado que Agustín, entonces prior del monasterio de San Gregorio de San Andrés en Roma. Lo designó como superior de la misión, otorgándole varios ayudantes que eran monjes romanos.

Cuando los misioneros hubieron viajado durante bastantes días, ciertas personas exageraron ante ellos la ferocidad de los ingleses de tal manera que deliberaron si era prudente seguir y San Agustín pidió a San Gregorio que los dejara regresar a Roma. San Gregorio contestó con una carta de ánimo, retratándolos como cobardes al abandonar una buena obra cuando estaba iniciada. Los trabajadores continuaron su viaje y llevando con ellos a algunos franceses como intérpretes, desembarcaron en la isla de Thanet en el año 596. Desde este lugar, San Agustín avisó a Ethelbert, rey de Kent. Después de algunos días, el rey en persona fue a la isla, escuchó atentamente la palabra de vida, pero contestó que sus promesas eran claras pero inciertas. Sin embargo no debían molestarse, ni dejaron de predicar. También les facilitó la necesaria subsistencia y un alojamiento en Canterbury. Muchos del pueblo se convirtieron y en poco tiempo también el rey.

San Agustín mandó a Lorenzo y a Pedro a Roma para solicitar más ayudantes y trajeron a muchos discípulos del papa Gregorio. El buen rey Ethelbert trabajó él mismo en la conversión de sus súbditos, construyó una iglesia cristiana, la catedral de Canterbury y la abadía de San Pedro y San Pablo, después llamada de San Agustín. San Gregorio en el año 600 mandó una carta de felicitación al rey Ethelbert y a San Agustín autorizando a ordenar doce obispos. Por la virtud de su autoridad metropolitana San Agustín se encargó de hacer una visita general a su provincia. Deseaba mucho ver a los antiguos britanos reformados de ciertos abusos que se habían introducido entre ellos lentamente, y comprometerlo a que ayudasen a convertir a los ingleses. Estando al lado de Worcertershire, invitó a los obispos británicos y doctores a una conferencia pero dijeron que sin el consentimiento de su nación no podían dejar sus antiguos ritos. En consecuencia, se reunió un segundo concilio más numeroso, pero cuando los obispos británicos entraron en el sínodo Agustín no se levantó de su asiento y, concluyendo por ello que carecía de humildad, continuaron obstinados.

San Agustín, mientras vivía todavía, ordenó a Lorenzo su sucesor en la sede de Canterbury, para no dejar a una Iglesia joven sin pastor. Murió el 26 de mayo del año 604.

San Germán
OBISPO DE PARÍS

† 576

San Germán nació en el territorio de Autun alrededor del año 469. Siendo ordenado sacerdote por San Agripino,
obispo de Autun, fue hecho abad de San Simphorian, en las afueras de aquella ciudad. En el año 554, al quedar vacante en París aquella sede por la muerte del obispo, fue elevado a la silla episcopal. Este ascenso no alteró sus austeridades; y la misma simplicidad y frugalidad reinó en su vestir, su mesa y su mobiliario. Su casa estuvo siempre rodeada de pobres y afligidos, y siempre tenía a muchos mendigos en su propia mesa. Dios daba a sus sermones una increíble influencia sobre las mentes de todo tipo de gentes. El rey Childebert, quien hasta entonces había sido un ambicioso príncipe, se convirtió enteramente a la piedad, reformó toda su corte y, no contento con hacer muchas fundaciones religiosas y enviar dinero al obispo para que fuera distribuido entre los indigentes, fundió su bandeja de plata y regaló las cadenas que llevaba en su cuello.

El Rey construyó una iglesia en honor de San Vicente y de la Sagrada Cruz, que se conoce ahora como San Germain-des-Praix, y se encuentra en las afueras de París. El santo realizó la ceremonia de dedicación el 23 de septiembre del 559. El rey construyó también un gran monasterio unido a su nueva iglesia, que dotó generosamente con el feudo de Issy y otras tierras, sobre parte de las cuales un considerable barrio de París ha sido construido, y dio a nuestro santo el cuidado de la iglesia y del monasterio, quien puso a los monjes bajo el santo abad Drocoveusa a quien había invitado a venir desde Autun.

Clotaire, que sucedió a su hermano Childebert, primero parecía tratar al obispo con frialdad; pero al caer gravemente enfermo con fiebres se le ocurrió llamar a San Germán. Así lo hizo, se quitó partes de sus ropas y se las aplicó sobre las zonas de su cuerpo doloridas y se recobró inmediatamente. Al morir este príncipe en el año 561, París fue entregada a Charibert, que la sumergió en el vicio, ya que era obstinado y cabezota en sus pasiones. Nuestro santo, viendo que todos los esfuerzos eran en vano con él, procedió a excomulgarlo. A la muerte de Charibert sus tres hermanos dividieron sus dominios. San Germán encontró a su pueblo a causa de este acuerdo con grandes dificultades, y la ciudad dividida en tres partes diferentes, siempre luchando unas contra otras. Hizo todo lo que pudo por preservar la paz y escribió a la reina Brunehaut conjurándola a emplear su influencia con su marido, pero su pasión hizo que ensordeciera ante estas súplicas.

En su vejez, San Germán no perdió nada de la actividad con la que había llevado el puesto en su época vigorosa. Por su celo, los idólatras que quedaban fueron extirpados de Francia y fue llamado para recibir su recompensa el 28 de mayo de 576, teniendo ochenta años.

San Fernando
III REY DE CASTILLA Y LEÓN *(lám. 28)*

† 1252

Fernando era el hijo mayor de Alfonso, rey de León, y Berenguela de Castilla, y nació hacia el final del año 1198, o bien en 1199. Berenguela había sido obligada a separarse de Alfonso después de haberle dado dos hijos y una hija, porque, aunque en tercer grado de consanguinidad, se habían casado sin la dispensa. Pero puesto que el matrimonio se había contraído *bona fide* sus hijos fueron declarados herederos legítimos. Berenguela regresó con su padre Alfonso de Castilla. Al morir éste en 1214, su hijo Enrique lo sucedió y Berenguela fue nombrada regente. El joven rey Enrique murió en 1217, y Berenguela pidió la corona, transfiriendo su derecho a Fernando, quien con dieciocho años fue proclamado rey.

Por consejo de Berenguela, Fernando tomó como esposa, en 1219, a Beatriz, hija de Felipe, emperador de Alemania, y su matrimonio fue bendecido con siete hijos y tres hijas. Nada le causó tanta preocupación a nuestro santo como que su propio padre, rey de León, reclamase e invadiera sus dominios. San Fernando se esforzó, a través de las cartas más deferentes, en darle satisfacción, y le cedió su propio ejército para que luchara contra los moros. Fundó muchos obispados y contribuyó generosamente a construir y reparar muchas catedrales, iglesias, monasterios y hospitales.

San Fernando marchaba para sitiar la ciudad de Jaén en 1230, cuando recibió las noticias de la muerte de su padre y fue llamado a tomar posesión de León. Le llevó tres años arreglar los asuntos de su nuevo reino, pero en 1234 reanudó sus guerras contra los moros y completó la conquista de los dos reinos moriscos de Baeza y Córdoba. Esta última ciudad había estado en manos de los infieles durante quinientos veinticuatro años y había sido durante mucho tiempo la capital de su imperio en España.

En las campañas que siguieron a éstas se hizo el dueño de veinticuatro ciudades. La rica ciudad de Sevilla se había transformado por sí misma en una república cuando Fernando decidió volver sus tropas contra esta plaza, con mucho la más importante de las que los moros tenían en España por aquel entonces. La muerte de su madre interrumpió los preparativos por un breve período; pero al moderar los motivos de religión, tan pronto como arregló la administración continuó su expedición con más vigor que nunca. El sitio duró dieciséis meses, al ser Sevilla la ciudad más grande y fuerte de España. La ciudad se rindió en 1249. San Fernando después de dar gracias solemnemente a Dios, refundó la catedral con tal magnificencia que no había otra iglesia igual en la Cristiandad, salvo la de Toledo.

Los tres años que le quedaban de vida los pasó en Sevilla, y estaba preparando una expedición contra los moros en África cuando cayó en su última enfermedad y murió el treinta de mayo de 1252.

1 DE JUNIO

San Justino

EL FILÓSOFO, MÁRTIR

† 167

San Justino nació en Neápolis, la capital de Samaria. Vespasiano, habiendo dotado a sus habitantes de los privilegios que pertenecían a los ciudadanos romanos, le dio el nombre de Flavia. Su hijo Tito mandó allí una colonia de griegos, entre los cuales se encontraban el padre y el abuelo de nuestro santo. San Justino pasó su juventud leyendo a los poetas, los oradores y los historiadores. Siguiendo el camino habitual de estos estudios, llegó a la filosofía en busca de la verdad. Hizo grandes progresos en la filosofía platónica y albergaba esperanzas de poder llegar un día a ver el rostro de Dios. Indagando en la credibi-

lidad de la religión cristiana, la abrazó poco después. Su discurso *Oratorio a los Griegos* lo escribió poco después de su conversión, con el fin de convencer a los paganos de lo razonable de abandonar el paganismo. Su segunda obra se llamó *Exhortación a los Griegos*, que lo llevó a Roma.

Justino tuvo una larga estancia en Roma. Los cristianos iban a su casa para realizar sus devociones y él se aplicaba con gran celo en instruir a todos aquellos que se lo pedían. El mártir, después de su primera *Apología*, dejó Roma y probablemente desempeñó las funciones de un evangelista en muchos países durante bastantes años. Pero las *Apologías* de este santo habían hecho su nombre ilustre. Primero se dirigió al emperador Antinius Pius, a sus dos hijos adoptivos y al Senado alrededor del año 150. Este dulce emperador no había publicado edictos contra los cristianos; pero en virtud de edictos anteriores, eran perseguidos por los gobernadores. Justino en su *Apología* se declaraba claramente un cristiano y un defensor de su religión. Exhorta al emperador a que sostenga la balanza en la administración de la justicia y enuncie la santidad de la doctrina y las costumbres cristianas. Parece que esto tuvo el efecto deseado, el reposo de la iglesia.

Compuso su segunda *Apología* casi veinte años después, en el 167, a consecuencia del martirio de Ptomoleo y otros dos cristianos. El apologista añadía que esperaba que la muerte fuera la recompensa de su *Apología*. Justino y otros que estaban con él fueron aprehendidos y llevados ante el prefecto de Roma quien dijo, «Obedeced a los dioses.»

Justino replicó, «Nadie puede ser culpado ni condenado por obedecer los mandamientos de Cristo. He probado todo tipo de disciplina y conocimiento, pero he abrazado finalmente la disciplina cristiana.» El prefecto al ver que no tenía sentido discutir, los condenó a ir juntos a hacer un sacrificio a los dioses, y les dijo que si se negaban serían atormentados sin piedad. Al rehusar, los mártires fueron conducidos a la plaza donde se ejecutaba a los criminales, y allí fueron azotados y decapitados.

3 DE JUNIO

Santa Clotilde

REINA DE FRANCIA *(lám. 29)*

† 545

Santa Clotilde era hija de Chilperic, hermana menor del tiránico rey de Burgundy, quien dio a éste, a su mujer y al resto de sus hermanos excepto a uno la muerte para usurpar sus dominios. En esta masacre perdonó la vida a dos hijas de Chilperic, entonces sólo unas niñas. Una de ellas se hizo monja; la otra, Clotilde, fue llevada a la corte de su tío y educada en la religión católica, aunque fue instruida por medios arrianos. Estaba adornada por todas las virtudes y la reputación de su ingenio, belleza, modestia y piedad lo que hizo que todos la adoraran en el reino, cuando Clovis I, el victorioso rey de los francos, la pidió y la obtuvo en matrimonio, concediéndola todas las condiciones que deseara para la libertad y seguridad en el ejercicio de su religión.

El matrimonio se celebró solemnemente en Soissons en el año 493. Clotilde se hizo un pequeño oratorio en el palacio real en el que pasaba mucho tiempo en ferviente

LAMINA 28. SAN FERNANADO, 30 DE MAYO. BUTLER, *VIDA DE LOS SANTOS*, EDICION ILUSTRADA DEL SIGLO XIX EN DOS VOLUMENES.

oración. Honraba a su real marido; y cuando vio que era dueña de su corazón no cejó en sus esfuerzos por ganarlo para Dios, y le hablaba con frecuencia de la vanidad de sus ídolos y de la excelencia de la verdadera religión, pero no había llegado aún el momento de su conversión.

Después del bautismo de su segundo hijo, Clodomiro, y del restablecimiento del niño de una peligrosa indisposición, pidió al rey más audazmente que renunciara a sus ídolos. Pero el temor a ofender a su pueblo hizo que se retrasara. Su milagrosa victoria sobre los alemanes, y su entera conversión en el año 496, fueron finalmente los frutos de las oraciones de nuestra santa.

Habiendo Clotilde ganado para Dios a este gran monarca, nunca dejó de animarlo a gloriosas acciones por el honor divino. Construyó en París, a petición de ella, la gran iglesia de San Pedro y San Pablo. Murió en el año 511. Su hijo mayor, Teodorico, a quien había tenido de una concubina antes de su matrimonio, reinó sobre la zona oriental de Francia. Respecto a los tres hijos de Clotilde, Clodomiro reinó en Orleans, Childebert en París y Clotaire en Soissons. Esta división produjo guerras y celos, hasta que en el año 560 se reunió toda la monarquía bajo Clotaire. La más grande aflicción de esta piadosa santa fue el asesinato de los dos hijos mayores de Clodomiro en el año 526 a manos de sus tíos. Este trágico desastre contribuyó a apartar su corazón del mundo. Pasó el resto de su vida en Tours, cerca de la tumba de San Martín, realizando ejercicios de oración, abstinencia, ayuno y penitencia, pareciendo haber olvidado que había sido reina. En su última enfermedad mandó buscar a su hijo y lo exhortó a honrar al bien y mantener sus mandamientos. Ordenó que todo lo que poseía fuera distribuido entre los pobres. En el día treinta su enfermedad empeoró, y se fue hacia el Señor el tres de junio del año 545.

4 DE JUNIO

San Optato

OBISPO DE MILEVUM

† SIGLO IV

Este padre era un africano, e ilustre paladín de la Iglesia de Cristo en el siglo IV. Era obispo de Milevum, en Numidia, y el primer prelado católico que emprendió a través de la escritura la contención de la marea del cisma donatista en Africa. Parmenian, el tercer obispo de aquella secta en Cartago, escribió cinco libros en defensa de su partido. Era un hombre con conocimientos y talentos, bien versado en el arte de la sofística y capaz de cubrir la peor de las causas con un amplio oropel. Contra este Goliat, San Optato avanzó y volvió su artillería hacia él mismo. Esto lo hizo a través de seis libros contra Parmenian, a los que bastantes años después, en el 285, añadió un séptimo. Para arrojar luz sobre esta controversia, es necesario considerar brevemente el cisma donatista, que surgió de un acontecimiento que tuvo lugar en la persecución de Diocleciano.

Los traidores, o cristianos quienes, por miedo a los tormentos, entregaron las Santas Escrituras en manos de los perseguidores que los habrían quemado, fueron culpables de un crimen que linda con la apostasía. En su arrepentimiento debieron ser, siguiendo las sagradas órdenes, depuestos. Pero en esto los obispos tuvieron el poder para concederles la indulgencia. Mensurius, primado de

Cartago, admitió sacerdotes penitentes en sus funciones alegando el peligro de un cisma. Ciertos fanáticos numidianos defendieron esta debilidad y llevaron a muchos al cisma. Donato, obispo de Casae-Nigrae, comenzó esta brecha y rechazó comunicarse con Mensurius, y lo acusó de haber puesto las Escrituras en manos de los paganos. Los donatistas llamaron a los católicos paganos, y rebautizaron a todos los que venían a ellos. Para condenar este error capital, el gran Concilio de Arles se reunió en el año 314.

En sus libros contra Parmenian, que había sucedido a Donato, nuestro santo narró la historia y las locuras de los de la secta donatista, y se extiende sobre la universalidad de la Iglesia. «¿Por qué», dice él, «ponéis fuera de la Iglesia a un infinito número de cristianos que están en Oriente u Occidente? Sólo sois un pequeño número de rebeldes que os habéis opuesto a todas las Iglesias del mundo». Refuta los errores de los donatistas, que pretenden que los sacramentos son nulos si son dados fuera de la verdadera Iglesia.

San Optato sobrevivió al año 384, pero la fecha de su muerte no se conoce.

5 DE JUNIO

San Bonifacio

ARZOBISPO DE MENTZ, APÓSTOL DE ALEMANIA,

Y MÁRTIR

† 755

San Bonifacio nació en Crediton, Devonshire, alrededor del año 690 y fue bautizado con el nombre de Winfrid. Fue educado desde los trece años en el monasterio de Exeter. La reputación de las escuelas del monasterio de Nutcell en Winchester le llevó a esta casa. A los treinta fue ascendido al sacerdocio, y desde entonces se empleó principalmente en la predicación. Con el permiso de su abad pasó a Friseland para predicar el Evangelio entre los infieles en el año 716. Pero estalló una guerra entre Carlos Martel y el rey de Friseland poniendo insuperables dificultades en su camino y se vio obligado a regresar a su monasterio, donde fue elegido abad. Habiendo estado dos años en Inglaterra, partió hacia Roma en al año 719 y se presentó ante el papa Gregorio II, suplicando su permiso para ir a predicar entre los infieles. Gregorio le dotó de muchas santas reliquias y lo dejó partir con cartas de recomendación a todos los reyes cristianos que había en su camino.

El santo misionero no perdió tiempo salvo en cruzar los Alpes bajos y viajar a través de Baviera y Thuringia, donde comenzó sus funciones apostólicas. Bautizó a un gran número, pero también consiguió reformar a los cristianos que encontró de muchas irregularidades. Durante tres años compartió sus labores con San Willebrord en Friseland, entonces fue a Hesse y a parte de Sajonia. El Papa le ordenó reparar en Roma y le ordenó obispo. El santo volvió a Hesse, taló un gran roble consagrado a Júpiter, cuya madera empleó para construir una capilla. Fundó muchas iglesias, y un monasterio en Orfordt. El Papa lo constituyó entonces Primado de toda Alemania, con el poder de crear nuevos obispados.

Al morir Gregorio, San Bonifacio fue a Roma donde recibió de manos del papa Zacarías el hábito monástico, y se retiró al Monte Cassino durante bastantes años. Pepín el

Within the left illustration:

CLOTILDIS

BAPTISMVS CLODOVEI

LÁMINA 29. SANTA CLOTILDE, 3 DE JUNIO. BUTLER, *VIDA DE LOS SANTOS*, DOS VOLÚMENES ILUSTRADOS EDITADOS EN EL SIGLO XIX.

Corto fue elegido rey de Francia en el año 752 y deseó ser coronado por el más santo prelado en sus dominios, insistiendo en que la ceremonia fuera celebrada por San Bonifacio. Esto se hizo en Soissons, donde nuestro santo presidió un sínodo. Desde los Concilios de Lessines y Soissons parece haber sido un legado de la sede apostólica en Francia, no menos que en Alemania. Para ayudarlo a implantar el espíritu de la piedad cristiana, San Bonifacio invitó a venir de Inglaterra a muchos hombres santos y mujeres religiosas. En el año 746 fundó la gran abadía de Fuld, que fue durante mucho tiempo el seminario más reconocido en esta parte del mundo.

Habiendo partido junto con ciertos celosos compañeros a predicar a los salvajes habitantes del este de Friseland, una banda de enfurecidos infieles aparecieron y se interpusieron en su camino. Los sirvientes iban a defender la vida del santo luchando, pero no quiso que fuera así. Los paganos los atacaron y dieron muerte a todos. San Bonifacio murió el cinco de junio del año 755.

6 DE JUNIO

San Norberto

ARZOBISPO DE MAGDEBURGO, FUNDADOR DE LA ORDEN PREMONSTRATIENSE

† 1134

San Norberto nació en Xanten, Cleves, en 1080. Su padre estaba emparentado con el emperador. Cegado primero por los alagos del mundo, fue arrastrado a sus placeres y pasatiempos. Recibió la tonsura con espíritu mundano; y aunque fue instituido para una canonjía y ordenado diácono, no cambió su espíritu ni su conducta.

Dios le avisó de su letargo espiritual por medio de un alarmante accidente. Norberto estaba cabalgando hacia un pueblo en Westfalia cuando fue sorprendido por una violenta tormenta. Una bola de luz cayó junto ante las patas de su caballo y la pobre bestia tiró a su jinete, quien yació como muerto durante cerca de una hora. Finalmente, volviendo en sí, como otro Saul, gritó a Dios: «Señor, ¿qué quieres de mí?», a lo que la divina gracia le contestó interiormente, «Apártate del mal y haz el bien.». En el momento se convirtió en un sincero penitente y se retiró a su canonjía en Xanten. Su conversión se completó con un retiro que hizo en el monasterio de San Sigeberto cerca de Colonia. Norberto tenía por entonces treinta años.

Después de su conversión empleó dos años en prepararse para el sacerdocio. Después de su ordenación dijo un sermón sobre la vanidad del mundo. Algunos lo acusaron ante el legado del Papa como un hipócrita. El mismo se purgó en un concilio celebrado en Friztlar en el año 1118, vendió sus riquezas y viajó a Languedoc donde el papa Gelasius II se encontraba por aquel tiempo. Obtuvo del Papa las facultades para predicar el Evangelio donde juzgase apropiado. Terminaba por entonces el invierno. No obstante, caminó descalzo por la nieve, y parecía insensible a los rigores de la estación. Predicó la penitencia con increíbles frutos en Languedoc, Guienne, Poitou y Orleanois.

Habiendo el papa Calixto II sucedido a Galasius en 1119, Norberto fue a Rheims donde su santidad celebraba un concilio. El obispo de Laon dio a elegir a Norberto entre diferentes lugares para construir un monasterio y eligió un solitario valle llamado Prémontré en el bosque de Coucy. El obispo construyó allí un monasterio para el santo, quien reunió a trece hermanos. Su número pronto aumentó y la Orden se extendió por diversas partes de Europa. Norberto, completado el establecimiento de su Orden, fue obligado a abandonar el monasterio para ser exaltado a la dignidad como arzobispo de Magdeburgo. Pero su celo hizo que sus enemigos y algunos otros atentaran contra su vida. Continuó todavía para vigilar la observancia de la disciplina en su Orden, aunque por su consagración episcopal había dejado su gobierno a su primer discípulo, Hugo. El cuarto cabildo general estuvo constituido por dieciocho abades. El santo murió en Magdeburgo el seis de junio de 1134.

8 DE JUNIO

San Guillermo

ARZOBISPO DE YORK

† 1154

Guillermo era hijo del conde Herbert y Emma, hermana del rey Stephen. Renunció al mundo en su juventud, empleando sus riquezas para adquirir tesoros en el cielo a través de obras de caridad con los pobres, y entregándose él mismo al estudio y la práctica de la religión. Ascendido a las santas órdenes, fue elegido tesorero en la iglesia de York, bajo el sabio y buen arzobispo Thurstan. Cuando este prelado, habiendo desempeñado su dignidad veinte años, se retiró entre los monjes cluniacenses en Pontefract, para prepararse para la muerte que tuvo lugar al año siguiente, San Guillermo fue elegido arzobispo por la mayoría del cabildo, y consagrado en Winchester en 1144.

Pero Osbert, el archidiácono, un hombre turbulento, procuró que Henry Murdach, un monje cisterciense de la abadía de Fountains, quien era también un hombre muy erudito y un celoso predicador, fuera preferido en Roma, a donde Guillermo fue a demandar palio y defender la causa de sus electores más que la suya propia. Siendo destituido por el papa Eugenio III en 1147, él, que había aceptado esta dignidad titubeando, mostró una actitud en la que parecía haber sido dotado con los más altos honores. De vuelta a Inglaterra, fue secretamente a Winchester, a ver a su tío Henry, obispo de esta sede, donde llevó una vida de penitencia en silencio, soledad y oración en una casa retirada que pertenecía al obispo, lamentando las faltas de su vida pasada, durante siete años.

Al morir el arzobispo Henry, en 1153, y al haber Anastasio IV sucedido a Gregorio en la sede de Roma, San Guillermo, para satisfacer la importunidad de los otros, por los que había sido de nuevo elegido, emprendió un segundo viaje a Roma y recibió el pallium de su santidad.

A la vuelta del santo se interpusieron en su camino Robert, diácono, y Osbert, archidiácono, que insolentemente le prohibieron entrar en la ciudad o diócesis. Recibió la afrenta con docilidad pero continuó su camino. Fue recibido con increíble alegría por su pueblo. La multitud que se había congregado para recibirlo hizo que el puente de madera sobre el río Ouse en el centro de la ciudad se derrumbara y muchas personas cayeron al río. El santo hizo la señal de la cruz sobre el río y se dirigió a Dios, y todo el mundo se adscribió a su plegaria de que milagrosamente salvara la vida de toda la multitud, que salió del agua sin que ninguno estuviera dañado.

San Guillermo no buscó revancha contra los enemigos

que habían obstruido sus buenos planes. Hizo un gran número de proyectos por el bien de su diócesis, pero a los pocos meses de su instalación enfermó con fiebres, de las que murió el 8 de junio de 1154.

9 DE JUNIO

San Columba

O COLUMKILLE, ABAD

† 597

San Columba era de noble extracción y nació en Garton en el condado de Tyrconnel en el 521. Aprendió las Sagradas Escrituras y las lecciones de la vida ascética bajo el santo obispo San Finian en su gran escuela de Cluainiraid. Ascendido a la orden del sacerdocio en el año 546, comenzó a dar admirables lecciones de conocimiento sagrado, y en poco tiempo formó a muchos discípulos. Fundó, alrededor del año 550, el gran monasterio de Durrogh, y además muchos pequeños. San Columba compuso una regla que implantó en los cientos de monasterios que había fundado en Irlanda y Escocia. Estaba tomado principalmente de las antiguas instituciones monásticas orientales.

Estando el rey Dermot ofendido por el celo de San Columba reprobando los vicios públicos, el santo abad dejó su país natal y pasó a Escocia. Se llevó con él a doce discípulos y llegó allí, según Beda, en el año 565. Los pictos, habiendo abrazado la fe, dieron a San Columba la pequeña isla de Iona, a doce millas de la costa, en la que construyó el gran monasterio que fue durante muchos años el principal seminario del Norte de Gran Bretaña, y continuó por mucho tiempo siendo el lugar de enterramiento de los reyes escoceses.

La forma de vivir de San Columba era de lo más austera. Yacía en el suelo con una piedra como almohada. No obstante su devoción no fue nunca morosa ni severa. Su continencia siempre parecía maravillosamente alegre y su incomparable dulzura y caridad hacia todos los hombres y en todas las ocasiones ganó el corazón de todos los que conversaban con él. Tenía tanta autoridad que ni el rey ni el pueblo hacía nada sin su consentimiento. Cuando el rey Aedhan sucedió a su primo Conall en el trono de Escocia en el año 574, recibió la insignia real de San Columba.

Cuatro años antes de su muerte fue favorecido por una visión de ángeles que le provocó las lágrimas, porque supo por estos mensajeros celestiales que Dios, movido por las plegarias de las Iglesias inglesa y escocesa, prolongaría su exilio en la tierra durante cuatro años más. Habiendo desarrollado sus labores en Escocia durante treinta años, el sábado nueve de junio dijo a su discípulo Diermit, «Este día se llama Sabbath, esto es, el día de descanso, y tal voluntad va a ser verdadera para mí, pues pondrá fin a mis labores ». Fue el primero en la iglesia en rezar los maitines a medianoche; pero arrodillado ante el altar, recibió el viaticum, y habiendo dado sus bendiciones a sus hijos espirituales, durmió dulcemente en el Señor en el año 597, a la edad de setenta y siete años. Su cuerpo fue enterrado en esta isla, pero algunos años después se trasladó a Down en Úlster y fue depositado en un baúl con los restos de San Patricio y Santa Brígida.

11 DE JUNIO

San Bernabé

APOSTOL

† SIGLO I

San Bernabé, aunque no fue de los doce elegidos por Cristo, es llamado no obstante un apóstol por los padres primitivos y por San Lucas. Su singular vocación por el Espíritu Santo, y todo lo que compartió en las labores apostólicas, le han hecho recibir este título. Era de la tribu de Leví, pero nacido en Chipre donde residía su familia. Primero fue llamado Joses. Después de la Ascensión los apóstoles cambiaron su nombre por el de Bernabé. En la primera mención suya en los Hechos de los Apóstoles se relata que los conversos de Jerusalén vivían en común, y que los que poseían tierras o caballos los vendieron y trajeron el dinero y lo pusieron a los pies de los apóstoles. No se menciona ninguno en particular, excepto Bernabé; sin duda porque poseía un gran patrimonio.

Al llegar San Pablo a Jerusalén y no ser fácilmente admitido en la iglesia porque había sido un violento persecutor, se dirigió a San Bernabé quien lo presentó a Pedro y Jaime. Después de cuatro o cinco días, habiendo ciertos discípulos predicado la fe con gran éxito en Antioquía, se solicitó a alguien para formar la Iglesia y confirmar a los neófitos. Para lo cual fue enviado San Bernabé desde Jerusalén. Estando San Pablo por entonces en Tarsus, Bernabé lo invitó a compartir sus labores en Antioquía. La Iglesia había aumentado tanto en Antioquía que el nombre de cristianos fue dado por primera vez a los creyentes de esta ciudad.

Cuando llevaban a cabo el ministerio para el Señor, el Espíritu Santo les dijo, «Separadme a Pablo y Bernabé para el trabajo hacia donde los he tomado.» Pablo y Bernabé al recibir así su misión, dejaron Antioquía y fueron a Seleucia, ciudad junto al mar, de donde partieron hacia Chipre. Habiendo predicado allí a Cristo, navegaron hacia Pamphylia y Pasidia. Los apóstoles fueron después a Icono y a Lystra, ciudad en la que los idólatras, sorprendidos al ver como San Pablo sanaba milagrosamente a un tullido, declararon a los dioses apartados de ellos. Dieron a Pablo el nombre de Mercurio, porque era el principal orador, y a Bernabé el de Júpiter. Llegaron finalmente a Antioquía en Siria. Durante su estancia en esta ciudad surgieron disputas sobre la necesidad de observar los ritos de Moisés. Esta grave cuestión provocó el concilio de los apóstoles en Jerusalén en el año 51, en el que San Pablo y San Bernabé dieron cuenta del éxito de sus trabajos entre los gentiles. Finalmente una diferencia de opinión produjo la separación, sin la mínima brecha de caridad en sus corazones. San Pablo viajó a Siria y Cilicia, y Bernabé fue a su isla natal, Chipre. Allí los sagrados escritos terminan su historia. Alejandro, un monje de Chipre, escribió la narración de su muerte en la que el santo fue cogido por la muchedumbre y apedreado hasta la muerte.

13 DE JUNIO

San Antonio de Padua

DE PADUA (lám. 30)

† 1231

San Antonio, aunque oriundo de Lisboa, recibió este sobrenombre por su larga estancia en Padua. Nació en

1195 y le bautizaron con el nombre de Fernando, que cambió por el de Antonio al entrar en la Orden de San Francisco. Su padre fue Martín de Bullones, un oficial del ejército de Alfonso I.

A la edad de quince años entró entre los canónigos regulares de San Agustín, cerca de Lisboa, pero deseó, dos años más tarde, ser enviado al convento de La Santa Cruz, en Coimbra, a 150 kilómetros de la ciudad anterior. Había vivido en Coimbra cerca de ocho años cuando Don Pedro tomó de los moros las reliquias de cinco franciscanos que habían sido coronados anteriormente con el martirio. Fernando, profundamente afectado con esto, concibió el ardiente deseo de dar su vida por Cristo. Después de pasar algún tiempo en soledad, obtuvo permiso para ir a África. Apenas había llegado allí cuando Dios lo visitó con una severa enfermedad que le obligaba a regresar a España. Pero el barco en el que viajaba fue conducido a Sicilia, donde fue informado de que San Francisco celebraba entonces un cabildo en Asisun. Cuando hubo visto a San Francisco se ofreció a los provinciales de Italia. Se cuidó de ocultar su conocimiento y se presentó sólo para servir en la cocina.

Una asamblea de los frailes de los alrededores se estaba celebrando en Forli. El guardián de San Antonio le ordenó hablar. El santo suplicó ser excusado; pero el superior insistió y habló con tanta elocuencia que asombró a toda la compañía. San Francisco fue informado y mandado a Vercelle a estudiar teología. San Antonio enseñó teología algunos años con gran aplauso en Bolonia, Toulouse, Montpellier y Padua, y fue designado superior de Limoges. Finalmente abandonó las escuelas para dedicarse por completo a las labores de predicación misionera. El santo no fue menos admirado en el confesionario que en el púlpito.

Al morir San Francisco en 1226, el hermano Elías, un hombre de espíritu mundano, fue elegido general de la Orden, quien abusando de su autoridad, comenzó a introducir muchas relajaciones en la regla. Sólo San Antonio y un inglés llamado Adam se opusieron severamente y condenaron estos abusos, pero fueron cargados de injurias y maltratados. Se dirigieron al papa Gregorio IX por el que fueron graciosamente recibidos. Antonio regresó a su convento en Padua, pero encontrando su salud y su fuerza declinando, se retiró enseguida de la ciudad. Su malestar aumentó mucho y quiso ser llevado de nuevo a su convento en Padua; pero las súplicas de la muchedumbre para poder besar el borde de su manto fueron tantas que se detuvo en las afueras y fue llevado a la habitación del director de las monjas de Arcela donde dio felizmente su alma el 13 de junio de 1231, teniendo sólo treinta y seis años de edad.

15 DE JUNIO

San Vito

O GUY, CRESCENCIA Y MODESTO, MÁRTIRES

† PRINCIPIOS DEL SIGLO IV

Estos santos son mencionados con la distinción de los antiguos martirologios. De acuerdo con sus hechos eran oriundos de Sicilia. Vito era un niño de noble cuna, que tuvo la alegría de ser educado en la fe, e inculcado con los más perfectos sentimientos de su religión por su niñera

cristiana, llamada Crescencia, y su creyente marido Modesto. Su padre, Hylas, se enfadó mucho al descubrir la invencible aversión de su hijo a la idolatría; viendo que no le convencía con el látigo y otros castigos parecidos, lo entregó a Valerian, el gobernador, quien en vano utilizó todas sus artes para someterlo a la aceptación de la voluntad de su padre y los edictos del emperador. Escapó de sus manos, y junto con Crescencia y Modesto, huyó a Italia. Recibieron la corona del martirio en Lucania, en la persecución de Diocleciano.

[Nota editorial: San Vito es el patrón de los que sufren de epilepsia y enfermedades nerviosas, incluyendo «El Baile de San Vito», una forma de cólera, y se dice que protege contra las picaduras de serpientes y perros rabiosos. Aunque el culto de estos mártires se remonta a los primeros tiempos, su identidad exacta y el lugar de su muerte siguen siendo inciertos, y se sugiere que había dos personas llamadas Vito, una de las cuales murió en Lucania y la otra en Sicilia. La mayoría de las abadías inglesas de la Edad Media veneraban sólo a San Vito y San Modesto.]

16 DE JUNIO

San Quirico

O CYR, Y JULITA, MÁRTIRES

† 304

Ejecutando Domitiano, el gobernador de Lycaonia, con crueldad los edictos de Diocleciano contra los cristianos, Julita, una señora de aquel país, huyó a Seleucia con su hijo pequeño, Cyr, o Quirico, y dos doncellas. Alejandro, el gobernador de Seleucia, no era menos perseguidor de los cristianos que Domitiano. De allí Julita fue a Tarso en Cilicia. Sucedió que Alejandro entró en esta ciudad casi al mismo tiempo que ella, y fue inmediatamente aprehendida sosteniendo a su hijo entre los brazos y conducida al tribunal de este gobernador.

Era de sangre real, nieta de reyes, y poseía grandes riquezas; de lo que no se llevó nada consigo salvo lo necesario. Sus dos doncellas huyeron y se ocultaron. Alejandro le preguntó su nombre, dignidad y país; a lo que ella sólo contestó, «Soy cristiana». El juez, lleno de rabia, ordenó que la separaran de su hijo, y que ella debía ser estirada y cruelmente azotada con correas; lo que en consecuencia se ejecutó.

Nada podía ser más afable que el pequeño Cyr, un aire de dignidad hablaba de su ilustre nacimiento; y esto, unido a la dulzura e inocencia de su tierna edad y apariencia, conmovió a todos los presentes. Fue difícil separarlo de los brazos de su madre; y continuaba alargando sus pequeñas manos hacia ella. El gobernador puso al infante en sus rodillas e intentó besarlo y calmarlo; pero el inocente bebé, teniendo sus ojos fijos en su madre, y luchando por volver con ella, arañó la cara del inhumano juez; y cuando la otra, bajo los tormentos, gritó que era cristiana, él repitió tan fuerte como pudo, «Soy cristiano».

El gobernador, enfurecido, lo cogió por el pie y lo tiró al suelo desde su tribuna, destrozándole el cráneo contra el borde de las escaleras, y todo el lugar se salpicó con su sangre. Julita, viéndolo así expirar, reunió toda la alegría del martirio y dio gracias a Dios. Su alegría aumentó la rabia del gobernador, que ordenó que sus costados fueran desgarrados con ganchos, y que se vertiera brea hirviendo sobre sus pies, mientras alguien proclamó gritando, «Julita,

LAMINA 30. SAN ANTONIO DE PADIA, 13 DE JUNIO. BUTLER, *VIDA DE LOS SANTOS*, DOS VOLUMENES ILUSTRADOS EDITADOS EN EL SIGLO XIX.

ten piedad de ti misma y haz un sacrificio a los dioses.» Siempre contestó: «No hago sacrificios a los demonios ni a estatuas sordas y mudas; sino que rindo culto a Cristo.»

Así el gobernador ordenó que le cortaran la cabeza y que el cuerpo del niño fuera conducido fuera de la ciudad y arrojado donde los cadáveres de los malhechores eran tirados. Julita, siendo llevada al lugar de la ejecución, rezaba en voz alta. Concluyó diciendo : «Amén», a lo que su cabeza fue cercenada. Murió en el año 304 o 305. Las dos doncellas fueron en secreto y enterraron a los dos mártires en un campo cercano a la ciudad.

19 DE JUNIO

Santa Juliana

† 1340

El padre de Juliana, Charissimus Falconieri, y su piadosa señora, Reguardata, tenían ya una avanzada edad y habían perdido las esperanzas de tener descendencia, cuando en 1270 fueron bendecidos por el nacimiento de nuestra santa. Después construyeron y fundaron a sus propias expensas la iglesia de La Anunciación de Nuestra Señora en Florencia, que puede considerarse ahora como una de las maravillas del mundo. Alexius, el único hermano de Charissimus, y tío de nuestra santa, fue, con San Felipe Beniti, uno de los siete propagadores de la Orden de los Servitas, o personas dedicadas al servicio de Dios bajo el especial patronazgo de la Virgen María.

A los dieciséis años, rechazando todo los que no parecía conducir a la virtud, dijo adiós a todos los pensamientos y placeres mundanos, renunció a su gran patrimonio y fortuna, y para mejor buscar la inestimable joya del espíritu, consagró su virginidad a Dios, y recibió de manos de San Felipe Beniti el velo religioso de las Mantellatae. Los hombres religiosos de los Servitas son llamados la primera Orden. San Felipe constituyó una segunda Orden, en favor de ciertas devotas señoras. Las Mantellatae eran la Tercera Orden de Servitas, y tomaron su nombre de un tipo particular de camisa corta que llevaban como lo más apropiado para su trabajo. Se instituyeron para servir a los enfermos, y para otras obras de caridad, y al principio no se las obligaba a una estricta clausura.

De esta tercera Orden, Santa Juliana fue el primer miembro. Y conforme creció, al atraer la reputación de su prudencia y su santidad a muchas devotas señoras que deseaban seguir a la misma Orden, fue obligada a aceptar el cargo de priora. Aunque era la madre espiritual del resto, lo hacía con deleite y servía a todas sus hermanas. Santa Juliana practicaba increíbles austeridades. En su vejez, fue afligida con dolorosas dolencias que soportaba con alegría. Hubo una cosa que la afligió en su última enfermedad: fue privada de la felicidad de la unión con su Divino Esposo en el sacramento del altar que no fue capaz de recibir por su estómago que no aceptaba la comida.

La sagrada hostia, sin embargo, fue llevada a su celda, y allí desapareció de repente de las manos del sacerdote. Después de su muerte, la figura de la hostia quedó impresa en el lado derecho de su pecho; prodigio por el cual se juzgó que Cristo había milagrosamente satisfecho su santo deseo. Murió en su convento, en Florencia, en el año 1340.

21 DE JUNIO

San Aloysius (Luis)
GONZAGA

† 1591

Luis Gonzaga era hijo de Fernando Gonzaga, marqués de Castiglione. Su madre era dama de honor de Isabel, esposa de Felipe II de España. Nuestro santo nació en el castillo de Castiglione en la diócesis de Brescia el nueve de marzo de 1568. Su padre, deseando entrenarlo para el ejército, le dio unas pequeñas pistolas. Teniendo ocho años, su padre lo llevó junto con su hermano menor a la corte del gran duque de Toscana para que aprendiesen latín y otros ejercicios apropiados a su rango. En Florencia el santo hizo tantos progresos en la ciencia de los santos que después solía llamar a esta ciudad la madre de su piedad.

Los dos jóvenes habían estado allí dos años cuando su padre los trasladó a Mantua y los llevó a la corte del duque Guillermo Gonzaga. Luis dejó Florencia en noviembre de 1579 cuando tenía once años. En este tiempo tomó la resolución de entregar a su hermano su pequeño marquesado. Mientras tanto cayó enfermo con una obstinada retención de orina y aprovechó la oportunidad que le ofrecía la indisposición para leer libros de devoción. Llegando finalmente a un pequeño libro que trataba sobre ciertas cartas de misioneros jesuitas, sintió una fuerte inclinación a servir a la Compañía de Jesús.

En 1581 su padre fue a ver a la emperatriz María de Austria en su visita a España y llevó con él a sus hijos. Luis continuó sus estudios pero nunca desatendió sus devociones. Finalmente determinó entrar en la Compañía de Jesús. Su madre se alegró pero su padre estaba enfurecido. Sin embargo, por mediación de los amigos se exhortó al marqués a dar su consentimiento y Luis comenzó su noviciado en San Andrés en Roma en 1585. Siendo conducido a su celda, dijo, «Este es mi descanso para siempre: aquí moraré, pues así lo he escogido.» Al resentirse su salud, le fue prohibido meditar y orar, excepto en ocasiones especiales y fue enviado a Nápoles donde estuvo un año y medio, entonces regresó a Roma donde hizo sus votos en noviembre de 1587 y poco después recibió las órdenes menores.

Por orden de su superior, fue a Milán. Un día fue favorecido con una revelación que le comunicaba que viviría poco tiempo y por ello apartó aún más su mente de las cosas terrenales. El general lo llamó de nuevo a Roma para realizar el cuarto curso de teología. En 1591 una enfermedad epidémica barrió grandes multitudes en Roma. Ante este peligro público los padres de la Compañía erigieron un nuevo hospital, en el que el general y otros ayudantes sirvieron a los enfermos. Siendo la enfermedad contagiosa, Luis cayó enfermo. Se recobró, pero una fiebre hética lo redujo a una gran debilidad. Expiró poco después de medianoche el veintiuno de junio de 1591.

23 DE JUNIO

Santa Etelreda
O AUDRY (lám. 31)

† 679

Santa Etelreda, comúnmente llamada Audry, era la tercera hija de Annas, el santo rey del este de Anglos, y Santa Hereswyda, hermana menor de Santa Sexburga y Santa Ethelburga, y hermana mayor de Santa Withburga. Ella nació en Ermynge, un famoso pueblo de Suffolk. En complacencia con el deseo de sus amigos se casó con Tonbercht, príncipe del sur de Girvij. Tres años después de su matrimonio, y uno después de la muerte de su padre, Audry perdió a su marido, que por su dote eligió para ella la isla de Ely. La santa viuda se retiró en aquella soledad y allí vivió cinco años.

Edfrid, el poderoso rey de Northumberland, al oír la fama de sus virtudes, la exhortó a que lo aceptara en matrimonio. Santa Audry, durante el tiempo que había reinado con su marido, había vivido con él como si fuese su hermana, no su esposa, y dedicó su tiempo a los ejercicios de la caridad y la devoción. Finalmente, habiendo pedido consejo a San Wilfrid, recibió de sus manos el velo religioso y se retiró al monasterio de Coldingham más allá de Berwick, y allí vivió en santa obediencia.

Después, en el año 672, volvió a la isla de Ely, y allí fundó un doble monasterio de su propio patrimonio. El convento de monjas estaba gobernado por ella misma y fue gracias a su ejemplo una regla viviente de perfección para sus hermanas. Sólo comía una vez al día, excepto en las grandes festividades o en tiempo de enfermedad; nunca llevaba ropas de lino, sino de lana; nunca volvía a la cama después de los maitines, que se cantaban a medianoche, sino que continuaba sus oraciones en la iglesia hasta la mañana. Se regocijaba con los dolores y las humillaciones, y en su última enfermedad dio gracias a Dios por padecer de un dolor rojo en su cuello, que juzgó como un justo castigo por su vanidad —cuando en su juventud en la corte llevaba ricos collares adornados con brillantes.

Después de una lenta enfermedad dejó su alma pura el 23 de junio del año 679. Fue enterrada de acuerdo con su voluntad en un ataúd de madera. Su hermana, Sexburga, la sucedió en el gobierno de su monasterio, e hizo que su cuerpo fuera puesto en un ataúd de piedra y trasladado a la iglesia, en la que en una ocasión fue encontrado incorrupto; y el mismo médico que hizo la espantosa incisión en su cuello poco antes de su muerte, se sorprendió al ver que la herida estaba totalmente curada.

24 DE JUNIO

La Natividad de San Juan el Bautista

(lám. 32)

Juan, hijo de Zacarías, era un santo sacerdote de la familia de Abía, una de las veinticuatro familias sacerdotales en las que los hijos de Aaron se dividieron. Isabel, la mujer de este virtuoso sacerdote, era también descendiente de la casa de Aaron, aunque probablemente su madre era de la tribu de Judá, siendo prima de la Sagrada Virgen.

Zacarías vivió probablemente en Hebrón a 30 kilómetros aproximadamente de Jerusalén. Era usual para los sacerdotes de cada familia elegir al azar entre ellos los hombres que realizarían las diferentes partes del servicio cada semana. Ocurrió que mientras Zacarías estaba ofre-

ciendo incienso un día fue favorecido con una visión, apareciéndosele el ángel Gabriel. Zacarías quedó arrebatado por el temor y el asombro y el ángel lo animó, asegurándole que su plegaria había sido escuchada, y que en consecuencia su esposa, aunque era llamada estéril, concebiría y daría a luz un hijo, añadiendo, «Debes llamarlo Juan, y él será grande ante Dios.»

Zacarías estaba asombrado ante la aparición, y pidió que se le diera una señal. El ángel contestó que desde ese momento quedaría mudo hasta el tiempo del nacimiento de su hijo. Isabel concibió, y en el sexto mes de su embarazo fue honrada con la visita de la madre de Dios en la que el Bautista fue santificado todavía en el vientre de su madre. Isabel, después de nueve meses, dio a luz a su hijo, que fue circuncidado a los ocho días. Con motivo de esta ocasión, el resto de la familia quería llamarlo Zacarías; pero su madre dijo que su nombre debería ser Juan. El padre confirmó lo mismo por escrito, e inmediatamente recobró el habla, irrumpió en alabanzas divinas y proclamó con regocijo la infinita merced con la que Dios estuvo complacido en visitar su pueblo de Israel.

El Bautista fue inspirado por el Espíritu Santo para retirarse en su tierna edad al desierto. Allí se dedicó a los ejercicios de la santa plegaria, llevando una vida de austera penitencia. Sus vestidos eran la ruda piel de un camello, atado alrededor de él con correas de cuero y no se permitía otra comida que la que encontraba en el desierto, miel salvaje y langostas.

27 DE JUNIO

San Cirilo
PATRIARCA DE ALEJANDRÍA

† 444

San Cirilo estudió bajo su tío Teofilo y testifica que hizo de su regla no avanzar en ninguna doctrina que no fuera la de los Santos Padres. Con frecuencia decía que despreciaba la elocuencia humana; y se ha considerado que escribió con el estilo más claro y con la mayor pureza de la lengua griega. A la muerte de Teofilo en el año 412 fue ascendido a la dignidad patriarcal.

Empezó a ejercer su autoridad haciendo que las escuelas de novatianos de la ciudad se cerraran. Después expulsó a los judíos, que eran muy numerosos. Las sediciones y otros actos de violencia cometidos por ello lo llevaron a esta medida, que fue aprobada por el emperador Teodosio; y los judíos nunca regresaron. Esto produjo perniciosos efectos. Hypatia, una señora pagana, tenía una escuela de filosofía en la ciudad. La reputación de su sabiduría era tan grande que congregaba a discípulos de todas partes. La muchedumbre, sospechando que ella encolerizaba al gobernador contra el obispo, la sacó de su carro y despedazó su cuerpo en el año 415, para pena de todos los hombres buenos, en especial para el buen obispo.

Nestorius, un sacerdote de Antioquía, fue hecho obispo de Constantinopla en el año 428. Nestorius y sus sacerdotes mercedarios comenzaron nuevos errores desde el púlpito, enseñaron dos distintas personas en Cristo, una de Dios y otra de hombre, sólo unidas por una unión moral. Sus homilías ofendieron gravemente y

resto de sus días manteniendo la fe de la iglesia hasta su muerte en el 444, el veintiocho de junio.

28 DE JUNIO

San Ireneo

OBISPO DE LYON

† 202

Este santo era griego, probablemente oriundo de Asia Menor. Sus padres, que eran cristianos, le pusieron al cuidado de San Policarpo, obispo de Smyrna. San Policarpo cultivó su genio y formó su mente hacia la piedad por medio de preceptos y el ejemplo.

El gran comercio entre Marsella y los puertos de Asia Menor hicieron la relación entre estos lugares muy abierta. La fe de Cristo se propagó en esta parte de Galia en tiempo de los apóstoles; y de allí alcanzó pronto Lyon. San Policarpo mismo mandó a San Ireneo a la Galia, quizás en compañía de algún sacerdote. Fue ordenado sacerdote en la iglesia de Lyon por San Pothinus, y en el año 177 fue enviado en nombre de esta Iglesia al papa Eleutherius, para intentar que no cortara la comunicación con la Iglesia de los orientales, en vista de las diferencias sobre la celebración de la Pascua.

La multitud y celo de los creyentes en Lyon excitó la rabia de los ateos, y provocó una sangrienta persecución. San Ireneo dio pruebas de su celo en aquellos tiempos de prueba; pero sobrevino la tormenta, durante la primera parte de la cual estuvo ausente en su viaje a Roma.

Habiendo San Pothinus glorificado a Dios por su muerte en el año 177, nuestro santo a su regreso fue elegido segundo obispo de Lyon en el momento álgido de la persecución. Commodus sucedió a su padre Marco Aurelio en el año 180, y restauró la paz de la Iglesia. Pero fue perturbada por la garra de la herejía, particularmente la de los agnósticos y los valentianos. San Ireneo escribió principalmente contra estos cinco libros contra la herejía.

Un Blastus, un sacerdote de Roma, creó un cisma. Fue depuesto del sacerdocio y San Ireneo escribió contra él un tratado sobre el cisma. Habiéndose reanudado la disputa acerca de la Pascua, el papa Victor amenazó con excomulgar a los asiáticos; pero gracias a una carta de San Ireneo fue convencido de que tolerase durante algún tiempo. La paz que la Iglesia disfrutaba en aquel tiempo permitió a nuestro santo ejercer su celo y emplear su pluma con muchos beneficios. Sin embargo el clamor de los ateos finalmente movió al nuevo emperador, Severus, a comenzar una quinta persecución contra la Iglesia alrededor del año 202. Habiendo sido gobernador de Lyon, y testigo del florecimiento de aquella iglesia, parece haber dado instrucciones particulares de que los cristianos de allí debían ser perseguidos con extraordinaria severidad. Ado, en su crónica, dice que San Ireneo sufrió el martirio junto con una gran multitud. En un antiguo epitafio inscrito en el pavimento de la gran iglesia de San Ireneo en Lyon dice que los mártires que murieron con él ascendían a nueve mil. La mayoría sitúan el martirio de estos santos en el año 202, el inicio de la persecución; aunque algunos lo trasladan al 208, cuando Severus pasó por Lyon en su expedición a Gran Bretaña.

excitaron los clamores contra las blasfemias que contenían. San Cirilo, habiéndolas leído, le mandó una dulce amonestación sobre la materia, pero fue contestada con desdén. El papa Celestino, siendo solicitado por ambas partes, examinó su doctrina en el Concilio de Roma, la condenó y pronunció una sentencia de excomunión contra el autor, a menos que en diez días después de la notificación de la sentencia se retractase públicamente, designando a San Cirilo para que cuidase de que la sentencia se ejecutase. Pero el hereje pareció más obstinado que nunca. Esto ocasionó la convocación del Tercer Concilio General en Ephesus en el año 431, con doscientos obispos, con San Cirilo a la cabeza. Nestorius, aunque en la ciudad, rehusó tres veces a aparecer y la sentencia de excomunión fue pronunciada de nuevo. Seis días después, Juan, Patriarca de Antioquía, llegó con cuarenta y un obispos orientales, que se reunieron e intentaron excomulgar a San Cirilo. Ambas partes recurrieron al emperador, por cuya orden fueron ambos, San Cirilo y Nestorius, arrestados. Nuestro santo estaba a punto de ser desterrado cuando tres legados del papa Celestino llegaron, confirmaron la condena de Nestorius y aprobaron la conducta de San Cirilo. Los orientales continuaron su cisma hasta el año 433 cuando hicieron las paces con San Cirilo.

Llegó a Alejandría en octubre del año 431 y pasó el

LÁMINA 32. SAN JUAN BAUTISTA, 24 DE JUNIO. BUTLER, *VIDA DE LOS SANTOS*, EDICIÓN ILUSTRADA EN DOS VOLÚMENES PUBLICADA EN EL SIGLO XIX.

29 DE JUNIO

San Pedro

PRÍNCIPE DE LOS APÓSTOLES *(lám. 33)*

† SIGLO I

San Pedro, antes de su vocación por el apostolado era llamado Simón. Era hijo de Jonás y hermano de San Andrés. Originariamente residía en Bethsaida, una ciudad de la alta Galilea en las orillas del Lago Gennesareth. Pedro y Andrés fueron educados en las labores de la pesca. Desde Bethsaida San Pedro se trasladó a Cafarnaum, probablemente a consecuencia de su matrimonio, pues la madre de su mujer moraba allí. Simón creía en Cristo antes de verlo; fue con su hermano a Jesús, quien le dio el nuevo nombre de Cephas, que significa roca, y ha sido cambiado por nosotros a Pedro, por la palabra griega del mismo significado. Hacia el final del mismo año, Jesús vio a Simón Pedro y a Andrés lavando sus redes y les ordenó que lo siguieran. Esta invitación fue instantáneamente obedecida.

Después de la Pascua del año 31, Cristo eligió a doce de sus apóstoles colegio sacro en el que el lugar principal fue asignado a San Pedro. Cristo se le apareció después de su Resurrección antes que al resto de los apóstoles. Le dio el mandamiento especial de alimentar a su rebaño. El prometió dejar toda su iglesia a su cuidado. Cuando ciertos débiles discípulos dejaron a Cristo, nuestro Salvador preguntó a los doce: «¿También me dejaréis vosotros?» San Pedro contestó resolutamente: «Señor, ¿hacia quién podríamos ir? Tú tienes las palabras de la vida eterna.»

Pero al celoso apóstol se le permitió caer, y nosotros deberíamos aprender con él claramente a descubrir nuestra propia debilidad.

Cristo le reprochó que no sería capaz de velarlo una hora. El se mezcló con los sirvientes del sumo sacerdote y otros enemigos de Cristo y negó conocerlo.

San Pedro escribió dos epístolas canónicas. La primera parece haber sido escrita entre los años 45 y 55. Se dirige principalmente a los judíos conversos para confirmarlos en la fe bajo sus perseguidores. Su segunda epístola fue escrita desde Roma poco antes de su muerte y puede considerarse su testamento espiritual. Cuando Nerón comenzó a perseguir a los cristianos en el año 64, ellos suplicaron a Pedro que se marchase por algún tiempo. El apóstol cedió a su importunidad; pero cuando salía por las puertas de la ciudad se encontró a Cristo, o una visión que se presentaba en su forma, y tomándolo como otra prueba de su cobardía, regresó a la ciudad y fue llevado a prisión con San Pablo. Los dos apóstoles se dice que permanecieron allí ocho meses y según una antigua tradición sufrieron juntos en el mismo campo el 29 de junio. San Pedro, cuando llegó al lugar de la ejecución pidió ser crucificado boca abajo, alegando que no era digno de morir en la misma forma que el Divino Maestro. Fray Pagi sitúa el martirio en el año 65.

30 DE JUNIO

San Pablo

EL APOSTOL *(lám. 34)*

† SIGLO I

La Iglesia conmemora la conversión de San Pablo el 25 de enero. Después de ser bautizado, pasó algunos días en Damasco y predicó a Cristo abiertamente en la sinagoga. Los judíos tramaron un complot para arrebatarle la vida; pero el santo converso traspasó el muro durante la noche en una cesta. Aprovechó esta ocasión para ir a Jerusalén a ver a San Pedro. Los discípulos lo enviaron a Tarso, su ciudad natal. Permaneció allí más de tres años y predicó en los alrededores de Cilia y Siria. San Bernabé fue a Tarso y llevó a San Pablo a Antioquía donde trabajaron juntos. Tenemos en los Hechos de los Apóstoles una sumaria descripción de las misiones de San Pablo. Llevando con él a Bernabé en el año 44, viajaron a Chipre. Allí Sergius Paulus, el procónsul romano, se convirtió y recibió el bautismo.

San Pablo, dejando Chipre, fue por mar a Perge en Pamphilia y de Perge a Antioquía, la capital de Pisidia. Muchos fueron inducidos por sus discursos a creer en Cristo, pero los más obstinados judíos lo echaron. Los apóstoles predicaron cerca de Icono y después de esto en Lystra donde los ateos tomaron a Bernabé por Júpiter, por su gravedad, y a San Pablo por Mercurio, porque era el principal orador. Volvieron a Antioquía en Siria después de una ausencia de tres años. Durante los cuatro años siguientes San Pablo predicó por toda Siria y Judea y asistió al primer concilio general celebrado por los apóstoles en Jerusalén. Entonces partió a visitar las iglesias que había fundado. Mientras estaba en Troas, en una visión un macedonio se presentaba ante él suplicándole que volviera a su país. Tomó un barco y fue a Samotracia, Neapolis y Filipo. El apóstol, habiendo fundado en su país una muy eminente Iglesia, dejó a los filipenses y llegó a Thesxalónica. Finalmente un tumulto le obligó a abandonar aquella ciudad y partió para Atenas, de donde fue conducido por una llamada del Espíritu Santo a Corinto. Fue desde Corinto desde donde escribió sus dos epístolas a los thesalonicenses, el primero de sus escritos.

Viajó por Galatia, Phrygia y otras partes de Asia, desde Capadonia a Éfeso, donde estuvo casi tres años predicando. Siguió a Jerusalén en el año 58, donde ciertos judíos que se habían opuesto a él en Asia levantaron la ciudad contra él. Félix, el gobernador de la provincia, encerró al apóstol en prisión durante dos años. Festus sucedió a Félix en el gobierno de Judea y San Pablo fue de nuevo acusado por los judíos, pero apeló al César, que lo obligó a comparecer en Roma. Llegó a Roma en el año 61 y, al no aparecer acusadores contra él, después de dos años fue puesto en libertad. Allí San Lucas termina su narración de los viajes de San Pablo.

El apóstol hizo otros muchos viajes y regresó de nuevo a Roma alrededor del año 64 cuando fue puesto en prisión. Su martirio ocurrió en el año 65 o 66. Fue decapitado; su dignidad de ciudadano romano no le permitió ser crucificado.

3 DE JULIO (21 DE DICIEMBRE)

Santo Tomás

APOSTOL *(lám. 35)*

† SIGLO I

Santo Tomás era judío, probablemente un galileo de baja condición. Tuvo la felicidad de encontrarse con Cristo, y fue hecho por él apóstol en el año 31.

Después de la pasión de Nuestro Señor, fue sacado de la muerte, y el mismo día se apareció a sus discípulos para

LAMINA 33. SAN PEDRO, 29 DE JUNIO. BUTLER, *VIDA DE LOS SANTOS,* EDICION ILUSTRADA EN DOS VOLUMENES PUBLICADA EN EL SIGLO XIX.

convencerlos de la verdad de su Resurrección. No estando Tomás con ellos en aquella ocasión, se negó a creer el relato de que realmente había resucitado, a menos que pudiera ver la marca de los clavos y ver las heridas de sus manos y su costado. En aquel día la séptima noche, Nuestro Señor se presentó de nuevo, y después de la salutación usual se volvió hacia Tomás y le obligó a poner sus manos y a meter sus dedos en el agujero de su costado, y en las marcas de los clavos. Santo Tomás ya no dudó de la realidad del misterio, sino que la compunción le invadió, así como el miedo y el tierno amor, y gritó: «Mi Señor y mi Dios.»

Después del descenso del Espíritu Santo, Santo Tomás comisionó a Thassaieus para que instruyera y bautizara a Abgar, rey de Edessa. En cuanto a Tomás, Origen nos informa de que en la distribución hecha por los doce, Parthia le fue particularmente asignada como su provincia apostólica, cuando esta nación era lugar de los persas y disputada su soberanía por los romanos. Después de predicar con buen éxito en Parthia, hizo lo mismo en el Este. Sophronius menciona que, por sus labores apostólicas, estableció la fe entre los medos, persas, camanianos, hyrcanianos, batrianos y otras poblaciones en aquellas zonas.

Los modernos indios y portugueses nos dicen que Santo Tomás predicó entre los brahmanes, y a algunos indios más allá de la gran isla, Taprobana, que algunos creen que es Ceilán y otros Sumatra. Añaden que sufrió el martirio en Meliapor, en la península en este lado del Ganges, en la costa de Coromandel, donde su cuerpo fue descubierto con ciertas marcas de lanzas; y ésta fue la manera de su muerte según la tradición en todos los países occidentales.

Eusebio afirma en general que los apóstoles murieron martirizados. Es cierto que su cuerpo fue llevado a la ciudad de Edessa, donde fue honrado en la gran iglesia.

Muchas iglesias distantes en el Este adscriben su fundación a Santo Tomás, especialmente la de Meliapor; pero muchas probablemente recibieron la fe sólo por sus discípulos. El portugués, cuando fue a las Indias Orientales, encontró allí a cristianos de Santo Tomás, esto es, un número de cinco mil familias en la costa de Malabar. En dos festividades que mantienen en honor de Santo Tomás, salen en grandes grupos al lugar de su enterramiento.

4 DE JULIO (8 DE JULIO)

Santa Isabel
REINA DE PORTUGAL

† 1336

Santa Isabel era hija de Pedro III, rey de Aragón. Su madre Constancia era hija de Manfred, rey de Sicilia. Nuestra santa nació en 1271. La joven princesa era de la más dulce disposición. A los ocho años de edad comenzó a ayunar en vigilia y a practicar grandes abnegaciones. No podía soportar otros cánticos que no fueran salmos o himnos; desde su niñez decía cada día el oficio del breviario. Su ternura y compasión por los pobres hizo que a su tierna edad la llamaran su madre.

LAMINA 34. SAN PABLO, 30 DE JUNIO BRITISH LIBRARY, KINGS MS 9, F. 34V.

LÁMINA 35. SANTO TOMAS, 3 DE JULIO. BODLEIAN LIBRARY, MS LAUD, MISC. 7, F.165.

A los doce años fue dada en matrimonio a Dionisio, rey de Portugal. La dejó entera libertad para sus devociones y la admiraba enormemente por su piedad. Nuestra santa planeaba para sí la distribución de su tiempo que nunca interrumpía a menos que el deber la obligara a cambiar el orden de sus prácticas diarias. Se levantaba muy temprano y rezaba maitines, laudes y primas, entonces oía misa. La caridad para con los pobres era una parte distintiva de su carácter. Daba constantes órdenes para dar alojamiento y cubrir las necesidades de todos los peregrinos y los pobres extranjeros. Visitaba a los enfermos. Fundó en diferentes partes del reino establecimientos piadosos, en particular un hospital cerca de su propio palacio en Coimbra, una casa de mujeres penitentes y un hospital para expósitos. Aunque el rey Dionisio era un hombre mundano, y violó la santidad del estado nupcial con abominables lujurias, ella ablandó el corazón del rey, que guardó después la fidelidad debida a su virtuosa consorte.

Santa Isabel tuvo del rey dos hijos, Alfonso y Constancia. Su hijo, cuando se hizo mayor, se revolvió contra su propio padre, poniéndose a la cabeza de un ejército de descontentos. Santa Isabel exhortó a su hijo para que volviera a su deber, conjurando a su marido a perdonarlo. Ciertos aduladores de la corte murmuraron al rey que la reina era sospechosa de favorecer a su hijo, y él la desterró a la ciudad de Alanquer. La reina recibió esta desgracia con admirable paz de espíritu. Nunca mantuvo ninguna correspondencia con los descontentos. El rey poco después la llamó de nuevo a la corte. Reconcilió a su marido y a su hijo, e hizo la paz entre Fernando de Castilla y Alfonso, su primo, que disputaban la corona; al igual que entre Jaime, su propio hermano, y Fernando, su yerno.

El rey Dionisio, habiendo reinado cuarenta y cinco años, cayó enfermo. Santa Isabel dio testimonio de su amor, abandonando apenas la habitación durante su enfermedad. Murió el seis de enero de 1325. Ella atendió a la procesión del funeral, y después hizo una peregrinación a Compostela; después de lo cual se retiró a un convento de Claras e hizo profesión religiosa. Al surgir la guerra entre su hijo y su nieto, decidió partir a reconciliarlos; pero llegó enferma con una violenta fiebre. Entregó su alma a Dios el cuatro de julio de 1336.

7 DE JULIO

San Paladio
APOSTOL DE LOS ESCOCESES

† 450

El nombre de Paladio muestra que este santo era un romano, y muchos autores están de acuerdo en que fue diácono de la Iglesia de Roma. San Próspero nos informa que cuando Agrícola, un notable pelagiano, hubo corrompido la Iglesia de Gran Bretaña con la insinuación de aquella herejía, el papa Celestino, a instancia de Paladio El Diácono, mandó en el año 429 allí a San Germán, obispo de Auxerre, en calidad de su legado, quien habiendo expulsado a los herejes, trajo de nuevo la fe católica a los britanos.

Parece que no hay duda de que sea la misma persona de quien San Próspero habla de nuevo cuando después dice que en el año 431 el papa Celestino mandó a Paladio, el primer obispo, a los escoceses que creían en Cristo, aunque el número de cristianos entre ellos debía ser muy pequeño. Es claro por Tertuliano y otro que la luz del Evangelio había penetrado entre los pictos más allá de los territorios romanos en Gran Bretaña, por el tiempo de los apóstoles. Este pueblo, por tanto, que había comenzado a recibir alguna tintura de la fe cuando nuestro santo emprendió su misión, era sin duda el de los escoceses que estaban asentados en Irlanda.

Los escritores irlandeses de la vida de San Patricio dicen que San Paladio había predicado en Irlanda poco antes de San Patricio, pero que él fue pronto desterrado por el rey Leinster y volvió al norte de Inglaterra, donde nos dice que había abierto primero su misión. Parece seguro que fue enviado a toda la nación de los escoceses, muchas de cuyas colonias habían pasado de Irlanda al norte de Inglaterra y al poseer esta parte del país se la llamó Escocia. Después de que San Paladio hubiese dejado Irlanda, llegó hasta los escoceses del norte de Inglaterra, según San Próspero en el año 431. Predicó allí con gran celo y formó una Iglesia considerable. Los historiadores escoceses nos cuentan que la fe se implantó en el norte de Gran Bretaña alrededor del año 200, en tiempos del rey Donald; pero todos reconocen que Paladio fue el primer obispo en aquel país y lo llamaron su primer apóstol. El santo murió en Fordun, la capital del pequeño condado de Mernis, a quince millas de Aberdeen, alrededor del año 450. Sus reliquias fueron conservadas con respeto religioso en el monasterio de Fordun. En el año 1409 William Scenes, arzobispo de San Andrés, y primado de Escocia, las metió en un nuevo relicario adornado con oro y piedras preciosas. Los escritores escoceses y los calendarios de la Edad Media mencionan a San Servanus y a San Ternán como discípulos de San Paladio, y por él hechos obispos, el primero de Orkney, y el segundo de los pictos. Pero por la cronología de Usher parece que ambos vivieron más tarde.

8 DE JULIO

Santa Withburge
VIRGEN

† 743

Withburge era la más joven de cuatro hermanas, todas santas, hijas de Annas, el santo rey de los anglos del Este. A una tierna edad se dedicó al servicio divino, y llevó una vida austera en soledad durante muchos años en Holkham, un estado del rey, su padre, cerca del mar en Norfolk, donde fue construida una iglesia, después llamada Withburstow. Después de la muerte de su padre, cambió su morada a otro estado de la corona, llamado Dereham. Esta es ahora una importante ciudad comercial de Nor-

folk, pero entonces era un oscuro y retirado lugar. Withburge reunió a muchas devotas vírgenes y puso los cimientos de una gran iglesia y un convento de monjas, pero no vivió para ver terminados los edificios. Su muerte ocurrió el 17 de marzo.

Su cuerpo fue enterrado en el cementerio de Dereham, y después de cincuenta y cinco años se encontró incorrupto, y se trasladó a la iglesia. Ciento setenta y seis años después de esto, en el año 974, Brithnoth (el primer abad de Ely, después de que esta casa, que había sido destruida por los daneses, fuera reconstruida), con el consentimiento del rey Edgar, lo trasladó a Ely, y lo depositó cerca de los cuerpos de sus dos hermanas. En 1106 los restos de las cuatro santas fueron trasladados a una iglesia nueva y colocados cerca del altar mayor. Los cuerpos de Santa Sexburga y Santa Ermenilda se redujeron a polvo excepto sus huesos. El de Santa Audry estaba entero, y el de Santa Withburge no sólo sano sino fresco, y los labios perfectamente flexibles. Herbert, obispo de Thetfort quien en 1094 trasladó su sede a Norwich, y otras muchas personas de distinción fueron testigos de ello. Esto es relatado por Tomás, monje de Ely, en su *Historia de Ely* que escribió al año siguiente, 1107. Este autor nos cuenta que en el lugar donde San Withburge fue enterrada por primera vez en el cementerio de Dereham, una fina fontana de la más pura agua brotó. Desde este día se lo llama el pozo de Santa Withburge.

11 DE JULIO (21 DE MARZO)

San Benedicto
ABAD, PATRIARCA DE LOS MONJES OCCIDENTALES
(lám. 36)

† 543

San Benedicto era oriundo de Norcia en Umbría y nació alrededor del año 480. Cuando estuvo preparado para sus estudios superiores fue enviado a Roma y allí entró en un colegio público. No le gustó la conducta licenciosa que observaba en otros jóvenes romanos y por tanto abandonó la ciudad y se dirigió hacia las desiertas montañas de Sublacum, a cuarenta millas de Roma. Cerca de este lugar el santo encontró a un monje de un monasterio cercano que le dio el hábito monástico y lo condujo a una profunda y estrecha cueva. En esta cueva, ahora llamada Santa Gruta, el joven ermitaño eligió su residencia. Vivió tres años de esta manera. Ciertos pastores lo descubrieron cerca de su cueva, pero al principio lo tomaron por una bestia salvaje. Cuando vieron que era un servidor de Dios, lo respetaron enormemente. Desde entonces empezó a ser conocido y visitado por muchos.

La fama de su santidad se extendió al extranjero, lo que hizo que muchos abandonasen el mundo e imitasen su manera penitente de vida. El desierto pronto se pobló de monjes, para los que construyó doce monasterios, poniendo en cada uno doce monjes y un prior. La reputación de San Benedicto atrajo a los más ilustres personajes de Roma y de otras partes remotas para verlo. Muchos se postraban a sus pies para implorar su bendición, y algunos ponían a sus hijos bajo su conducta.

Florentius, un sacerdote de un país vecino, movido por los celos, persiguió al santo y difamó su reputación con calumnias. Benito dejó Sublacum y reparó en el Monte Cassino. Cassino era una pequeña ciudad construida en la ladera de una montaña muy alta en cuya cima se levantaba un antiguo templo de Apolo. El hombre de Dios destruyó el templo y construyó dos capillas. Este fue el origen de la abadía de Monte Cassino, cuya fundación data del año 529. San Benedicto gobernaba también un monasterio de monjas, situado cerca del Monte Cassino, y fundó una abadía para hombres en Terracina. Aunque ignorante de los conocimientos seculares, compiló una regla monástica que fue después adoptada por algún tiempo por los monjes del Oeste. Está principalmente basada en el silencio, la soledad, la oración, la humildad y la obediencia. San Benito llama a su Orden una escuela en la que los hombres aprenden a servir a Dios; y su vida fue para sus discípulos un modelo perfecto. Estaba enriquecido por dones sobrenaturales, incluso el de los milagros y la profecía.

La muerte de este santo parece haber ocurrido poco después de la de su hermana, Santa Escolástica. El predijo su muerte a sus discípulos e hizo que su tumba fuera abierta seis días antes. Cuando esto fue hecho, cayó enfermo de fiebre y expiró en paz el 21 de marzo, probablemente en el año 543, habiendo pasado cuarenta años en el Monte Cassino. La mayor parte de sus reliquias permanecen todavía en aquella abadía.

12 DE JULIO

San Juan

GAULBERT, FUNDADOR DE LA ORDEN DE VALLISUMBROSA (lám. 37)

† 1073

Juan Gaulbert nació en Florencia de padres nobles y ricos. Hugo, su único hermano, fue asesinado; y Juan determinó vengar el crimen con la muerte de aquel que lo había perpetrado. Sucedió que cabalgando hacia casa, hacia Florencia, un Viernes Santo, se encontró a su enemigo en un pasaje tan estrecho que fue imposible para ninguno de los dos evitar al otro. Juan sacó su espada e iba a matarlo, pero el otro cayó sobre sus rodillas y con los brazos en cruz, suplicando que por la pasión de Cristo le perdonase la vida. El recuerdo de Cristo, que oraba por sus asesinos en la cruz, afectó enormemente al joven caballero, y dijo, «No sólo te daré tu vida, sino también mi amistad; reza por mí a Dios para que perdone mis pecados.» Partieron, y Juan siguió su camino hasta que llegó al monasterio de San Minias. Entrando en la iglesia, ofreció sus plegarias al gran crucifijo, que milagrosamente inclinó su cabeza. Se arrojó a los pies del abad, suplicando ser admitido al hábito religioso. Después de algunos días, Juan se cortó el pelo y se puso el hábito que cogió prestado.

San Juan se dedicó a los ejercicios de su nueva condición como verdadero penitente, y fue muy exacto en la observancia religiosa. Cuando el abad murió, los monjes pidieron a nuestro santo que aceptase la dignidad; pero no se consiguió de ningún modo su consentimiento. No mucho después, dejó el monasterio con un compañero y fue a buscar la soledad más absoluta. Siguió hasta un agradable valle llamado Vallis-Umbrosa, en la diócesis de Fiedole y se unió en este lugar a dos ermitaños, con quienes fraguó el proyecto de construir un monasterio de muros de madera y barro. El papa Alejandro II en 1070 aprobó esta nueva Orden, junto con su regla, en la que el santo añadía ciertos estatutos a la regla benedictina original. San Juan fue elegido primer abad.

San Juan fue muy celoso por la pobreza y no permitiría que cualquiera de los monasterios fuera construido de manera costosa. Dejó alrededor de doce monasterios de su Orden a su muerte. Además, a los monjes que había recibido como hermanos legos, fueron exceptuados de los coros y el silencio y se ocupaban de los oficios externos. Se dice que fue el primer ejemplo de tal distinción; pero pronto fue imitado por otras Ordenes. El santo hombre finalmente cayó enfermo de fiebre en Passignano y murió el doce de julio de 1073, teniendo setenta y cuatro años.

[Nota editorial: el día doce de julio se celebra también la festividad de la Verónica, quien se dice enjugó el rostro de Cristo con un lienzo mientras era conducido al Gólgota. La imagen de su rostro quedó entonces, de acuerdo con la leyenda, marcada en el lienzo.]

13 DE JULIO

San Enrique

II EMPERADOR (lám. 38)

† 1024

San Enrique, de sobrenombre El Piadoso y El Cojo, hijo de Enrique, duque de Baviera, y de Gisella, hija de Conrad, rey de Burgundy, nació en el año 972. Siendo San Wolfgang un prelado, el más eminente de toda Alemania por su sabiduría, celo y piedad, nuestro joven príncipe fue puesto bajo su tutoría. La muerte de su amado maestro, que ocurrió en el 994, fue para él una gran aflicción. Al año siguiente sucedió a su padre en el Ducado de Baviera y en 1002 fue elegido emperador.

Poco después de su ascensión al trono, convocó un concilio nacional de los obispos de todos sus dominios con el fin de reforzar la estricta observancia de los cánones sagrados. Debido a su celo, muchos sínodos provinciales tuvieron lugar en diversas partes del imperio. Él mismo se presentó en el de Frankfurt en 1006 y en otro en Bamberg en 1022. La protección que debía a sus súbditos le comprometió en algunas guerras, y en todas ellas alcanzó el éxito. En 1014, fue coronado emperador con la mayor solemnidad por el papa Benedicto VIII.

Los habitantes idólatras de Polonia y Esclavonia habían devastado la diócesis de Meerburg. San Enrique marchó contra aquellos bárbaros y venció a los infieles. El victorioso emperador reparó munificentemente las sedes episcopales de Hildesheim, Magdeburg, Strasburgo, Misnia y Meerburgo e hizo a Polonia, Bohemia y Moravia tributarias del imperio.

La protección de la Cristiandad, y especialmente de la Santa Sede, obligó a San Enrique a conducir a su ejército al extremo de Italia, donde venció a los conquistadores sarracenos, con sus aliados griegos, y los sacó de Italia. Regresó pasando por el Monte Cassino y fue honorablemente recibido en Roma, pero durante su estancia en esta ciudad, por una dolorosa contracción de los tendones de su muslo, quedó cojo, y continuó así hasta su muerte.

La oración parecía ser el mayor deleite y apoyo para su alma, especialmente el oficio público en la iglesia. Aun-que vivió en el mundo si bien apartado de él en corazón y sentimientos, fue su ardiente deseo renunciar totalmente a él mucho antes de su muerte, pero fue convencido por el consejo de Ricardo, santo abad, para que no llevara a cabo tal proyecto. Se había casado con Santa Cunegunda, pero vivió con ella en perpetua castidad, a lo que se habían comprometido mutuamente a través de un voto. Sucedió que la emperatriz fue falsamente acusada de incontinencia, y San Enrique fue de alguna manera movido por la difamación; pero ella se defendió con su juramento y otras pruebas. Su marido se condenó severamente por su credulidad y la recompensó ampliamente. Su salud decayó algunos años antes de su muerte, que ocurrió en el castillo de Grone, cerca de Halberstadt en 1024, hacia el final del año cincuenta y dos de su vida.

14 DE JULIO

San Camilo
DE LELLIS

† 1614

Camilo de Lellis nació en 1550 en Bacchianico en Abruzzo. Perdió a su madre en su infancia, y a su padre

LÁMINA 37. SAN JUAN, 12 DE JULIO BRITISH LIBRARY, EGERTON MS 859, F. 13.

LÁMINA 38. SAN ENRIQUE, 13 DE JULIO. BUTLER, *VIDA DE LOS SANTOS*, EDICIÓN ILUSTRADA EN DOS VOLÚMENES PUBLICADA EN EL SIGLO XIX.

seis años después. Camilo, habiendo aprendido sólo a leer y a escribir, entró joven en el ejército, y sirvió primero en las tropas venecianas y después en las napolitanas, hasta que en 1574 se deshizo su compañía. Fue arrastrado tan violentamente por la pasión por las cartas y el juego, que algunas veces perdía incluso lo necesario para vivir, hasta que finalmente se vio reducido a tales estrecheces que para sobrevivir tuvo que conducir dos asnos y trabajar en una construcción perteneciente a los frailes capuchinos. Una conmovedora exhortación del guardián de los capuchinos le llevó a la conversión. Cayó sobre sus rodillas, deploró su vida pasada inconcebible y pidió merced al cielo. Esto ocurrió en febrero de 1575.

Intentó un noviciado tanto entre los capuchinos como entre los frailes grises, pero no fue admitido en la profesión religiosa en ninguno de los dos como consecuencia de un progresivo dolor en una de sus piernas que parecía incurable. Por tanto, dejando su propio país, fue a Roma, y allí sirvió a los enfermos en el hospital de San Jaime durante cuatro años. Siendo los administradores testigos de su caridad, después de algún tiempo lo designaron director del hospital.

Camilo, sufriendo al ver la pereza de los sirvientes contratados para el cuidado de los enfermos, proyectó la reunión de ciertas personas piadosas para la realización de estas funciones y tomó la resolución de prepararse él mismo para recibir las sagradas órdenes y fue ordenado sacerdote en 1584. Siendo nominado para servir en una pequeña capilla, abandonó la dirección del hospital. Antes del final de aquel mismo año, fundó su congregación de Sirvientes de Enfermos y prescribió ciertas reglas mínimas.

En 1585 sus amigos alquilaron para él una gran casa y ordenó que todos los miembros de la congregación se ocupasen de servir a las personas infectadas de una plaga, prisioneros y aquellos que estaban moribundos en casas privadas. El papa Sixto V confirmó su congregación en 1586 y ordenó que fuera gobernada por un superior trienal. San Camilo fue el primero, Roger, un inglés, uno de sus primeros compañeros. En 1588 fue invitado a Nápoles y fundó allí una nueva casa. Ciertas personas que servían en galeras habían contraído una plaga a bordo y se les prohibió entrar en el puerto; a lo cual estos piadosos «Servidores del Enfermo» (nombre que tomaron) subieron a bordo y los atendieron. En 1591 Gregorio XV convirtió esta congregación en una Orden religiosa.

Camilo estaba aquejado de muchas dolencias, como del dolor en su pierna durante cuarenta y seis años; dos dolencias en uno de sus pies que le dieron mucho sufrimiento, y violentos cólicos nefríticos. Fundó casas religiosas en Bolonia, Milán, Génova y otros lugares. Murió el catorce de julio de 1614.

15 DE JULIO

San Swithin

O SWITHUN, OBISPO Y PATRÓN DE WINCHESTER

† 862

Wini, el tercer obispo de los sajones occidentales, fijó su sede en Winchester, y esta iglesia se convirtió en una de las catedrales más florecientes de toda Gran Bretaña. San Swithun recibió en esta iglesia la tonsura clerical y se puso el hábito monástico en el Viejo Monasterio, que había sido fundado por el rey Kynegils.

Siendo ordenado sacerdote, fue hecho director o diácono del Viejo Monasterio. Su sabiduría, su piedad y prudencia movieron a Egbert, rey de los sajones del Oeste a hacerlo su sacerdote. Este gran príncipe le encargó la educación de su hijo, Ethelwolf, e hizo uso de sus consejos en el gobierno de su reino.

Habiendo reinado el rey Egbert treinta y siete años sobre los sajones occidentales y nueve sobre los ingleses, al morir en el año 830 o 836, su hijo Ethelwolf fue elevado al trono. Gobernó su reino con el prudente consejo de Alstan, obispo de Sherbourne, en los asuntos temporales y con el de San Swithun en las materias eclesiásticas, especialmente en las que concernían a su propia alma. Sintiendo siempre una gran reverencia por San Swithun, a quien llamaba su maestro y profesor, procuró que fuera elegido obispo de Winchester en el año 852. Aunque este buen obispo era rico en todas las virtudes, en las que más se deleitaba eran en las de la humildad y la caridad para con los pobres. Construyó diversas iglesias y reparó otras; hacía sus viajes a pie, y con frecuencia de noche para evitar ostentación.

Por su consejo, el rey Ethelwolf promulgó en un gran consejo de la nación una nueva ley, por la que daba la tercera parte de sus territorios a lo largo del reino a la Iglesia, exentos y libres de impuestos. Para dar a este estatuto una sanción más sagrada, ofreció en el altar de San Pedro en Roma una peregrinación que hizo en aquella ciudad en el año 855. Del mismo modo procuró que fuera confirmado por el Papa. Extendió el Romescot o Lápiz de Pedro a todo su reino. Reinó dos años a su vuelta a Inglaterra, y murió en el año 857.

San Swithun partió para la bendición eterna el dos de julio del año 862. Su cuerpo fue enterrado, de acuerdo con su voluntad, en el campo de la iglesia, donde su tumba podía ser pisada por los pasajeros. A los cien años aproximadamente, en los tiempos del rey Edgar, sus reliquias fueron tomadas por el entonces obispo de Winchester y trasladadas a la iglesia en el año 964. Con ocasión de lo cual Malmesbury confirma que se produjeron tal número de curaciones milagrosas de todas clases como nunca recordaba la memoria del hombre que había estado en muchos otros lugares. San Swithun se conmemora por el martirologio romano el dos de julio, el día de su muerte; pero su principal festividad en Inglaterra era el 15 del mismo mes, día del traslado de sus reliquias.

18 DE JULIO

San Pambo

DE NITRIA, ABAD

† 385

San Pambo fue en su juventud en busca del gran San Antonio en el desierto, y deseando ser admitido entre sus discípulos, suplicó que le diese algunas lecciones de su conducta. El gran patriarca le dijo que debía cuidarse de vivir siempre en estado de penitencia, y debía trabajar para poner restricciones a su lengua y sus apetitos. El discípulo se puso con ahínco a aprender la práctica de todas estas lecciones. Sobrepasó a los otros monjes en la austeridad de sus continuos ayunos. El gobierno de su lengua no fue menos objeto de sus desvelos de lo que lo fue su apetito. Cierto hermano religioso a quien había solicitado consejo comenzó a recitarle el salmo treinta y ocho, «Guardaré mis caminos, sin pecar con mi lengua»; Pambo nada más escuchar estas palabras, sin esperar al segundo verso, regresó a su celda, diciendo que era suficiente con una lección. San Antonio, que admiraba la pureza de su alma, solía decir que su temor de Dios había movido al divino Espíritu a tomar como lugar de asueto su alma.

San Pambo, después de dejar a San Antonio, se instaló en el desierto de Nitria, en una montaña donde había un monasterio. Santa Melania La Mayor, en la visita que hizo a las sagradas soledades que habitaban en los desiertos de Egipto, llegando al monasterio de San Pambo, encontró al santo abad sumido en su trabajo haciendo esteras. Le dio trescientas libras de plata, deseando que aceptara esta parte de su provisión para las necesidades de los pobres que había entre los hermanos. San Pambo, sin interrumpir sus quehaceres ni mirarla a ella o a su presente, le dijo que Dios recompensaría su caridad. Entonces, volviéndose a su discípulo hizo que cogiera la plata y la distribuyera entre los hermanos que estaban más necesitados. Melania permaneció allí algún tiempo, y finalmente dijo, «Padre, ¿sabes que hay ahí trescientas libras de plata?». El abad, sin mirar siquiera el cofre de plata, replicó, «Hermana, a quien hiciste la oferta sabe bien cuánto pesa sin necesidad de que le sea dicho.»

San Pambo dijo, poco antes de su muerte, «Desde que llegué a este desierto, y me construí una celda en él, no recuerdo haber comido más pan que el que he ganado por mi trabajo, y haber dicho una palabra de la que después me arrepintiera; no obstante, me voy a Dios como uno que no ha empezado todavía a servirlo.» Murió a los setenta años, haciendo una cesta. Melania se encargó de su entierro, y habiendo obtenido esta cesta, la conservó hasta el día de su muerte.

22 DE JULIO

Santa María Magdalena

(lám. 39)

† SIGLO I

La ilustre mujer penitente que menciona San Lucas fue, por su perfecta conversión, un ejemplo que ha perdurado a través del tiempo. Se la llama La Pecadora, para expresar su penitencia en la culpa. Este epíteto parece implicar que llevó una vida lasciva y desordenada. El escándalo de sus orgías le había hecho ganar el nombre de infame.

Jesús, no mucho después de liberar de la muerte al hijo de una viuda en Naín, fue invitado a cenar por cierto fariseo llamado Simón. Nuestro Señor aceptó complacido, principalmente por poder así rebatir el orgullo de los fariseos manifestando el poder de su gracia en la maravillosa conversión de esta pecadora abandonada. Comenzó su conversión al presentarse. Lo hizo al no pensar en la desgracia a la que se exponía al presentarse ante una asamblea tan numerosa y honorable. Allí, al perder el habla, se expresó sólo con lágrimas.

Jesús la miró con merced. El fariseo quedó asombrado al ver que a una infame pecadora, bien conocida en toda la ciudad, se le permitía permanecer a los pies de Nuestro Señor. Cristo aseguró a esta humilde pecadora que sus ofensas quedaban perdonadas y que su fe la había salvado. Habiendo la gratitud y la devoción ligado a la pecadora a nuestro Divino Redentor, lo siguió a todos los lugares.

Lo atendió en su sagrada pasión y permaneció bajo la cruz en el Monte Calvario.

María Magdalena no abandonó a su Redentor después de su muerte, sino que permaneció al lado de su santo cuerpo, y estuvo presente en su internamiento, dejándolo sólo para cumplir con la ley de observancia de la festividad, y habiendo descansado en el Sabbath desde el amanecer al ocaso, fue a comprar ungüentos para embalsamar el cuerpo de Nuestro Señor. Habiendo hecho todo ello con presteza, en compañía de otra devota mujer, partió muy temprano a la mañana siguiente y llegó a la sepultura justo cuando el sol salía. La piadosa mujer miró en el sepulcro y al no encontrar el cuerpo corrió a informar a Pedro y a otro discípulo a quien Jesús había amado. No pudiendo contener la pena ni su deseo de ver a su Señor, estuvo llorando en la puerta del sepulcro. Se volvió y vio a Jesús a su lado, pero lo tomó por el guardián. Él le preguntó por qué lloraba y a quién buscaba. Ella le dijo, «Señor, si te lo has llevado de aquí, dime dónde lo has puesto, y me lo llevaré.» Jesús se dio a conocer ante ella, diciendo, «¡María!», oyendo que la llamaba dulcemente por su nombre, y reconociéndolo, dijo, «Rabboni», esto es, Maestro. Así María Magdalena, a quien Jesús había liberado de muchos malos espíritus, fue la primera en verle después de su Resurrección.

Según una antigua tradición, Santa María Magdalena, después de ser expulsada por los judíos, partió por mar y desembarcó a salvo en Marsella.

23 DE JULIO (8 DE OCTUBRE)

Santa Brígida

VIUDA

† 1373

Santa Brígida, llamada Birgit o Brigit, era hija de Birger, el legislador de Upland, y de Ingeburgis, una señora que descendía de los reyes de los godos, quien murió poco después del nacimiento de nuestra santa, que ocurrió en 1304. Brígida fue llevada con su tía. En obediencia a su padre, cuando sólo tenía dieciséis años, se casó con Ulpho, príncipe de Nericia, quien a su vez sólo contaba con dieciocho años de edad. La pareja tuvo ocho hijos, cuatro niños y cuatro niñas.

Para romper los lazos con el mundo, hicieron una peregrinación a Compostela. A su vuelta, Upho cayó enfermo y murió poco después en 1344. Brígida, al quedar con su muerte en total libertad para seguir sus inclinaciones, renunció al rango de princesa. Los estados de su marido fueron divididos entre sus hijos y desde aquel día pareció olvidar que había estado en este mundo. Por el tiempo en que su marido murió, construyó el monasterio de Wastein en la diócesis de Lincopen, en el que emplazó a sesenta monjas, y en un recinto separado frailes en un número de trece sacerdotes, cuatro diáconos y ocho hermanos. Prescribió la regla de San Agustín, con ciertos estatutos particulares. En su instituto, los hombres están sujetos a la priora de las monjas en lo temporal, pero en lo espiritual las mujeres están bajo la jurisdicción de los frailes.

Santa Brígida había pasado en su monasterio de Wastein dos años cuando emprendió una peregrinación a Roma. Durante los últimos treinta años de su vida se acostumbró a confesarse todos los días, y comulgaba muchas veces por semana. Lo más famoso de la vida de Santa Brigida son las muchas revelaciones con que Dios la favoreció. Su ardiente amor a Cristo la movió a muchas dolorosas peregrinaciones para visitar los Santos Lugares en Palestina. En su viaje visitó las más renombradas iglesias de Italia y Sicilia.

De vuelta a salvo en Roma, vivió allí un año, pero a intervalos se sentía afligida por una enfermedad, bajo la cual sufría enormes dolores con heroica paciencia. Habiendo dado las últimas instrucciones a su hijo Birger y a su hija Catalina, que estaban con ella, se tendió en su estera, recibió el último sacramento y murió el veintitrés de julio de 1373, teniendo setenta y un años de edad.

24 DE JULIO

San Lupo

OBISPO DE TROYES

† 478

San Lupo nació de una noble familia en Toul y siendo erudito y elocuente practicó la abogacía en los tribunales durante algunos años con gran reputación. Se casó con Pimeriola, hermana de San Hilario de Arles. Después de seis años, acordaron de mutuo acuerdo hacer un voto de continencia. Lupo se retiró a la abadía de Lérins, gobernada por San Honorato. Después del primer año, cuando San Honorato fue nombrado obispo de Arles, fue a Macon en Burgundy para disponer de un patrimonio que había dejado allí en caridades. Se estaba preparando para volver a Lérins cuando supo por los delegados de la iglesia de Troyes, que había sido elegido obispo.

Alrededor de finales del siglo IV, Pelagius, un monje británico, y Celestius, un escocés, irrumpieron con su herejía en Africa, Italia y en el Este, negando la corrupción de la naturaleza humana por el pecado original, y la necesidad de la gracia divina. Agrícola había predicado su veneno en Gran Bretaña. Los católicos se dirigieron a sus vecinos, los obispos de la Galia, suplicando su ayuda para expulsar el mal creciente. Una asamblea de obispos que probablemente tuvo lugar en Arles en el año 529, comisionó a San Germán de Auxerre y San Lupo de Troyes para que fueran a oponerse a este maldad. Los dos santos pastores aceptaron la comisión y desterraron totalmente la herejía con sus oraciones, predicaciones y milagros.

San Lupo, después de su vuelta, se puso con vigor renovado a reformar las maneras de su feligresía. Dios en aquella época afligió al imperio occidental con dolorosas calamidades, y Atila con un numeroso ejército de hunos invadió la Galia. Rheims, Cambray, Besaçon, Auxerre y Langres habían ya sufrido los efectos de su furia, y Troyes fue el siguiente lugar amenazado. El santo obispo fue a encontrarse con el bárbaro a la cabeza de su ejército y le preguntó quién era. «Yo soy», dijo Atila, «el azote de Dios». «Déjanos respetar todo lo que venga de Dios», replicó el obispo, «pero si eres el azote con el que el cielo nos castiga, recuerda que no puedes hacer nada más que lo que la mano del Todopoderoso, que te gobierna y te mueve, te permita». Atila, asombrado por estas palabras, prometió salvar la ciudad. Atila se encontró con Aetius, el general romano, y fue vencido. En su retirada envió a buscar a San Lupo e hizo que lo acompañase hasta más allá del Rin, creyendo que la presencia de un tan alto servidor de Dios los salvaguardaría a él y a su ejército; y mandándolo de

vuelta se recomendó en sus plegarias. Esta acción del buen obispo fue malinterpretada y se le obligó a dejar Troyes durante dos años. Pasó este tiempo en retiro. Cuando su caridad y su paciencia vencieron finalmente la malicia de los hombres, regresó a su iglesia, que gobernó cincuenta y dos años, muriendo en el año 479.

25 DE JULIO

San Jaime el Mayor

APOSTOL *(lám. 40)*

† SIGLO I

San Jaime, el hermano de San Juan Evangelista, hijo de Zebedee, fue llamado El Mayor para distinguirlo de otro apóstol del mismo nombre, de sobrenombre El Menor, porque era más joven. San Jaime El Mayor parece haber nacido unos doce años antes que Cristo y era muchos años mayor que su hermano, Juan.

San Jaime era por nacimiento un galileo y de profesión pescador con su padre y su hermano, viviendo probablemente en Bethesaida. Jesús, caminando por el lago de Genesareth, vio a San Pedro y a San Andrés, y los llamó para que lo siguieran, prometiéndoles que serían pescadores de hombres. Al avanzar un poco más, vio a otros dos hermanos, Jaime y Juan, en un barco con su padre zurciendo sus redes, y también los llamó; y ellos al momento dejaron sus redes y a su padre y lo siguieron.

En el año 31 Jaime estuvo presente en la cura de la suegra de San Pedro y en la resurrección de la hija de Jairus. Este mismo año Jesús creó el colegio de sus apóstoles en el que aceptó a San Jaime y a su hermano San Juan. Les dio los sobrenombres de Boanerges, o Hijos del Trueno, probablemente para denotar su activo celo. Cristo distinguió a San Pedro, a San Jaime y a San Juan con muchos favores especiales. Sólo ellos pudieron presenciar por primera vez la transfiguración y después su agonía en el huerto.

Cómo se empleó San Jaime en predicar y promover el Evangelio después de la Ascensión de Cristo, lo desconocemos pues no se da cuenta de ello en los escritos de la primera época del Cristianismo. Parece que dejó Judea durante algún tiempo después del martirio de San Esteban, y volvió diez años después, cuando sufrió martirio. Aunque los apóstoles predicaron durante los doce primeros años en las cercanías de Judea, San Jaime pudo haber realizado en este intervalo un viaje a España. Que predicó allí parece confirmado por la tradición de aquella iglesia, mencionado por San Isidoro, el Breviario de Toledo y otros.

Agrippa, el nieto de Herodes, deseoso de complacer a la nación judía, cuando llegó a Jerusalén para celebrar la Pascua en el año 43, comenzó a perseguir a los cristianos, y el primero que cayó víctima del celo popular fue San Jaime El Mayor, a quien hizo aprehender y decapitar allí algo después de la Pascua. El cuerpo del apóstol fue enterrado en Jerusalén. Las santas reliquias fueron descubiertas al principio del siglo IX y trasladadas a Compostela. Este lugar fue llamado Santiago de Compostela, palabras que se han resumido en el nombre de Compostela. Es famoso por la extraordinaria concurrencia de peregrinos que vienen aquí a visitar el cuerpo de San Jaime que se conserva con gran respeto en la catedral.

LAMINA 39. SANTA MARIA MAGDALENA, 23 DE JULIO. BUTLER, *VIDA DE LOS SANTOS,* EDICION ILUSTRADA EN DOS VOL. PUBLICADA EN EL SIGLO XIX.

103

Santa Ana

MADRE DE LA SAGRADA VIRGEN *(lám. 41)*

† SIGLO I

La palabra hebrea Ana significa graciosa. San Joaquín y Santa Ana, los padres de la Sagrada Virgen María, son justamente honrados por la Iglesia, y su virtud es altamente ensalzada por San Juan Damasceno. El emperador Justiniano I construyó una iglesia en Constantinopla en honor de Santa Ana alrededor del año 550. Su cuerpo fue llevado de Palestina a Constantinopla en el 710, y de allí parte de sus reliquias se dispersaron por el Occidente.

Dios ha dado testimonio con efectos sensibles de lo honrado que fue por la devoción de esta santa, quien fue el gran modelo de virtud comprometido en el estado matrimonial, y se encargó de la educación de sus hijos. Fue una dignidad sublime y un gran honor para esta santa dar a un mundo perdido la abogacía de la merced, y dar a luz a la madre de Dios. Pero fue aún mayor la felicidad, bajo Dios, de ser el mayor instrumento de su virtud, y ser espiritualmente su madre a través de un sagrada educación en la inocencia y la santidad. Santa Ana, siendo ella misma un vaso de gracia, no sólo por su nombre, sino por la posesión de aquel rico tesoro, fue elegida por Dios para formar a su más perfecta esposa en la perfecta virtud; y su piadoso cuidado de esta ilustre hija fue el medio más importante de su propia santidad y su gloria en la Iglesia de Dios hasta el fin de los tiempos. Es una lección para

LÁMINA 40. SAN JAIME EL MAYOR, 25 DE JULIO. BODLEAIN LIBRARY, AS, ADD. A 185 F. 59V.

todos los padres cuyo principal deber es la educación sagrada de sus hijos.

Por medio de esto, glorifican a su Creador, perpetúan su honor en la tierra para los tiempos futuros y santifican sus almas.

27 DE JULIO

San Pantaleón

MÁRTIR

† 303

Pantaleón era médico del emperador Galerius Maximianus, y un cristiano, pero caer en la tentación es a veces más peligroso que las más severas pruebas y los más fieros tormentos; pues el mal ejemplo, si no se evita, debilita insensiblemente y finalmente destruye la virtud más vigorosa. Pantaleón, siempre obsesionado por ello en una corte de idólatras impíos, engañado al estar oyendo aplaudir con frecuencia máximas falsas del mundo, fue desgraciadamente seducido por la apostasía. Pero un celoso cristiano llamado Hermolaus, gracias a sus prudentes admoniciones, despertó su conciencia para que sintiera su culpa, y lo llevó de nuevo al rebaño de la Iglesia.

El penitente deseaba ardientemente expiar su crimen por medio del martirio; y, para prepararse para el conflicto, cuando la sangrienta persecución de Diocleciano estalló en Nicomedia en el año 303, distribuyó todas sus posesiones entre los pobres. No mucho después, fue detenido, y en su casa fueron aprehendidos también Hermolaus, Hermippus y Hermócrates.

Después de sufrir muchos tormentos, fueron condenados a perder sus cabezas. San Pantaleón sufrió el día después el descanso. Es considerado por los griegos entre los grandes mártires. Sus reliquias fueron trasladadas a Constantinopla, y allí se conservaron con gran honor, como nos informa San Juan Damasceno. La mayor parte de ellas se muestran en la abadía de San Denis cerca de París, pero su cabeza en Lyon.

Los médicos honran a San Pantaleón como su patrón principal después de San Lucas.

29 DE JULIO

Santa Marta

VIRGEN (lám. 42)

† SIGLO I

Marta era hermana de María y Lázaro, y vivió con ellos en Bethania, una pequeña ciudad a dos millas de Jerusalén, algo más allá del Monte de los Olivos. Nuestro sagrado Redentor había hecho de su residencia Galilea hasta el año treinta de su ministerio cuando predicó principalmente en Judea, intervalo durante el cual frecuentaba la casa de los tres discípulos. Marta parecía ser la mayor, y la que se ocupaba principalmente del cuidado y la dirección de la casa.

Se desprende de la historia de la resurrección de Lázaro que su familia era notable en el país. En la primera visita con que Jesús les honró, San Lucas nos cuenta que Santa

Marta mostró una gran solicitud en entretenerlo y servirlo. Olvidó los privilegios de su rango y no dejó tal honor sólo a los sirvientes, sino que ella misma se preocupó en preparar todo para tan ilustre huésped. María estuvo sentada todo el tiempo a los pies de nuestro Salvador. Marta, lamentándose dulcemente ante él, quiso que él ordenase a María levantarse y ayudarlo. Nuestro Señor estuvo muy complacido por la devoción con la que Marta lo servía; sin embargo alabó más el calmado reposo con el que María intentaba sólo mejorar su alma. «Marta, Marta,» dijo él «eres cuidadosa y te preocupas por muchas cosas; pero sólo una es necesaria.»

Otro ejemplo que muestra cuan querida era la familia para nuestro Salvador es la resurrección de Lázaro. Cuando cayó enfermo, sus hermanas enviaron a que informasen a Cristo, que entonces estaba ausente en Galilea. Cuando llegó a Bethania, Marta salió primero a su encuentro y le dio la bienvenida; y entonces llamó a su hermana María.

Cristo estaba de nuevo en Bethania, en la casa de Simón y Leper, seis días antes de su pasión. Lázaro era uno de los huéspedes, Marta servía la mesa; y María vertía un frasco de costosos ungüentos sobre los pies de Nuestro Señor, que enjugaba con los cabellos.

Santa María parece haber sido una de las santas mujeres que atendieron a Cristo durante su pasión y estuvieron bajo la cruz. Después de su Ascensión, fue a Marsella, y terminó su vida en la Provenza, donde su cuerpo fue encontrado en Tarascon, poco después del descubrimiento del de María Magdalena.

31 DE JULIO

San Ignacio

DE LOYOLA, FUNDADOR DE LA COMPAÑÍA DE JESÚS

(lám. 43)

† 1556

San Ignacio nació en 1491 en el castillo de Loyola, en Guipúzcoa. Su padre era el cabeza de una de las familias más nobles de aquella región. Se crió bajo el cuidado de Antonio, duque de Nájera, quien le llevó al ejército. Francisco I, rey de Francia, envió un ejército a España, que sitió Pamplona. Ignacio había sido llevado allí para animar a la guarnición, y una bala de cañón hizo añicos su pierna izquierda. Se quedó cojo toda su vida. Durante la cura de su rodilla estuvo confinado en la cama, y le fue traído un libro de las vidas de nuestro Salvador y los santos. Ignacio, una vez curado, fue a Montserrat, una gran abadía de monjes benedictinos. A tres leguas de Montserrat está la pequeña ciudad llamada Manresa con un convento de dominicos que lo admitieron. Allí escribió sus *Ejercicios Espirituales*. Después de una estancia de diez meses, tomó un barco en Barcelona y fue a Jerusalén. Regresó a Europa en 1524.

El santo, después de estudiar dos años en Barcelona, fue a la Universidad de Alcalá. Algunos le acusaron de herejía, pero fue justificado por los inquisidores. Al recobrar su libertad, viajó a París en febrero de 1528. Pasó dos años perfeccionando la lengua latina, y después hizo un curso de filosofía. Lainez, Salmerón y Alfonso, todos españoles, se unieron al santo e hicieron todos juntos un voto

LAMINA 41. SANTA ANA, 26 DE JULIO. BUTLER, *VIDA DE LOS SANTOS*, EDICION ILUSTRADA EN DOS VOLUMENES PUBLICADA EN EL SIGLO XIX.

para renunciar al mundo, e ir a predicar el Evangelio a Palestina. Ignacio llegó a Venecia alrededor del año 1536 y sus nueve compañeros procedentes de París se encontraron con él allí en 1537. Fueron ordenados. Habiendo los venecianos declarado la guerra contra los turcos, su peregrinación se probó impracticable. Ignacio fue a Roma, llamó a sus compañeros y les propuso su plan de formar una orden religiosa, que no poseería patrimonios ni ingresos, ni individuales ni comunes. El papa Pablo III lo aprobó, bajo el título de La Compañía de Jesús, en una bula del 27 de septiembre de 1540.

En 1546 los jesuitas abrieron su primera escuela en Europa. El seminario de Goa en Asia fue encargado a los jesuitas el año anterior. Entre la reglas que San Ignacio dio a los maestros, principalmente les inculcó las lecciones de humildad, modestia y devoción. San Francisco Borgia dio en 1551 una suma considerable para la construcción en Roma de un colegio jesuita. Ignacio estableció la regla estricta de que todos debían estudiar y hablar correctamente la lengua del país en el que vivieran; pues, sin conocer perfectamente la lengua vulgar, nadie está cualificado para predicar o realizar otras funciones.

San Ignacio fue general de la Compañía quince años, pero al final estaba tan enfermo que se procuró un ayu-

dante en este oficio. Puso felizmente su alma en las manos de su Creador el último día de julio de 1556, a los setenta y cinco años.

2 DE AGOSTO (16 DE DICIEMBRE)

San Eusebio
OBISPO DE VERCELLI

† 371

San Eusebio nació en Sardinia, donde su padre se dice murió por su fe. Su madre, al quedarse viuda, los llevó a su hija y a él, ambos en su infancia, a Roma. Eusebio fue ordenado lector por San Silvestre. No sabemos a qué se debió que se le llamara Vercelli, una ciudad ahora en el Piamonte. Sirvió a aquella iglesia con tal aplauso, que estando la silla episcopal vacante, fue unánimemente elegido para ocuparla. Fue el primer obispo de Vercelli cuyo nombre conocemos. San Ambrosio nos asegura que fue el primero en el Occidente en unir la vida monástica a la clerical, viviendo y haciendo su vida clerical de la misma manera que los monjes en el Este la hacen en el desierto.

En el año 354 el papa Luberius delegó a San Eusebio para suplicar permiso al emperador Constantino para convocar un concilio libre que se celebró en Milán en el año 355. Viendo Eusebio que todas las cosas se conducirían por la violencia por el poder de los arrianos, aunque los prelados católicos eran más numerosos, rehusó a ir hasta que fue obligado por Liberius. Cuando regresó a Milán, los arrianos lo excluyeron durante diez días. Cuando fue admitido puso el Credo de Cicene sobre la mesa e insistió en que todos firmasen aquella regla antes de que la causa de San Atanasio llegase a conocerse. El emperador mandó a buscar a San Eusebio, San Dionisio y Lucifer de Cagliari, y les ordenó que condenasen a Atanasio. Ellos insistieron en su inocencia, y que no podía ser condenado sin ser escuchado. El príncipe pensó en darles muerte, pero se le convenció para que los desterrase. Nuestro santo fue enviado a Scythopolis en Palestina, para ser tratado allí a discreción del obispo arriano, Patrophilus.

San Eusebio fue albergado primero con el conde José y reconfortado por las visitas de santos hombres y de los delegados de su iglesia en Vercelli. Pero José murió y los arrianos insultaron al santo, lo arrastraron por las calles y lo arrojaron en una pequeña habitación. Después de permanecer cuatro días sin comer, los arrianos lo mandaron de nuevo a su alojamiento. Veinicinco días después vinieron de nuevo, armados con palos y lo arrastraron otra vez a una mazmorra. Sus sufrimientos se veían agravados cada día hasta que el lugar del exilio se cambió por Capadocia, y algún tiempo después por Tebas en Egipto. Al morir Constantius hacia finales del año 361, Julián dio permiso para que todos los prelados desterrados regresaran. San Eusebio vino a Alejandría para acordar medidas con San Atanasio para aplicar los remedios apropiados a los males de la Iglesia. Estuvo en el concilio allí celebrado en el año 362. Desde Alejandría fue a Antioquía y viajó por todo el Este. San Hilario de Poitiers y San Eusebio se encontraron en Italia y se dedicaron a la expulsión de los arrianos. La muerte de San Jerónimo se sitúa a finales del año 371.

7 DE AGOSTO

San Cayetano

DE THIENNA

† 1547

San Cayetano era hijo de Gaspar, Señor de Thienna en el territorio de Vicenza en Lombardía, y nació en 1480. Se distinguió en los estudios de teología; al igual que la ley civil y canónica, facultad en la que se graduó como doctor con gran aplauso en Padua.

Para dedicarse de forma más perfecta al servicio divino, abrazó el estado eclesiástico; y, con su propio patrimonio, construyó y fundó una capilla parroquial en Rapazzo, en beneficio de muchos que vivían a mucha distancia de su iglesia parroquial. Después de esto fue a Roma, esperando llevar una vida desapercibida, lo que fue imposible en su propio país. No obstante, el papa Julio II le ordenó aceptar el oficio de protonotario. Deleitado por el fin propuesto por la confraternidad llamada El Amor de Dios, se enroló en ella. A la muerte de Julio II dimitió de su cargo público y regresó a Vicenza. Allí entró en la confraternidad de

San Jerónimo que se instituyó sobre el proyecto de la del Amor de Dios de Roma, pero que constaba sólo de hombres de la posición más baja. Esto ofendió mucho a sus amigos mundanos, quienes pensaron que esto era una mancha para el honor de su familia. Persistió sin embargo y buscó a los más abandonados enfermos y pobres de toda la ciudad y los sirvió con sus propias manos.

En obediencia al consejo de su confesor, Juan de Cremona, un fraile dominico, el santo se trasladó a Venecia y continuó con su forma de vida. Por consejo del mismo director, dejó Venecia para regresar a Roma a la confraternidad del Amor de Dios. Se concibió un plan entre los asociados para intituir una Orden de clero regular según el modelo de la vida de los apóstoles. Los primeros autores de este proyecto fueron San Cayetano, Caraffa, arzobispo de Theate, Pablo Consigliari y Bonifacio de Colle. La Orden fue aprobada en 1524 y Caraffa fue elegido el primer general. Como todavía tenía el título de arzobispo de Theate fueron llamados theatinos. El celo de estos santos hombres arrastró a muchos a su comunidad. Vivieron primero en una casa de Roma.

El ejército del emperador Carlos V tomó Roma por asalto en 1527. La casa de los theatinos fue destruida y San Cayetano torturado para quitarle el tesoro que no tenía. El y sus compañeros repararon en Venecia y San Cayetano fue elegido general. Después de tres años en este cargo, nuestro santo fue enviado a Verona, y poco después a Nápoles para fundar un convento de la Orden en aquella ciudad. En 1537 volvió a Venecia, siendo general por segunda vez; pero después de pasados tres años, regresó a Nápoles y gobernó la casa de su Orden hasta su muerte el siete de agosto de 1574.

8 DE AGOSTO

Santo Domingo

FUNDADOR DE LOS FRAILES PREDICADORES *(lám. 44)*

† 1221

Santo Domingo nació en 1170 en Calaruega en Castilla la Vieja. Era de la ilustre casa de los Guzmán. Su tío, el santo arcipreste de Gumiel, fue su preceptor. El santo fue enviado a los catorce años al seminario de Palencia. Acebedo, siendo obispo de Osma, en 1198 hizo aceptar a Santo Domingo una canonjía, teniendo entonces veintiocho años. Alfonso IX, rey de Castilla, eligió al obispo de Osma para ir a La Mancha y negociar un matrimonio entre la hija del conde de esta región y su hijo. El obispo llevó a Domingo con él. En su camino pasaron por Languedoc que se había llenado por entonces con la herejía de los albigenses. El hombre que los albergó en Toulouse estaba manchado con ella. Santo Domingo, con el corazón destrozado de compasión por su alma, aquella noche hizo que se convirtiese. Siendo concluido el trato matrimonial los embajadores fueron a Roma para pedir al papa Inocencio III permiso para quedarse dos años en Languedoc. Llegaron a Montpellier hacia finales del año 1205, donde encontraron a muchos abades cistercienses que fueron comisionados por el Papa para oponerse a los herejes. El arzobispo y Domingo propusieron emplear la persuasión en lugar del terror.

La primera conferencia de los misioneros con los herejes tuvo lugar en Montpellier y se produjeron muchas con-

LAMINA 43. SAN IGNACIO DE LOYOLA, 31 DE JULIO. BUTLER, *VIDA DE LOS SANTOS*, EDICION ILUSTRADA EN DOS VOL. PUBLICADA EN EL SIGLO XIX.

versiones. Santo Domingo fundó el convento de monjas de Nuestra Señora de Prouille, cerca de Fanjaux, en 1206, que es considerado hasta ahora como la casa madre de todas las monjas de esta Orden. Santo Domingo había pasado diez años predicando en Languedoc, cuando en 1215 fundó su Orden religiosa de Frailes Predicadores, proyecto que había fraguado algún tiempo antes. Dieciséis de sus compañeros misioneros se unieron rápidamente al proyecto. Para establecerla, el fundador fue obligado a ir a Roma acompañado por Fulco, el obispo de Toulouse. El Papa aprobó la nueva orden de palabra, pidiendo al fundador que formulara los estatutos y los pusiera ante él. Después de una madura consulta con sus dieciséis colegas, eligió la regla de San Agustín. Santo Domingo fue a Roma en 1217 y el Papa le dio la iglesia de San Sixto. Muchas monjas vivían en Roma sin clausura y Santo Domingo, con el fin de eliminar muchas dificultades, les ofreció su propio monasterio de San Sixto, y emprendió la construcción de un nuevo convento en Sabina para sus frailes.

En 1218 hizo un viaje a Roma y fundó un famoso convento en Segovia y otro en Madrid. Regresó a Toulouse y de allí fue a París, y habiendo fundado conventos en Avignon, Asti y Bergamo llegó a Bolonia en 1219, ciudad de la que hizo desde entonces su residencia habitual. En 1220 Honorious II le dio el título de general. Expiró el seis de agosto de 1221.

9 DE AGOSTO (5 DE AGOSTO)

San Osvaldo
REY Y MÁRTIR
† SIGLO VII

Al morir Ethelfrid, que gobernó el reino de los Northumbers, en batalla en el año 617, sus hijos Eanfris, Osvaldo y Oswi se refugiaron entre los escoceses donde fueron instruidos en la fe cristiana. Mientras tanto reinaba Edwin; pero en el año 633 fue muerto luchando contra Penda el Mercian y Cadwalla, rey de los Britanos. Con esta revolución, los tres hijos regresaron de Escocia, y Eanfrid obtuvo el reino de Deira, mientras Oswi fue elegido rey de Brenicia. Estos príncipes fueron asesinados por Cadwalla. Después de lo cual Osvaldo fue llamado al trono. En esta época Cadwalla saqueaba todas las provincias de los Nurthumbers. Oswaldo reunió a todas la tropas que pudo y marchó contra este temido enemigo. Llegando cerca del campo enemigo, la tarde anterior al compromiso, el piadoso rey hizo que se hiciera una gran cruz de madera. Cuando estuvo fijada, San Osvaldo gritó, «Arrodillémonos y recemos juntos a Dios para que nos defienda de nuestro enemigo; pues él sabe que libramos una guerra justa.» Todos los soldados hicieron lo que él ordenaba.

El Todopoderoso se complació en bendecir la fe del rey concediéndole a él y a su pequeño ejército la victoria completa sobre Cadwalla, que murió en la batalla. San Osvaldo se puso inmediatamente a restaurar el orden por todos sus dominios y a implantar en ellos la fe cristiana. Pidió al rey y a los obispos de Escocia que le enviasen un obispo y ayudantes para que con su predicación la religión cristiana se asentara y para bautizar a su pueblo. Aidan, un oriundo de Irlanda, fue elegido para la peligrosa empresa. El rey le otorgó la isla de Lindisfarne para su sede episcopal y se sintió tan edificado con sus conoci-

mientos que antes de que el obispo pudiese hablar inglés, él mismo era su intérprete.

Osvaldo llenó sus dominios de iglesias y monasterios. El reino de Northumberland se extendió entonces hasta Edimburgo y fue tan grande su poder que Adamnan en vida de San Columba lo llamó el rey de los ingleses. Cuando San Osvaldo había reinado ocho años con gran prosperidad, Penda, el pagano y bárbaro rey de Mercia, quien nueve años antes había asesinado al piadoso rey Edwin, encontró los medios para levantarse con un gran ejército e invadir los dominios cristianos de nuestro santo rey. San Osvaldo se encontró con él con una fuerza mucho menor, y fue asesinado en la batalla que se mantuvo entre ellos. Cuando se vio rodeado por las armas de sus enemigos, ofreció su plegaria por las almas de sus soldados. Fue asesinado a los treinta y ocho años, en el año de Nuestro Señor 642, el cinco de agosto, en un lugar llamado Maserfield. El inhumano tirano hizo que la cabeza y los brazos del santo fueran cortadas y fijadas en postes; pero el hermano de San Osvaldo y sucesor, Oswi, lo tomó al año siguiente y llevó sus brazos a su propio palacio real y envió su cabeza a Lindisfarne.

10 DE AGOSTO

San Lorenzo
MÁRTIR (lám. 45)
† 258

San Xystus, entonces diácono de Roma, tomó a Lorenzo bajo su protección. Al ascender San Xystus al pontificado en el año 257, ordenó a Lorenzo diácono. El emperador Valerio, en el año 257, publicó un sangriento edicto contra la Iglesia. Ya que, haciendo desaparecer a los pastores podría dispersar al rebaño, condenó a todos los obispos, sacerdotes y diáconos a la muerte sin tardanza. El santo Papa fue aprehendido al año siguiente. Cuando fue llevado a la ejecución, su diácono, San Lorenzo, lo siguió llorando, e inflamado por el deseo de morir por Cristo, ardió en quejas. El santo Papa fue movido por la compasión y contestó: «No te dejo, hijo mío. Tú me seguirás dentro de tres días.» Añadió el encargo de distribuir inmediatamente entre los pobres el tesoro de la iglesia para que no cayera en manos de los perseguidores.

Lorenzo se puso inmediatamente a buscar a todas las pobres viudas y huérfanos y dar entre ellos el dinero que tenía; vendió incluso las copas sagradas para incrementar la suma. La iglesia de Roma contaba entonces con riquezas considerables. Además tenía ricos ornamentos y vasos. El prefecto de Roma fue informado de estas riquezas y estaba muy deseoso de conseguirlas. Con este propósito mandó a buscar a San Lorenzo y le dijo, «Te quejas con frecuencia de que tratamos con crueldad, pero aquí no se piensa en ninguna tortura. He sido informado de que según tu doctrina debes dar al César las cosas que le pertenezcan. Danos, por tanto, el dinero y sé rico en palabras.» San Lorenzo replicó, «La iglesia es en realidad rica. Te mostraré una parte valiosa; pero dame algún tiempo para prepararlo todo.» El prefecto le dio un respiro de tres días. Durante este intervalo, Lorenzo fue por toda la ciudad, buscando a los pobres que eran apoyados por la iglesia. Al tercer día, reunió a un gran número de ellos, entonces fue ante el prefecto, le invitó a venir y ver el tesoro de la iglesia y lo condujo al lugar. El hombre de mente terre-

LAMINA 44. SANTO DOMINGO, 8 DE AGOSTO. BUTLER, *VIDA DE LOS SANTOS*, EDICION ILUSTRADA EN DOS VOL. PUBLICADA EN EL SIGLO XIX.

na gritó lleno de rabia: «¿Te burlas de mí?», e hizo que se preparase una gran parrilla y que ascuas vivas casi extintas se arrojasen allí, para que el mártir se quemase lentamente. San Lorenzo fue desnudado, extendido y atado con cadenas sobre la cama de hierro sobre un lento fuego que quemaba su carne poco a poco. Tal era la tranquilidad que disfrutaba, y habiendo sufrido largo tiempo se volvió al juez y le dijo: «Dame la vuelta; este lado está ya bastante asado.» Cuando el ejecutor le hubo dado la vuelta, le dijo: «Está bastante hecha, puedes comer.» El mártir continuó en ardiente oración, implorando la merced de la conversión de la ciudad, y al terminar de rezar, entregó su alma. Parece que su fiesta se ha celebrado desde el siglo V.

11 DE AGOSTO

Santa Susana

VIRGEN Y MÁRTIR *(lám. 46)*

† SIGLO III

Susana nació de noble cuna en Roma, se dice que fue sobrina del papa Caius. Habiendo hecho voto de virginidad, rehusó a casarse; por lo que fue acusada de cristiana, y sufrió con heroica constancia un cruel martirio. Los hechos concretos de su vida no se conservan: pero se conmemora en los antiguos martirologios, y la famosa iglesia que es ahora cuidada por monjes cistercienses lleva su nombre desde el siglo V, cuando era uno de los títulos de las parroquias de Roma. Santa Susana sufrió al principio del reinado de Diocleciano, alrededor del año 295.

[Nota editorial: el nombre de Susana se asoció al de otro mártir romano, Tiburtius, aunque parece que no tenían nada en común salvo el hecho de que los dos nombres aparezcan en el mismo día en el martirologio. No se sabe si sufrieron en el mismo año o incluso bajo la misma ola de persecuciones.]

11 DE AGOSTO (12 DE AGOSTO)

Santa Clara

(lám. 47)

† 1253

Santa Clara era hija de un noble caballero que tenía tres hijas. Nació en 1193 en Asísum, una ciudad en Italia. Sus padres empezaron a hablarle muy pronto de matrimonio, lo que le suponía una gran aflicción, pues su más ardiente deseo era no tener más esposo que Cristo. Al oír la gran reputación de San Francisco, encontró los medios para llegar hasta él y le pidió consejo. El le habló del amor de Dios de una manera tal que alegró su tierno corazón y decidió renunciar al mundo. San Francisco señaló el Domingo de Ramos para el día en el que debía venir a él. En aquel día, Clara, vestida con su más suntuoso manto, fue con su madre y su familia al oficio divino. Asistió a la procesión, pero por la tarde, siendo 18 de marzo de 1212, se escapó y fue a una milla fuera de la ciudad donde San

Francisco vivía con su pequeña comunidad. Se quitó sus finas ropas y San Francisco cortó su pelo. Al no tener el Santo Padre aún un convento de monjas, la emplazó por el momento en el convento benedictino de San Pablo, teniendo dieciocho años. Las Pobres Claras datan de la época de la fundación de su Orden.

Tan pronto como este hecho se hizo público, el mundo conspiró para condenarlo, y sus amigos y conocidos vinieron con la intención de arrastrarla fuera de su retiro. Clara se resistió con violencia y, con la cabeza descubierta para mostrar su pelo corto, dijo que Cristo la había llamado para su servicio. San Francisco pronto la trasladó a otro convento. Allí su hermana Inés se unió a ella en su empresa. Poco después se le reunieron su madre y muchas damas de su clase. Santa Clara fundó en pocos años monasterios en Perugia, Arezzo, Padua, Venecia, Mantua, Bolonia, Milán, Siena, Pisa y también en las principales ciudades de Alemania.

Santa Clara y su comunidad practicaban la austeridad que por aquel entonces era apenas conocida por el tierno sexo. Mientras otros pedían a los ricos, Clara presentó su humilde petición al papa Inocencio IV, para que confirmase para su Orden el singular privilegio de la santa pobreza, lo que hizo en 1251.

Fue atacada por continuas enfermedades y dolores durante veintiocho años, aunque siempre estaba alegre, no permitiéndose más indulgencia que un poco de paja para descansar en ella. Santa Clara soportaba sus enfermedades sin hablar apenas de ellas, y viendo llorar a todas sus hijas espirituales, las reconfortaba y les daba su bendición, llamándose ella misma una pequeña planta del santo padre San Francisco. La Pasión de Cristo, según lo pidió, se leyó en su agonía, y expiró dulcemente el 11 de agosto de 1253, a sus sesenta años. Fue enterrada al día siguiente, día en el que la Iglesia celebra su festividad.

13 DE AGOSTO

San Hipólito

MÁRTIR

† 252

Uno de los más ilustres mártires que sufrió durante el reinado de Gallus fue San Hipólito, uno de los veinticinco sacerdotes de Roma que fueron engañados por Novatian y Novatus, y comprometidos en su cisma; falta que expiraron con el arrepentimiento público y un glorioso martirio.

Fue aprehendido e interrogado en el potro en Roma; pero el prefecto de la ciudad, habiéndola llenado con sangre cristiana, fue a Ostia para extender la persecución, y ordenó que nuestro santo y otros muchos cristianos que estaban entonces en prisión en Roma, fueran conducidos allí después de él.

Al ser San Hipólito sacado de la prisión, muchos de los que habían estado bajo su cuidado le pidieron su último consejo y bendición; y él los exhortó vehementemente a preservar la unidad de la iglesia. Después de haber desengañado a su rebaño fue conducido a Ostia. El prefecto levantó su tribunal, rodeado por sus verdugos y varios instrumentos de tortura. Los confesores fueron puestos en línea ante él, y sus demacradas caras, el largo de sus cabellos y la suciedad con la que habían sido cubiertos mostraban cuánto habían sufrido en su largo encarcela-

miento. El juez, encontrando que no podía convencerlos con ningún tipo de tormentos, los condenó finalmente a ser llevados a la muerte. Hizo que algunos fueran decapitados, otros crucificados, otros quemados y algunos arrojados al mar en barcas podridas que se hundieron inmediatamente. Cuando el venerable Hipólito fue llevado a su vez ante él cargado de cadenas, una multitud de gente joven comenzó a gritar que él era el principal de los cristianos y debía dársele la muerte por medio de algún tipo de castigo nuevo y remarcable.

Fuera del condado, donde se tenían los caballos salvajes, tomaron a dos de los más furiosos y difíciles de gobernar que pudieron encontrar, y los ataron con una larga soga que sujetaron a los pies del mártir. Entonces provocaron a los caballos para que salieran corriendo con grandes gritos, azotándolos y pinchándolos. La última palabra que se oyó decir al santo cuando empezaban fue, «Señor, rasgan mi cuerpo, recibe tú mi alma.» Los caballos lo arrastraron furiosamente sobre arroyos, acequias, zarzas y rocas. El suelo, los espinos, los árboles y las piedras iban siendo salpicados con su sangre que los creyentes que le seguían a distancia lloraban respetuosamente recogiéndola con esponjas, y recogían todas las partes de su carne y sus miembros, que estaban dispersos por todas partes. Llevaron estas preciosas reliquias a Roma, y las enterraron en las cuevas subterráneas llamadas catacumbas.

LAMINA 46. SANTA SUSANA, 11 DE AGOSTO. BUTLER, *VIDA DE LOS SANTOS*, EDICION ILUSTRADA EN DOS VOLUMENES PUBLICADA EN EL SIGLO XIX.

16 DE AGOSTO (2 DE SEPTIEMBRE)

San Esteban

REY DE HUNGRÍA

† 1038

Geysa, el cuarto duque de los húngaros, fue bautizado junto con su esposa Sarloth. A Sarloth, que poco después tuvo un hijo, se le aseguró en un sueño que llevaba en su vientre un hijo que completaría el trabajo que ella y su marido habían iniciado. El niño nació en el año 977 y fue acristianado como Esteban. Geysa murió en el año 997 y Esteban tomó las riendas del gobierno en sus manos.

Su primera preocupación fue asentar una paz firme en todas las naciones vecinas. Estando hecho esto, volvió sus pensamientos hacia la erradicación completa de la idolatría. El celoso príncipe fundó el arzobispado de Gran y diez obispados, y mandó al nuevo obispo electo de Colctz a Roma para que el papa Silvestre II confirmase estas fundaciones e implorase a su santidad que le confiriera el título de rey. Silvestre estaba dispuesto a conceder sus peticiones y preparó una rica corona para mandársela con su bendición. Su santidad entregó la corona a su embajador y confirmó todas las fundaciones religiosas que nuestro santo príncipe había hecho. San Esteban fue al encuentro de su embajador a su regreso, escuchó en pie con gran respeto las bulas del Papa y cayó sobre sus rodillas tan pronto como se pronunció el nombre de su santidad.

San Esteban tomó como esposa a Gisela, hermana de San Enrique, rey de Alemania. Abolió muchas costumbres bárbaras y supersticiosas y reprimió la blasfemia, el asesinato, el robo y otros crímenes. Su excelente código de leyes es escrito para su hijo, el duque Emeric. En los cincuenta y cinco capítulos, el piadoso legislador comprende las más sabias regulaciones de su estado. La protección de su pueblo lo comprometió algunas veces en guerras, de las que salió siempre victorioso.

La enfermedad privó a San Esteban de todos sus hijos, San Emeric, el mayor, murió el último. Este había mantenido gran parte de las fronteras a salvo de invasiones. Aunque valiente y experto en la guerra, Esteban había siempre amado la paz; pero desde entonces tomó la resolución de no derramar más sangre en guerras, en las que suplicaba la intercesión de la Divina Providencia. Después de la muerte de San Enrique, su sucesor invadió Hungría con un poderoso ejército en 1030, y avanzaron tanto que San Esteban se vio obligado a llevar su ejército contra él, aunque confiando en que Dios evitase el derramamiento de sangre. Todas las cosas estaban dispuestas para la batalla cuando para la sorpresa de todos el emperador se volvió

LÁMINA 47. SANTA CLARA, 11 DE AGOSTO. BRITISH LIBRARY, YATES THOMSON, MS 29. F. 62.

de repente con todo su ejército y sin ejecutar nada marchó a casa, a Alemania.

San Esteban sufrió tres años bajo una dolorosa enfermedad. Durante este tiempo cuatro palatines empezaron a conspirar para quitarle la vida. Uno de ellos entró en la habitación del rey, y al verse descubierto, se lanzó a los pies del rey suplicándole perdón. El santo expiró el 15 de agosto de 1038.

17 DE AGOSTO (16 DE AGOSTO)

San Hyacinth
CONFESOR

† 1257

San Hyacinth, a quien los historiadores de la Iglesia llaman el apóstol del Norte, era de la antigua casa de los condes de Oldrovnans, en Silesia. Nació en 1185 en la diócesis de Breslaw, y estudió en Cracovia, Praga y Bolonia, doctorándose en esta última universidad en leyes y teología. Al regresar al obispo de Cracovia, aquel prelado le dio una prebenda en su catedral y lo empleó como su ayudante. El obispo abdicó de su dignidad e Yvo de Konski fue emplazado en la sede, y fue a Roma con sus sobrinos Hyacinth y Ceslas. Santo Domingo estaba entonces en Roma, esto ocurría en 1218, y Hyacinth recibió el hábito de manos de Domingo, en marzo. Hizo sus solemnes votos por una dispensa después de un noviciado de seis meses sólo; y Hyacinth, entonces con treinta y tres años, fue designado superior de su misión. Los misionarios pasaron por territorios venecianos, entraron en la alta Carinthia, y San Hyacinth fundó un convento.

En Polonia fueron recibidos con extraordinarios signos de alegría. En Cracovia el primer sermón de San Hyacinth fue seguido con increíble éxito y en poco tiempo los vicios públicos que reinaban en la capital desaparecieron. Fundó un convento de su Orden en Cracovia, otro en Sendomir y un tercero en Plocsko en Moravia. Habiendo predicado por las principales ciudades de Polonia, emprendió la tarea de llevar el Evangelio a los vastos y salvajes países del Norte. Eliminó la superstición en muchos lugares, además del vicio y la idolatría y construyó conventos en Prusia, Pomerania y otros países cerca del Báltico.

El santo fue a predicar a Dinamarca, Suecia, Gothia y Noruega. Y por todos los sitios fundaba monasterios y dejaba discípulos para que los preservaran y los extendieran. Después de las susodichas misiones, fue a Rusia menor, donde realizó una larga estancia e indujo al príncipe y a grandes multitudes a adjurar del cisma griego y a unirse a la iglesia católica. De allí penetró hasta el Mar Negro. Volviendo hacia el norte, entró en el gran ducado de Moscovia donde encontró al duque de Voldimir inflexible en sus errores; sin embargo, obtuvo permiso para predicar a los católicos. Tan pronto como empezó a predicar el Evangelio tanto mahometanos, ateos como cismáticos se congregaron para escucharlo y grandes multitudes se sometieron a la verdad.

El santo regresó a Cracovia en 1231. Después de dos años, visitó sus conventos entre los daneses, los suecos, los prusianos, los moscovitas y otras naciones. Aunque la gran Tartaria era una gran tierra, San Hyacinth viajó a través de ella, llegó a Tíbet y a Catay, las provincias más septentrionales de China. Después de haber recorrido más de cuatro mil leguas, llegó a Cracovia en 1257, teniendo setenta y dos años y el último de su vida. Murió el 14 de agosto.

18 DE AGOSTO

Santa Elena
EMPERATRIZ

† 328

La unánime tradición de nuestros historiadores ingleses nos asegura que esta santa emperatriz era oriunda de nuestra isla. Leland dice que Elena era la única hija del rey Coilus quien construyó los primeros muros alrededor de Colchester. Constantius, en aquel tiempo sólo un oficial de su ejército, tuvo la felicidad de hacerla su primera esposa, y tuvo de ella a Constantino, su hijo mayor, quien como todos confirman tuvo en ella el guardián de su primera educación.

Para comprender el resto de esta historia, es necesario tener en cuenta el imperio en esta época. Los dos hermanos, Carinus en el Oeste y Numerianus en el Este, al haberse hecho detestables para sus súbditos, le fue devuelta la suprema dignidad a Diocleciano. Para oponerse a Carinus en el Oeste, Diocleciano declaró a Maximian Herculeus César, y para mejor asegurarse y llevar a cabo sus guerras, se asociaron en el año 293 a otros dos emperadores de rango inferior. Diocleciano eligió a Galirius y Herculeus a Constantius. Herculeus se reservó Italia, España y África para él. Constantius se vio obligado a divorciarse de Elena y a casarse con Teodora, la nuera de Maximian.

Constantino, desde su primera ascensión al trono, prohibió que los cristianos fueran molestados a consecuencia de su fe. Dudando a qué divinidad invocar antes de su batalla con Maxentiu, fue inspirado para que se dirigiera a Dios. Desde entonces publicó edictos en favor de la fe cristiana, construyó iglesias y distribuyó limosnas entre los pobres. Eusebio nos dice que Santa Elena no se convirtió a la fe con su hijo, sino después de su milagrosa victoria; pero fue tan perfecta su conversión que abrazó todas las prácticas de la perfección cristiana.

Habiéndose convertido Constantino en el dueño del Este, escribió al obispo de Jerusalén en relación a la construcción de una iglesia sobre el Monte Calvario. Santa Elena, aunque había sobrepasado los cuarenta años de edad, se encargó de que la piadosa obra se ejecutase, deseando al mismo tiempo descubrir la Santa Cruz. Eusebio no habla directamente del descubrimiento de la Cruz, sino de las dos magníficas iglesias que la emperatriz construyó, una en el Monte Calvario y otra en el Monte de los Olivos. Embelleció la ciudad de Drepanaun en Bithynia, en honor de San Luciano, de forma que Constantino hizo que esta ciudad se llamase Helenópolis.

Finalmente, esta piadosa princesa regresó a Roma y, viendo que su última hora se acercaba, dio a su hijo excelentes instrucciones para el gobierno de su imperio. Expiró en agosto de 328, o según otros en el año 326.

20 DE AGOSTO

San Bernardo
ABAD *(lám. 48)*

† 1153

San Bernardo nació en 1091 en Fontaines, un castillo cercano a Dijon y a su padre le pertenecía un señorío. Fue enviado a Chantillon en el Sena para seguir un curso de estudios en un colegio de sacerdotes seculares. Tenía diecinueve años cuando su madre murió. Bernardo entonces regresó a Fontaines y se convirtió en su propio maestro. Temiendo las trampas del mundo, comenzó a pensar en retirarse a Cîteaux y abrazar el severo instituto cisterciense. Sus hermanos y amigos se esforzaron por persuadirlo, pero defendió tanto su causa que los arrastró a todos ellos a unirse a él.

Cîteaux había sido fundado hacía quince años, y era gobernado en este tiempo por San Esteban. Bernardo hizo su profesión en las manos de San Esteban con sus compañeros en 1114 y comenzó con extraordinario ardor sus ejercicios monásticos. Fue un gran amante de la pobreza en su hábito, celda y otras cosas. Al crecer considerablemente el número de monjes, Hugo, el conde de Troyes, ofreció una de sus tierras para fundar en ella un monasterio; y el superior, viendo los progresos que San Bernardo había hecho en su vida espiritual, lo designó como abad, y le ordenó ir con doce monjes, entre los cuales se encontraban sus hermanos, a fundar la nueva casa en Champagne. La reputación de esta casa se hizo tan grande en poco tiempo que el número de monjes aumentó a ciento treinta, y el país le dio el nombre de Clara-Vallis, ahora comúnmente llamado Clairvaux.

San Bernardo fundó en 1118 la abadía de las Tres Fuentes en Challons, y la de Fontenay en Autun y la de Tarouca en Portugal. Obligado a hacer un viaje a París en 1122, predicó a sus estudiantes quienes eran los candidatos para las órdenes sagradas; muchos de los cuales lo acompañaron de vuelta a Clairvaux. Fue elegido muchas veces obispo de Langres y Challons, y arzobispo de Génova, Milán y Rheims; pero se opuso tan tajantemente a la moción que los Papas no desearon ofrecer resistencia a su humildad. Las remarcables conversiones de numerosos príncipes y prelados llevadas a cabo por San Bernardo son demasiadas para ser relatadas. El santo se vio obligado a mantener la pureza de la fe católica. Todos los innovadores doctrinales eran puestos en listas.

Fundó antes de su muerte otros ciento sesenta monasterios; y su número se incrementó tanto después de su muerte que antes de la disolución de los monasterios en Gran Bretaña y los reinos del norte, ochocientas abadías dependían de Clairvaux. Al llegar el papa Eugenio III a Francia en 1147, convocó varios concilios para promover la segunda cruzada y comisionó a San Bernardo para predicar la guerra santa. Este fue llevado a cabo por el abad con increíble éxito en Francia y en Alemania.

A principios del año 1153 San Bernardo empezó a decaer, y entregó su alma a Dios el 20 de agosto.

23 DE AGOSTO (30 DE AGOSTO)

Santa Rosa

DE LIMA, VIRGEN *(lám. 49)*

† 1617

Rosa era de extracción española, nació en Lima, la capital de Perú, en 1586. La bautizaron como Isabel; pero la figura y el color de su cara desde la cuna debía parecerse a una bella rosa, y el nombre de Rosa le fue dado. Desde su infancia su paciencia en el sufrimiento y su amor a la mortificación eran extraordinarios, y mientras era todavía una niña, no comía fruta, y ayunaba tres días por semana, en los que se permitía sólo tomar agua y pan, y el resto de los días tomaba insípidas hierbas y legumbres. Cuando creció, su jardín se plantó sólo con hierbas amargas, y salpicado con figuras de cruces.

Un día su madre puso en su cabeza una guirnalda de flores y ella secretamente le introdujo una espina, que la pinchaba tan profundamente que la doncella por la noche no podía quitarle la guirnalda sin gran esfuerzo. Oyendo a otros con frecuencia comentar su belleza, y temiendo que podría ser una tentación para que alguno la tentara, siempre que salía a algún lugar público, solía, la noche antes, frotar su cara y sus manos con la corteza y polvos de pimienta india para desfigurar su piel con pequeñas manchas e hinchazones.

Sus padres, a causa de las vicisitudes de los asuntos mundanos, cayeron de un estado de opulencia a la indigencia, y Rosa fue llevada a la familia del tesorero Gonsalvo, por la piadosa dama del caballero; y trabajando allí todo el día en el jardín, y después por la noche con su aguja, les sacó de sus necesidades. Probablemente no fue entretenida por pensamientos de otro estado ni importunada por sus amigos para que se casase. Para escapar de estas molestas peticiones, se enroló en la Tercera Orden de las dominicas. Su amor por la soledad le hizo elegir como morada una pequeña celda solitaria. Los extraordinarios ayunos, los cilicios, las cadenas tachonadas de hierro que llevaba en su cintura y otras austeridades eran invenciones de su espíritu de mortificación y penitencia. Llevaba sobre su cabeza una fina corona de plata, tachonada en el interior por pinchos y clavos afilados, que herían la cabeza, una imitación de la corona de espinas. Dios favoreció el fervor de su caridad con extraordinarias gracias, y Cristo una vez en una visión llamó a su alma su «esposa».

Sufrió, durante quince años, graves persecuciones de sus amigos y otros; y, lo que eran pruebas mucho más severas, la interior desolación y horrorosa agonía de angustia espiritual. El diablo la asaltó con violentas tentaciones, llenando su cabeza con asquerosos fantasmas. Pero Dios después recompensó su fidelidad y constancia con extraordinarios cuidados. Bajo una larga y dolorosa enfermedad fue su plegaria, «Señor, incrementa mis sufrimientos, y con ellos tu amor en mi corazón.» Felizmente pasó a la gloria eterna el 24 de agosto de 1617, a los treinta y un años de edad.

24 DE AGOSTO

San Bartolomé

APÓSTOL *(lám. 50)*

† SIGLO I

El nombre que se le da a este santo no es el suyo propio sino un patronímico, tomado de hijo de Bartolomé. San Bartolomé fue elegido por Cristo como uno de sus doce apóstoles. Fue testigo con ellos de la gloriosa Resurrección de Nuestro Señor, y se menciona entre los otros discípulos que se reunieron a orar después de la Ascensión del Cristo, y recibió al Espíritu Santo con el resto.

San Bartolomé llevó el Evangelio entre los bárbaros países del Este, penetrando en las remotas Indias, como Eusebio y otros escritores antiguos testifican. Por el nombre de Indias los antiguos entendían una veces sólo Arabia y Persia; pero aquí hablan propiamente de la India, puesto que hacen mención a los brahmanes de aquel país. Eusebio relata que San Pantaenus, al ir a principios del siglo tercero a la India, encontró allí a algunos que conservaban todavía el conocimiento de Cristo y les mostró una copia del Evangelio de San Mateo, que ellos aseguraron que San Bartolomé había llevado a aquellas partes cuando implantó la fe entre ellos. Este apóstol regresó de nuevo a las partes del noroeste de Asia; y encontró a San Felipe en Hierapolis en Phrygia. De allí viajó a Lycaonia, donde San Crisóstomo afirma que instruyó al pueblo en la fe; pero no sabemos los nombres de muchos de los países en los que predicó.

El último viaje de San Bartolomé fue a Armenia, donde, predicando en un lugar obstinadamente dedicado al culto de los ídolos, fue coronado con el glorioso martirio, como San Gregorio de Tours menciona. Los historiadores de la Grecia moderna dicen que fue condenado por el gobernador de Albanopolis a ser crucificado. Otros afirman que fue desollado vivo, que puede ser consistente con su crucifixión, al ser usado este doble castigo entre los persas, los más próximos vecinos de los armenios.

Las reliquias de San Bartolomé fueron trasladadas a Roma en el año 983, como Baronius relata. Desde entonces descansan depositadas en un monumento pórfiro bajo el altar mayor de la famosa iglesia de San Bartolomé, en la isla del Tíber. Un brazo del cuerpo del apóstol fue mandado como regalo a San Eduardo el confesor, quien lo otorgó a la catedral de Canterbury. La festividad de San Bartolomé se marca el 24 de agosto en Occidente, pero entre los griegos el 11 de junio.

25 DE AGOSTO

San Luis

REY DE FRANCIA (lám. 51)

† 1270

Este gran rey era hijo de Luis VIII y nació en Poissy, en la diócesis de Chartres, el 25 de abril de 1215. Su madre era Blanca, hija de Alfonso de Castilla. Luis VIII murió el 7 de noviembre de 1226. Blanca fue declarada regente de su hijo que sólo tenía doce años. Para evitar las sediciones, adelantó la ceremonia de la coronación, que se realizó en Rheims. Toda la época de la minoría de edad del rey se vio perturbada por rebeldes; pero la regente, gracias a las alianzas y al coraje, disipó sus intrigas.

Luis nunca pensó sentirse tan feliz como cuando disfrutó de la conversación con los hombres religiosos. Cuando alguno decía que pasaba demasiado tiempo en sus devociones, él contestaba que si empleara tanto tiempo en cazar, jugar o en entretenimientos no se lo tomarían tan en cuenta. Era extremadamente ingenioso en practicar abnegaciones sin darse cuenta de ello, exacto en mantener sus consejos e infatigable en su aplicación al gobierno de su pueblo. El rey Luis, antes de acostumbrarse al gobierno, tomó las riendas en sus propias manos en 1236, pero continuó mostrando gran deferencia hacia su madre. Erigió la abadía de Royaumont, fundó el Chartreuse en París y construyó otros muchos lugares religiosos y hospitales. Balwin, emperador de Constantinopla, regaló a San Luis la Sagrada Corona de Espinas. En 1241, recibió un gran trozo de la Santa Cruz y construyó lo que ahora se llama, por estas reliquias, la Santa Capilla.

En 1230 prohibió, gracias a severas leyes, todas las formas de la usura. Empezó a proteger a los vasallos de la opresión de los señores. En sus guerras para reducir a los rebeldes, hacía que los daños que recibían personas inocentes, incluso aunque fueran causadas por el ejército enemigo, se restituyesen. Partió hacia la guerra santa embarcándose hacia Chipre en 1248. Después de haber esperado ocho meses en Chipre, la flota llegó antes a la desembocadura del Nilo y tomó posesión de Damieta. En 1250 el ejército cristiano fue derrotado y hecho prisionero. El sultán demandó la ciudad de Damieta como rescate por el rey y se pactó una tregua de diez años. Después de reconfortar a los cristianos en Palestina y de visitar los Santos Lugares, embarcó en Acre en 1254 y después de un viaje de diez semanas llegó a París tras una ausencia de casi seis años.

Luis tomó de nuevo la cruz en 1267; pero antes salió para dar la mano final al establecimiento de la casa de la Soborna e hizo su testamento. El rey embarcó con su ejército el 1 de julio de 1270, y continuó a África. Los franceses esperaban al rey de Sicilia para sitiar Túnez, pero el rey Luis y su hijo mayor cayeron enfermos, y Luis respiró por última vez el 25 de agosto de 1270.

27 DE AGOSTO

Santa Mónica

VIUDA

† 387

Mónica nació en el año 332 de una piadosa familia, y fue tempranamente instruida en el temor a Dios. Tan pronto como estuvo en edad casadera se desposó con Patricius, un ciudadano de Tagaste, un hombre de honor pero un idólatra. Tuvo dos hijos, Agustín y Navigius, y una hija. Toleraba las injurias que él hacía a su lecho conyugal no haciéndole nunca el menor reproche sobre esta cuestión. Uno de los felices frutos de Mónica conseguidos por su paciencia fue la conversión de su marido a Cristo, quien a partir de entonces fue casto y fiel; murió un año después de ser bautizado.

Sus ejercicios de piedad no evitaron que estuviera atenta a la educación de sus hijos, en la que Dios le dio la ocasión del mérito y el sufrimiento, particularmente con Agustín que nació en noviembre del año 354. Patricius murió alrededor del año 371. Agustín, que tenía entonces diecisiete años, continuó con sus estudios en Cartago, donde en el año 373 fue seducido por los maniqueos y fue arrastrado a esta herejía. Mónica sufrió por su muerte espiritual. Encargó a eruditos prelados para que hablasen con él. Agustín tenía veintinueve años cuando decidió ir a Roma con el propósito de enseñar retórica. Se esforzó por desviarlo de tal propósito, temiendo que retardase su conversión; y lo siguió a la costa resolviendo traerlo de vuelta y acompañarlo a Italia. Pero mientras pasaba la noche en la capilla de San Cipriano en las cercanías, él salió en secreto. A la mañana siguiente, llegando a la costa y encontrando que se había ido, la sobrecogió una gran pena.

Cuando llegó a Roma, cayó gravemente enfermo; y atribuyó su recuperación a las plegarias de su madre. Desde Roma fue a Milán en el año 384, y convenciéndolo San Ambrosio de los errores de su secta, renunció a aquella herejía. Mónica lo siguió. Encontrándolo en Milán, redobló sus plegarias para obtener por ellas su conversión. Ella respetaba a San Ambrosio como médico espiritual y se alegró al ver a San Agustín perfectamente convertido en agosto del año 386.

San Agustín fue bautizado en Pascua en al año 387 con

BERNARDVS · ABBAS · CLARAVALLIS

LAMINA 48. SAN BERNARDO. BUTLER, *VIDA DE LOS SANTOS,* EDICION ILUSTRADA EN DOS VOLUMENES PUBLICADOS EN EL SIGLO XIX.

LÁMINA 49. SANTA ROSA, 23 DE AGOSTO. BUTLER, *VIDA DE LOS SANTOS*, EDICIÓN ILUSTRADA EN DOS VOLÚMENES PUBLICADA EN EL SIGLO XIX.

algunos de sus amigos. Santa Mónica se preocupó mucho de todos ellos como si fueran sus propios hijos. Salieron juntos hacia África, pero perdieron a Mónica en el camino, quien cayó enferma en Ostia, cuando estaban a punto de embarcar. Conversando allí con su hijo, le dijo, «La única cosa por la que deseaba vivir era por verte como un católico. Dios ha hecho mucho más en ello y te veo ahora enteramente dedicado a su servicio. ¿Qué otra cosa me retiene aquí?» Murió al quinto día de su enfermedad, en el año 387. Su cuerpo fue trasladado de Ostia a Roma en 1430 y permanece allí en la iglesia de San Agustín.

28 DE AGOSTO

San Agustín

OBISPO Y DOCTOR DE LA IGLESIA *(lám. 52)*

† 430

Agustín nació el 13 de noviembre del 354, en Tagaste, una pequeña ciudad de Numidia en África, no lejos de Hip-po. Su padre era un idólatra, pero por el cuidado de su piadosa madre fue instruido en la religión cristiana. Nuestro santo tuvo la desgracia de caer en su juventud en el vicio y las miserias espirituales, de las cuales él mismo hace un retrato en sus *Confesiones*. Agustín fue a Cartago a finales del año 370 y poco después cayó en la secta de los maniqueos, en la que continuó entre ocho y nueve años. Abrió una escuela de retórica y comenzó a no estar de acuerdo con las historias de los maniqueos sobre el sistema del mundo, pero sin saber dónde encontrar una cosa mejor, decidió contentarse hasta que apareciera algo más satisfactorio. Decidió ir a Roma, y cuando fueron enviados delegados pidiendo alguien capaz de enseñar retórica, pareció ser el hombre adecuado.

En Milán, San Ambrosio le dio pruebas particulares de respeto y Agustín con frecuencia atendía a sus sermones. En la búsqueda de la verdad, estaba aún perplejo por los orígenes del mal y encontró dificultad en concebir que Dios fuera un espíritu puro. Recibió mucha luz leyendo las obras de Platón, pero no encontrando en ellas nada acerca de la redención humana, se puso a leer el Nuevo Testamento, en particular los escritos de San Pablo.

La conversión de San Agustín tuvo lugar en el año 386 y

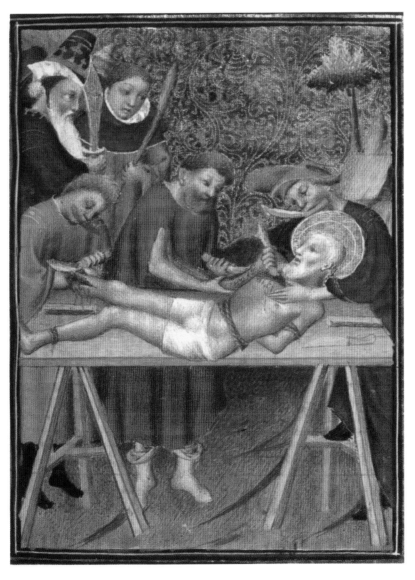

LÁMINA 50. SAN BARTOLOMÉ, 24 DE AGOSTO. BRITISH LIBRARY, HARLEY, MS 2897, F. 379.

fue bautizado por San Ambrosio en el mismo año. Liberado de toda ansiedad concerniente a su vida pasada, resolvió volver a África y desembarcó en Cartago en septiembre del año 388. Se retiró a su casa en el campo con algunos devotos amigos. La orden religiosa de los ermitaños de San Agustín data su fundación desde entonces. Cuando fue ordenado sacerdote y se trasladó a Hippo, fundó allí un nuevo monasterio. Sabiendo que la instrucción es el principal deber del cargo pastoral, nunca interrumpió el curso de sus sermones, y se conservan cerca de cuatrocientos. Fue consagrado obispo en el año 395.

Escribió sus *Confesiones* alrededor del año 397; y cuando Roma fue saqueada por Alarico el Godo en el 410, y los paganos reanudaron sus blasfemias contra la religión cristiana, San Agustín comenzó su gran obra, *La Ciudad de Dios*, aunque sólo la terminó en el año 426. El santo doctor quiso oponerse a la herejía por medio de la palabra y sus escritos. Contra los principales errores de la herejía pelagiana sobre el pecado original y la gracia divina, mantuvo las verdades contrarias de la Iglesia católica en dos libros, *Sobre la predestinación de los Santos y Sobre el don de la perseverancia*. Murió el 28 de agosto del año 430. Este santo no fue sólo oráculo de su tiempo, sino el principal de los padres latinos que le siguieron.

31 DE AGOSTO

San Aidan

OBISPO DE LINDISFARNE

† 651

Cuando el rey Oswaldo quiso que los obispos de Escocia le mandasen una persona para predicar la fe a sus súbditos paganos anglosajones, e implantar la Iglesia entre ellos, la primera persona que vino era de un áspero temperamento, y siendo forzado pronto a regresar a casa, hizo que la falta recayera en la indolente disposición de los ingleses. De ahí que el clero escocés convocase un sínodo para decidir cuál era la mejor medida a adoptar. Aidan, que estaba presente, dijo que la falta residía en él que había sido tan rudo y severo con un pueblo ignorante, que debía ser primero alimentado con la dulce leche de la doctrina, hasta que fuera capaz de digerir comida más sólida. Con este discurso, toda la asamblea volvió los ojos hacia él considerándolo dotado de prudencia y lo designaron para la ardua misión.

Aidan era oriundo de Irlanda y monje del gran monasterio que su compatriota San Columba había fundado. Fue recibido graciosamente por el rey Oswaldo, quien le dio para su sede episcopal la isla de Lindisfarne. Beda da edificante cuenta de su humildad y su piedad. A través de sus acciones mostró que ni buscaba ni amaba las cosas del mundo; los presentes que le hacía el rey, o cualquier otro hombre rico, los distribuía entre los pobres, o los utilizaba en redimir a cautivos. Raramente se sentaba a la mesa del rey, y nunca sin llevar con él a algunos de su clero, y siempre después de un ligero refrigerio se apresuraba a leer o a rezar en la iglesia, o en su celda. De su ejemplo incluso los laicos tomaron la costumbre de ayunar hasta el mediodía, esto es, hasta las tres de la tarde, todos los miércoles y viernes, excepto durante los cincuenta días de Pascua.

Aidan fijó su sede en Lindisfarne, y fundó un monasterio allí en el año 635 de Nuestro Señor, y ciento ochenta y ocho después de la llegada de los ingleses sajones a Gran Bretaña, el treinta y nueve después de la llegada de San Agustín, y el segundo del reinado del rey Oswaldo. Desde este monasterio todas las iglesias de la parte norte del reino de los Northumbers, desde Tyne al Estuario de Edimburgo, tienen su inicio, como lo tienen también algunos de los que habitan la parte sur del mismo reino desde Tyne a Humber. La sede de York había estado vacante durante treinta años, desde que San Paulinus la dejó; así, Aidan gobernó todas las iglesias de los Northumbers durante diecisiete años, hasta su feliz muerte, que ocurrió el 31 de agosto, en el año 651, en la villa real, Beddord. Fue enterrado primero en el cementerio de Lindisfarne; pero cuando la nueva iglesia de San Pedro se construyó allí, su cuerpo fue trasladado dentro de la misma y depositado a la derecha del altar.

1 DE SEPTIEMBRE

San Gil

ABAD *(lám. 53)*

† FINALES DEL SIGLO VII

Este santo, cuyo nombre ha sido venerado durante muchos años en Francia y en Inglaterra, se dice que nació en Atenas, de noble extracción. Su extraordinaria piedad y sabiduría atrajeron la admiración del mundo de tal manera que le fue imposible disfrutar una vida en su propio país pues el retiro y la oscuridad eran los objetivos por él más deseados en la tierra. Por tanto, abandonando su país, navegó a Francia y eligió una ermita, primero en los desiertos abiertos de la desembocadura del Rhône, y después cerca del río Gard, y finalmente en un bosque de la diócesis de Nîmes.

Pasó muchos años en esta total soledad, alimentándose sólo de hierbas salvajes o raíces, y agua, conversando sólo con Dios y viviendo más como un ángel que como un hombre, tan perfecto era su desprendimiento de los bienes terrenales. Sus historiadores relatan que se alimentó durante algún tiempo de la leche de una cierva en el bosque, y que cierto príncipe lo descubrió cuando cazaba en aquellos parajes, al perseguir la caza de aquella cierva que fue a su ermita, donde la bestia había buscado refugio a sus pies.

La reputación de la santidad de este sagrado ermitaño aumentó gracias a los muchos milagros que realizaba, y que le dieron fama por toda Francia. Algunos, por error, habían confundido a este santo con un tal Gil, a quien San Caesarius hizo abad de un monasterio cerca de las murallas de Arles y a quien mandó a Roma en el año 514, al papa Symmachus, para obtener de él la confirmación de los privilegios de la iglesia de Arles. Pero los bollandistas probaron bien en una erudita disertación, que el gran San Gil vivió sólo a finales del siglo VII e inicios del VIII, no en el VI.

San Gil fue tenido en gran estima por el rey de Francia; pero no pudo convencerlo sobre la gracia de su soledad. Sin embargo, admitió a muchos discípulos, y asentó una excelente disciplina en el monasterio del que es fundador, que en los años siguientes convirtió en una floreciente abadía benedictina. Posteriormente, pasó a ser una colegiata de canónigos. Alrededor de ella se construyó una considerable ciudad, llamada San Gil, que fue famosa en las guerras de los albigenses.

LAMINA 51. SAN LUIS, 25 DE AGOSTO. BUTLER, *VIDA DE LOS SANTOS*, EDICION ILUSTRADA EN DOS VOLUMENES PUBLICADA EN EL SIGLO XIX.

San Gregorio El Grande

PAPA (*lám. 54*)

† 604

San Gregorio, por sus ilustres acciones apellidado el Magno, nació en Roma alrededor del año 540. Gordianus, su padre, tenía la dignidad de senador. Nuestro santo sólo tenía treinta y cuatro años cuando en el 574 fue hecho pretor, o magistrado general, de Roma. Después de la muerte de su padre, construyó y donó seis monasterios en Sicilia, y fundó un séptimo en su propia casa en Roma, el monasterio de San Andrés. El primer abad fue Hilarión, el segundo Valentinus, bajo quien el mismo Gregorio tomó el hábito monástico en el año 575.

Fue después de su elevación a la sede de Roma, o incluso al gobierno de su monasterio, cuando proyectó por primera vez la conversión de los ingleses. Gregorio iba un día al mercado cuando allí tuvo noticia de que ciertos jóvenes de buenas características se exponían a la venta, él preguntó de qué país eran y ellos respondieron que venían de Gran Bretaña. Les preguntó si el pueblo de aquel país era cristiano y le dijeron que todavía eran paganos. No mucho después, el papa Pelagius II lo envió a Constantinopla en calidad de Nuncio. Escribió en aquella ciudad los treinta y cinco libros de la *Moral de Job*. El papa Pelagius lo volvió a llamar en el año 584 y lo hizo su secretario. El todavía seguía gobernando su monasterio.

Al morir el papa Pelagius de una gran peste en el año 590, el clero, el senado y el pueblo de Roma estuvieron unánimemente de acuerdo en elegir a San Gregorio como su obispo, aunque se opuso a la elección con todas sus fuerzas. Entre tanto, la plaga seguía devastando Roma y San Gregorio aprovechó la ocasión para exhortar al pueblo al arrepentimiento. Señaló una solemne letanía y una procesión en muchas compañías que salieron desde distintas iglesias, cantando el Kyrie Eleison según marchaban.

Fue consagrado el 3 de septiembre de 590. Su celo para la gloria de Dios lo llevó a reformar la música de la iglesia. La predicación la consideraba como la función indispensable del pastor. Sus cuarenta homilías sobre los Evangelios muestran que hablaba en un estilo llano pero elocuente. Este gran Papa siempre recordó que era el padre común de los pobres. Fue generoso al redimir a los cautivos tomados por los Lombardos. Mostró una gran moderación con los cismáticos de Istria y con los judíos. Es increíble todo lo que escribió.

Este santo Papa trabajó muchos años aquejado de debilidad en su pecho y en su estómago. Dios lo llamó el 12 de marzo el año 604, teniendo aproximadamente sesenta y seis años. Tanto los latinos como los griegos honran su nombre. El concilio de Clif bajo el arzobispo Cuthbert en el año 747, ordenó que su festividad fuese observada en todos los monasterios de Inglaterra, lo que el Concilio de Oxford de 1222 extendió a todo el reino. Esta ley subsistió hasta el cambio de religión.

5 DE SEPTIEMBRE

San Lorenzo Justiniano

PRIMER PATRIARCA DE VENECIA

† 1455

San Lorenzo nació en Venecia en 1380. A los diecinueve años de edad se dirigió a pedir consejo a un sabio sacer-

LAMINA 52. SAN AGUSTIN DE HIPPO, 28 DE AGOSTO. BRITISH LIBRARY, KING MS 9, F.47V.

dote llamado Marino Querni, su tío por parte de madre y canónigo de la austera congregación de San Gregorio en Alga, establecida en una pequeña isla que lleva este nombre a una milla de la ciudad de Venecia. El prudente director, comprendiendo las inclinaciones del joven hacia el estado religioso, le aconsejó primero poner a prueba su fortaleza acostumbrándose a la práctica habitual de austeridades. Lorenzo obedeció con presteza. El ardor de su resolución se mostraba en la extrema severidad con la que trataba su cuerpo y la continua aplicación de su mente en la religión. Su madre se esforzó para disuadirlo y convencerlo de un honorable matrimonio. El santo huyó en secreto al monasterio de San Gregorio y fue admitido para el hábito religioso.

San Lorenzo ascendió al sacerdocio y, muy en contra de sus inclinaciones, fue elegido general de su Orden, que gobernó con singular prudencia. Reformó su disciplina de tal manera que después sería considerado su fundador. Recibía a muy pocos en su Orden, y éstos eran puestos a prueba. El santo nunca dejó de predicar a los magistrados y senadores en tiempos de guerra y de calamidades públicas, para que, con el fin de obtener la merced divina, fueran conscientes de que no eran nada.

El papa Eugenio IV, enterado de la virtud de nuestro santo, lo obligó a dejar su clausura y lo nominó para la sede de Venecia en 1433. El santo hombre hizo todo lo posible para evitar esta elevación, pero sin ningún efecto. Tal era su aversión a la pompa y la ostentación que tomó posesión de su iglesia tan privadamente que incluso sus amigos no supieron nada hasta que la ceremonia hubo terminado. Aunque fue obispo de tan distinguida sede, su servidumbre constaba sólo de cinco personas; no tenía bandejas, usando sólo recipientes de barro; yacía en una cama de paja y no llevaba más ropas que su sotana púrpura. Fundó quince casas religiosas y un gran número de iglesias, y aumentó el número de parroquias en Venecia de veinte a treinta. Con gusto daba limosnas mejor en pan que en dinero, que podía ser mal empleado. Empleó piadosas matronas para buscar y aliviar pobres tímidos.

El sucesor de Eugenio, Nicolás V, transfirió en 1451 la dignidad patriarcal a la sede de Venecia, y la instalación del nuevo patriarca fue celebrada con mucha alegría por toda la ciudad. San Lorenzo, después de su exaltación, se consideró comprometido por un nuevo lazo en trabajar las almas comisionadas a su cuidado. Tenía setenta y cuatro años cuando escribió su última obra titulada *Los grados de perfección*. Expiró en paz el 8 de enero de 1455. Su festividad se celebra en el día en que fue consagrado obispo.

7 DE SEPTIEMBRE
San Cloud
† 560

San Cloud era hijo de Clodomiro, rey de Orleans, el hijo mayor de San Clotilde, y nació en el año 522. Apenas tenía tres años cuando su padre fue asesinado en Burgundy, pero su abuela se lo llevó junto con sus hermanos a París y los amó muchísimo. Sus ambiciosos tíos dividieron el reino de Orleans entre ellos y apuñalaron con sus propias manos a sus dos sobrinos mayores. Cloud se salvó de la masacre gracias a la providencia y se cortó el cabello con sus propias manos, renunciando a través de esta ceremonia al mundo y dedicándose por entero a la vida monástica. Tuvo muchas oportunidades para recobrar el reino de su padre, pero joven como era veía que todo lo que parece deslumbrante en la grandeza del mundo no es mejor que el humo, y que un cristiano gana infinitamente más perdiéndolo que poseyéndolo. Esta victoria sobre sí mismo la ganó el príncipe, y la conservó por la humildad, la paciencia, la asidua plegaria y la santa contemplación. Gracias a estos medios, disfrutó en una pequeña celda una paz que no se vio nunca interrumpida por escenas de ambición o vanidad.

Después de algún tiempo se trasladó desde su primera residencia para ponerse bajo la disciplina de San Severinus, un santo recluso que vivía cerca de París, de cuyas manos recibió el hábito monástico. Bajo este experimentado maestro, el ferviente novicio hizo grandes progresos en la perfección cristiana; pero siendo la cercanía de París un problema para él que deseaba vivir en el mundo como un desconocido, se retiró secretamente a la Provenza, donde pasó muchos años.

Al ver que no ganaba nada haciendo más remota su soledad, después de que su ermita se hiciera pública por los muchos que acudían a él, finalmente regresó a París y fue recibido con la mayor de las alegrías imaginables. A

LÁMINA 53. SAN GIL, 1 DE SEPTIEMBRE. BRITISH LIBRARY, ADD. AS 29704, F. 138.

petición del pueblo, fue ordenado sacerdote por San Eusebio, obispo de París, en el año 551, y sirvió en muchas iglesias algún tiempo. Después se retiró a Noget, en el Sena, ahora llamado San Cloud, a dos leguas más allá de París, donde construyó un monasterio dependiente de la iglesia de París. En este monasterio, reunió a muchos hombres piadosos, que huían del mundo por miedo a perder sus almas en él. San Cloud era considerado por ellos su superior. Toda su herencia la cedió a las iglesias, o la distribuyó entre los pobres; la villa de Noget la instaló en la sede de París, como se menciona en las cartas por las que este lugar se erigió en un ducado y con la dignidad de par.

San Cloud fue infatigable en instruir al pueblo de las zonas cercanas y terminó piadosamente sus días en Noget alrededor del año 560.

8 DE SEPTIEMBRE

La Natividad Nuestra Señora

(lám. 55)

† SIGLO I

El nacimiento de la Sagrada Virgen María anunció la alegría y la cercana llegada de la salvación del mundo per-

dido: por tanto, la Iglesia celebra esta festividad con orgullo y dando gracias a Dios. María vino al mundo, no como otro hijo de Adán, infectado con el pecado original, sino pura, santa y gloriosa. Es tanto madre como Inmaculada Virgen. Esta es una prerrogativa de María únicamente. Los antiguos profetas hablaron de ello como la marca distintiva de la Madre del Mesías. «El Señor mismo te dará una señal», dice Isaías: «Mirad, una Virgen será concebida, y dará a luz un hijo, y su nombre será Emmanuel.» El título de virgen debe significar aquí como la que permanece siendo tal cuando es madre; por ello esta circunstancia se menciona como un increíble milagro.

La perpetua virginidad de la Madre de Dios ha sido negada por muchos herejes. Ebion y Cerinthus tuvieron la insolencia de decir que había tenido más hijos antes de Jesús: pero este impío error es condenado por todos los que reciben el Santo Evangelio. En el siglo IV, Elvidius y poco después de él Jovian, pretendieron que ella había tenido otros hijos después de Cristo. Contra este error la Iglesia católica ha mantenido siempre que fue Virgen antes, durante y después de su nacimiento.

Para estudiar las lecciones en la vida de María, para alabar a Dios por las gracias que la confirió y para recomendar nuestras necesidades a tan poderosa abogada, celebramos festividades en su honor. Esta de su natividad la celebra la Iglesia con gran solemnidad desde hace más de mil años. La Orden romana menciona las homilías y letanías que señalaba el papa Sergio en el año 688 para ser

LÁMINA 54. SAN GREGORIO EL GRANDE, 3 DE SEPTIEMBRE. BODLEIAN LIBRARY, MS.ADD. A 185, F. 28.

leídas en esta ocasión. Los griegos, los coptos en Egipto, y otras Iglesias cristianas en el Este conservan esta fiesta.

La festividad del Santo Nombre de María, el sábado a los ocho días de la natividad, fue señalado por el papa Inocencio XI. Lo que dio ocasión a esta fiesta fue el solemne acto de gracias por la liberación de Viena, cuando fue sitiada por los turcos en 1683.

10 DE SEPTIEMBRE

San Nicolás

DE TOLENTINO

† 1306

Este santo recibió el sobrenombre por la ciudad que fue su residencia durante la mayor parte de su vida, y en la que murió. Era oriundo de San Angelo, una ciudad cerca de Fermo, en la Marca de Ancona, y nació alrededor del año 1245. Sus padres eran de mediana condición en el mundo, y él se dice que fue el fruto de sus plegarias y de una peregrinación al relicario de San Nicolás de Bari, en la que su madre, que era estéril por la edad, había suplicado fervientemente a Dios un hijo que lo serviría fielmente. En su bautismo recibió el nombre de su patrón.

Era un joven estudiante cuando por sus extraordinarios méritos fue elegido para la canonjía de la iglesia de Nuestro Salvador. Esta condición era extremamente agradable a su inclinación, y gracias a ella estuvo siempre empleado en el divino servicio. Pero él aspiraba a un estado que le permitiese consagrar todo su tiempo y pensamientos directamente a Dios, sin interrupciones ni advocaciones. Mientras estuvo en esta disposición, un sermón predicado por un fraile agustino sobre la vanidad del mundo, le determinó absolutamente a dejar el mundo y a abrazar la orden de aquel santo predicador. Lo hizo sin pérdida de tiempo, entrando como hombre religioso en el convento de aquella Orden en Tolentino, una pequeña ciudad en el estado clerical. Hizo su profesión antes de haber cumplido los dieciocho años.

Fue enviado sucesivamente a muchos conventos de la Orden; en el de Cingole fue ordenado sacerdote por el obispo de Osimo. Desde entonces, parecía un ángel por sus acciones, un serafín ante el altar. Las personas devotas procuraban asistir a su misa todos los días, así como al sacrificio ofrecido por sus manos.

Los últimos trece años de su vida residió en Tolentino. Predicaba todos los días, y sus sermones eran señalados por las remarcables conversiones. Sus exhortaciones, ya fuesen confesionales o dadas en el catecismo, alcanzaban siempre el corazón y dejaban una impresión duradera en aquellos que las escuchaban. El tiempo que le dejaban libre sus caritativas funciones lo empleaba en la oración y la contemplación. Fue favorecido por visiones y milagrosas curas. Por el ejercicio de su virtud, se vio afligido por dolorosas indisposiciones. Su muerte ocurrió el 10 de septiembre de 1306.

13 DE SEPTIEMBRE

San Juan Crisóstomo

PADRE DE LA IGLESIA (lám. 56)

† 407

Este doctor, sobre la base de su elocuencia, obtuvo poco después de su muerte el sobrenombre de Crisóstomo o Boca de Oro. Alrededor del año 344 Antioquía se ennobleció por su nacimiento. Su madre Anthusa le dio las más hábiles enseñanzas en todas las ramas de la literatura. Juan estudió con el más famoso orador de aquel tiempo y desempeñó durante algún tiempo la abogacía en los tribunales. En este empleo se dejó arrastrar por las diversiones del mundo, cuando Dios abrió sus ojos. Determinó llevar a cabo la resolución de renunciar al mundo. Ayunaba todos los días y pasaba gran parte de su tiempo en oración y meditación sobre las Sagradas Escrituras.

San Melatius, obispo de Antioquía, le ordenó lector. No mucho después, al oír que los obispos de la provincia deliberaban sobre ascenderlo a la dignidad episcopal, huyó y se mantuvo oculto hasta que las vacantes de las sedes se cubrieron. Juan, teniendo entonces veintiséis años, escribió seis incomparables libros *Del Sacerdocio*. Cuatro años después, en el año 374, se retiró a una montaña cerca de Antioquía entre ciertos anacoretas. San Crisóstomo pasó cuatro años en una cueva como un ermitaño. La humedad de su morada le llevó a una peligrosa enfermedad y se vio obligado a regresar a la ciudad. Fue ordenado en el año 386, llevaba doce años de sacerdocio cuando, al morir el arzobispo de Constantinopla, el emperador Arcadius decidió favorecer la elección de nuestro santo para el patriarcado de la ciudad. Juan fue consagrado en el año 398. Erigió numerosos hospitales, tomó en sus manos la reforma de su clero y convirtió a idólatras y herejes.

Juan predicó un sermón contra la vanidad de las mujeres, en el que algunos vieron reflejada a la emperatriz. Sabiendo que Theoilus, patriarca de Alejandría, no era amigo del santo, la emperatriz lo envió para que se presentara en Constantinopla con el fin de deponerlo. El obedeció las órdenes, llegó en junio del 303 con muchos obispos egipcios y reunió una camarilla de enemigos del santo, llamándose ellos mismos el sínodo de Oak. El santo celebró un concilio legal en la ciudad y rehusó a aparecer ante el de Oak. La camarilla procedió con la sentencia de deposición, y el emperador dio la orden para su destierro.

Fue conducido a Bithynia, pero Cucusus fue elegido como el lugar del destierro, una pobre ciudad de Armenia. Sus impíos enemigos, viendo que todo el mundo cristiano lo defendía, consiguieron una orden del emperador para que fuera trasladado a Pytius cerca de Colchis. Se ordenó que dos oficiales lo condujeran allí, con una promesa de ascenso si por el trato rudo moría en sus manos. Viajaron a menudo entre calores abrasadores. Durante las lluvias más violentas le obligaban a permanecer fuera. Cuando llegaron a Comana Pontica, San Juan estaba muy enfermo y murió el 14 de septiembre del año 407.

16 DE SEPTIEMBRE

San Ninian

OBISPO

† 432

Este santo, que se convertiría en el apóstol de los pictos del Sur, era hijo de un príncipe de los britanos cumbrianos, que habitaban en Cumberland y en Galloway. Desde su cuna parecía su único deleite visitar las iglesias, hablar sobre las cosas celestiales y emplearse en los ejercicios de devoción y piedad. Mientras otros se tomaban tantas molestias en educarse para el progreso en el mundo, nuestro noble joven no consideraba nada difícil ni ningún trabajo grande si le ayudaba a mejorar su alma en la práctica de la religión. Con este propósito, dijo adiós al mundo, y dejando la corte, a sus amigos y su país, emprendió un largo viaje a Roma. En esta ciudad pasó muchos años, poniendo todo su corazón en el estudio de la ciencias sagradas.

En esta carrera avanzaba con pasos de gigante. La compasión por su país de origen, que había recibido la gracia de la fe más lenta e imperfectamente que las provincias del sur de Gran Bretaña, lo convenció a regresar finalmente a casa, para hacer partícipes a sus compatriotas de la bendición en que consistía su felicidad, y que era el único fin de su existencia. A aquellos pocos que había recibido alguna tintura de la fe, les enseñó a dar el debido valor a tan gran tesoro. Llevó a los idólatras de aquella provincia al camino de la vida eterna, suavizó el temperamento fiero de Tudovald, rey de los pictos, y construyó una iglesia de piedra en Whithern, ahora Galloway; y como los britanos del Norte no habían visto nunca un edificio de piedra, la ciudad, según Beda y Malmesbury, tomó su nombre del edificio (significando una casa blanca, en latín *candida casa*) cambiándose por Whithern. El santo fijó allí su sede episcopal, y dedicó la iglesia en honor a San Martín, cuya tumba probablemente había visitado en su viaje a través de Francia.

Sacó de la idolatría a los cumbrianos convirtiéndolos a la fe, y lo mismo hizo con todas las provincias del sur de los pictos, hasta el Monte Grampus. La iglesia de Whithern se convirtió en un seminario para hombres apostólicos y muchos gloriosos santos. San Ninian murió el 16 de septiembre en el año 432. Fue ilustre por muchos milagros, y sus reliquias fueron conservadas con veneración, hasta el cambio de religión, en la iglesia que lleva su nombre en Whithern.

17 DE SEPTIEMBRE

San Lamberto

MARTIR, OBISPO DE MAESTRICHT Y PATRÓN DE LIEJA

† 709

San Landebert, llamado posteriormente Lamberto, era oriundo de Maestricht, y nació de una familia noble y adinerada, que había sido cristiana durante muchas generaciones. Su padre hizo que fuese instruido en el conocimiento sagrado, y encomendó el perfeccionamiento de su educación a San Theodard. Este santo obispo en el año 669 decidió presentarse ante el rey Childeric II para obtener una orden de aquel príncipe para la restitución de las posesiones de la Iglesia, que habían sido usurpadas por ciertas personas poderosas; pero fue asesinado en el camino. San Lamberto fue elegido para sucederlo, con el consentimiento del rey Childeric.

Childeric, un vicioso y cruel príncipe, fue asesinado por una conspiración de los nobles en el año 673. Esta revolución afectó a San Lamberto meramente porque había sido favorecido por Childeric. Fue expulsado de su sede y se retiró al monasterio de Stavelo con sólo dos sirvientes; y durante los siete años que permaneció allí, obedeció la regla tan estrictamente como lo habría hecho un novicio.

Mientras San Lamberto disfrutaba de la tranquilidad de su retiro, lloró al ver la mayor parte de las iglesias de Francia devastadas. Cuando Theodorico volvió a ascender al trono, Pepin de Herstal se puso a reparar los males, a expulsar a los usurpadores obispos introducidos en muchas sedes y, entre otros exiliados prelados, restituyó a San Lamberto en la sede de Maestricht. El santo pastor regresó a su rebaño animado con redoblado fervor. Encontrando allí todavía muchos paganos en Taxandría, una provincia en Brabant, se aplicó en convertirlos a la fe, suavizó su bárbaro temperamento con paciencia, los regeneró con el agua sagrada del bautismo y destruyó muchos templos e ídolos. Con frecuencia visitaba y conversaba con San Willibrord, el apóstol de Friesland.

Pepin, que residía en el castillo de Herstan cerca de Liège, vivió algunos años en escandaloso adulterio con una concubina, de la que tuvo a Charles Martel. San Lamberto reprobó a los cómplices con tal ardor que algunos dicen que los amigos de la dama aprovecharon la ocasión para conspirar contra su vida. Otros asignan el siguiente episodio a su muerte: dos hermanos se hicieron insoportables por las violencias y los saqueos de la iglesia de Maestricht. Con ello, ciertos conocidos de San Lamberto estaban tan exasperados que mataron a los dos hermanos. Dodo, un amigo de los dos jóvenes, resolvió vengar su muerte en el inocente obispo y los atacó con un cuerpo de hombres armados de Liège. La tropa de enemigos entró en la casa, dieron muerte con la espada a todos los que se encontraron y uno de ellos tiró una flecha al obispo, asesinándolo. Esta injusta muerte ocurrió el 17 de septiembre del año 709.

18 DE SEPTIEMBRE

San José

DE CUPERTINO

† 1663

José nació el 17 de junio de 1603 en Cupertino, un pequeño pueblo entre Brindisi y Otranto. Se hizo aprendiz de un zapatero, oficio al que se aplicó durante algún tiempo. Cuando tenía diecisiete años, se presentó para ser recibido entre los Franciscanos Conventuales, donde tenía a dos tíos con la distinción de la Orden. No obstante, fue rechazado porque no había hecho sus estudios. Todo lo que pudo obtener fue ser recibido entre los capuchinos en calidad de hermano lego; pero después de ocho meses, fue despedido como irregular para los deberes de la Orden. Lejos de quedar desilusionado, persistió en su resolución de abrazar una vida religiosa. Finalmente, los franciscanos lo recibieron en su convento de Grotella cerca de Cupertino. El santo, habiendo finalizado su noviciado, fue recibido como un hermano lego entre los oblates de la Tercera Orden.

José suplicó hacer un segundo noviciado. Siendo ordenado sacerdote en 1628, celebró su primera misa con inexpresables sentimientos de fe, amor y respeto. Después de haber recibido el sacerdocio, pasó cinco años sin probar el vino ni el agua, tiempo durante el cual vivió sólo de hierbas y frutos secos. Su ayuno en Cuaresma fue tan riguroso que durante siete años no se alimentó salvo los martes y los domingos. Al extenderse la noticia de que tenía frecuentes raptos y que realizaba muchos milagros, el pueblo lo siguió en multitudes conforme viajaba a través de la provincia de Bari. Cierto vicario general se ofen-

LÁMINA 55. NATIVIDAD DE NUESTRA SEÑORA, 8 DE SEPTIEMBRE. *VIDA DE LOS SANTOS,* ED. ILUSTRADA EN DOS VOL. PUBLICADA EN EL SIGLO XIX.

dió por ello y llevó sus quejas a los inquisidores de Nápoles. A José se le ordenó que se presentara, pero se declaró inocente y le dejaron ir. El inquisidor lo envió a Roma a su general, que lo recibió con rudeza y le ordenó que se retirara al convento de Asís. Llegó allí en 1639 y permaneció en Asís trece años. Al principio sufrió muchas pruebas. Su superior le llamaba hipócrita y lo trataba con gran rigor. Por otro lado, Dios pareció haberlo abandonado, arrojándolo en tan profundas melancolías que apenas se atrevía a levantar sus ojos. Al ser informado su general de su situación, lo llamó a Roma, y teniéndolo allí tres semanas, lo mandó de vuelta a Asís. El santo, en su camino a Roma, experimentó el regreso de aquellas consolaciones que se habían apartado de él.

Sus milagros no fueron menos remarcables que los otros favores que recibió de Dios. Muchos enfermos deben su recuperación a sus oraciones. El santo, cayendo enfermo con fiebre en Osimo, el 10 de agosto de 1663, predijo que su última hora estaba muy cerca. Murió el 18 de septiembre de 1663, a la edad de sesenta años.

formar el colegio de los apóstoles, lo adoptó para entrar en la Sagrada Familia. Eusebio y San Epifanio nos dicen que después de la Ascensión de Nuestro Señor San Mateo predicó muchos años en Judea y en los países vecinos hasta la dispersión de los apóstoles; y un poco antes escribió su Evangelio, o breve historia de nuestro sagrado redentor, a petición de los judíos conversos. Parece que éste lo compiló antes de la dispersión, no sólo porque está escrito antes del resto de los Evangelios, sino también porque San Bartolomé llevó con él una copia del mismo a la India, y la dejó allí.

San Mateo, después de haber recolectado muchas almas en Judea, fue a predicar la fe a las bárbaras naciones del Este. Fue una persona muy devota a la contemplación celestial y llevó una vida austera. San Ambrosio dice que Dios le abrió el país de los persas. Rufinus y Scorates nos cuentan que llevó el Evangelio a Etiopía, refiriéndose probablemente al oeste y al sur de Africa. San Paulinus menciona que terminó su vida en Parthia. Sus reliquias fueron traídas a Occidente hace mucho tiempo.

21 DE SEPTIEMBRE

San Mateo

APOSTOL Y EVANGELISTA *(lám. 57)*

† SIGLO I

San Mateo parece haber sido un galileo por nacimiento, y era de profesión publicano, o cobrador de los impuestos para los romanos. Entre los judíos, estos publicanos eran más infames y odiosos porque esta nación consideraba que estaban conspirando con los romanos para establecer la esclavitud entre sus compatriotas. De ahí que los judíos los aborrecieran a todos, considerasen sus patrimonios como las fortunas de ladrones, les prohibiesen participar en el culto religioso y les evitasen en todos los asuntos de la vida civil y el comercio. Es cierto que Mateo era judío, aunque publicano. Su oficio se dice que consistía en recolectar los aranceles de las mercancías que venían del lago Genasareth, y una tasa que los pasajeros pagaban por el agua.

Jesús, después de haber curado a un famoso paralítico, caminaba por las orillas del lago. Aquí estaba Mateo sentado en su aduana, a quien llamó venir y que lo siguiera. El hombre era rico y disfrutaba de un puesto lucrativo y comprendió perfectamente el cambio que hacía de la riqueza por la pobreza. Pero dejó todos sus intereses y a sus conocidos para convertirse en el discípulo de Nuestro Señor. San Mateo, en su conversión, para mostrar que no estaba descontento con este cambio, sino que lo consideraba la mayor felicidad, invitó a Nuestro Señor y a los discípulos a una gran cena en su casa a la que invitó también a sus amigos, sin duda esperando que la divina conversación de Nuestro Salvador los pudiera convertir. Los fariseos criticaron la conducta de Cristo al comer con publicanos y pecadores. Nuestro Divino Salvador contestó a sus malintencionados comentarios secretos que había venido por los enfermos, no por los ricos y poderosos, y puso en sus mentes que Dios preferiría actos de merced y caridad, especialmente reclamando a los pecadores a las observancias religiosas.

La vocación de San Mateo ocurrió en el segundo año del público ministerio de Cristo, quien poco después de

22 DE SEPTIEMBRE

San Mauricio

Y SUS COMPAÑEROS, MÁRTIRES *(lám. 58)*

† 226

La legión de Tebas fue una de esas que Diocleciano sacó del Este para componer su ejército para su expedición a la Galia. Maximiliam, al cruzar los Alpes, hizo un alto con su ejército para que los soldados pudieran descansar. Llegaron a Octodurun, una ciudad en Rhône sobre el lago de Ginebra. Aquí Maximiliam dio orden de que todo el ejército se uniese para hacer un sacrificio a los dioses por el éxito de la campaña. La legión de Tebas se retiró de allí y acampó cerca de Agaunum, ahora llamado San Mauricio, a tres leguas de Octodurum. El emperador les mandó de nuevo las órdenes para que volviesen al campamento y se unieran a los sacrificios; y, ante su constante y unánime negación, ordenó que fueran diezmados. Así, se dio muerte a diez hombres, elegidos por sorteo; el resto, mientras tanto, se exhortaban los unos a los otros a la perseverancia.

Después de la primera matanza se comenzaría una segunda a menos que los soldados acataran las órdenes; pero gritaron que sufrirían lo más extremo antes de hacer algo contrario a su religión. Fueron animados principalmente por tres de sus oficiales, Mauricio, Exuperius y Cándido.

El emperador mandó nuevas amenazas de que si persistían en su desobediencia ninguno de entre ellos escaparía de la muerte. La legión contestó con una debida amonestación, la esencia de la cual se contiene aquí: «Somos tus soldados, pero los siervos del verdadero Dios. Sólo te debemos servicio y obediencia militar; pero no podemos renunciar a Él que es nuestro Maestro y Creador. Tú nos ordenas castigar a los cristianos: mira, nosotros somos tales. Tenemos armas en nuestras manos, pero no opondremos resistencia, porque preferimos morir como inocentes que como pecadores.»

Esta legión estaba constituida por alrededor de seis mil seiscientos hombres. Maximiliam ordenó a todo su ejército que los rodeara y los cortara en trozos. No se resistie-

LÁMINA 56. SAN JUAN CRISOSTOMO, 13 DE SEPTIEMBRE. BUTLER, *VIDA DE LOS SANTOS*, ED. ILUSTRADA EN DOS VOL. PUBLICADA EN EL SIGLO XIX.

ron, sino que dejaron caer sus armas, y sufrieron una carnicería como inocentes ovejas. El suelo se cubrió con sus cuerpos, y arroyos de sangre corrían por todos lados.

Estos mártires son llamados por Fortunato «La Feliz Legión». Su festividad se menciona en este día en los martirologios de San Jerónimo, Beda y otros.

22 DE SEPTIEMBRE (18 DE SEPTIEMBRE)

Santo Tomás

DE VILLANOVA, ARZOBISPO DE VALENCIA

† 1555

Santo Tomás nació en Fuenlana en Castilla en 1488; pero recibió el sobrenombre de Villanova de los Infantes, la ciudad donde se educó. Sus padres eran también originariamente de Villanova. A la edad de quince años fue enviado a la universidad de Alcalá. Después de once años le hicieron profesor de filosofía en aquella ciudad, teniendo veintiséis años. Su padre le había construido una casa a su regreso; pero este santo la convirtió en un hospital. Después de haber enseñado en Alcalá dos años, fue invitado para el mismo puesto en Salamanca, donde enseñó filosofía moral dos años. Después de la más madura de las deliberaciones, determinó entrar entre los Ermitaños de San Agustín. Tomó el hábito en una casa de esta Orden en Salamanca en 1518. Fue ascendido al sacerdocio en 1520, se dedicó a la predicación, e impartió un curso de teología en la escuela de los agustinos. Fue después prior en Salamanca, Burgos y Valladolid, y fue dos veces provincial de Andalucía, y una de Castilla.

Gregorio, tío del emperador, dejó algún tiempo después el arzobispado de Valencia, ordenó a su secretario escribir un plácet, o carta de recomendación para que Tomás la firmara en favor de cierto hombre religioso. Al encontrar que el secretario había puesto abajo el nombre de Fray Tomás de Villanova, preguntó la razón. El secretario contestó que creía haber escuchado este nombre, pero que rectificaría el error. «De ningún modo», dijo el emperador, «esto ha sucedido por la providencia divina.» Así, firmó el plácet para Tomás. El papa Pablo II mandó una bula para su consagración y la ceremonia se celebró en Valladolid. El santo salió muy temprano en la mañana hacia Valencia a pie. El cabildo le hizo un presente de cuatro mil ducados para acondicionar su casa; pero inmediatamente envió el dinero al hospital. Cuando le sugirieron que se pusiese una vestimenta adecuada a su dignidad, su respuesta fue que había hecho voto de pobreza. Allí llegaban a su puerta cientos de pobres cada día y cada uno recibía limosna. Cuando, en 1550, un pirata saqueó una ciudad en su diócesis, el arzobispo envió inmediatamente cuatro mil ducados y ropas valiosas para suministrar a los habitantes lo necesario y para el rescate de los cautivos.

Enfermó de amigdalitis purulenta, el 29 de agosto. Habiendo ordenado que el dinero del que disponía fuera distribuido entre los pobres, ordenó que todos sus bienes se le diesen al rector de su colegio, excepto la cama en la que yacía. Dio su cama al carcelero para el uso de los prisioneros, pero la tomó prestada hasta que muriese. El 8 de septiembre puso su alma en las manos de Dios a los sesenta y siete años de edad, en el 1555 de Nuestro Señor.

23 DE SEPTIEMBRE

Santa Tecla

VIRGEN Y MÁRTIR

† SIGLO I

Santa Tecla, que es llamada por los griegos el protomártir de su sexo, era oriunda de Isauria, o Lycaonia. San Ambrosio y otros padres mencionan que San Pablo la convirtió a la fe con sus predicaciones en Iconium, probablemente alrededor del año 45, y que sus discursos inspiraron en su pecho el amor a la virginidad. En este cambio, rompió un tratado de matrimonio que había sido establecido por sus padres con un joven noble rico, atractivo y amable.

San Crisóstomo nos hace saber que sus padres, al percibir la alteración de su conducta, sin saber a qué se debía, tuvieron con ella las más fuertes discusiones, mezcladas con órdenes, amenazas y reprimendas, para comprometerla a que finalizara el asunto de su matrimonio para su satisfacción. Los sirvientes la suplicaron con lágrimas, sus amigos y vecinos la exhortaban, y la autoridad y las amenazas del magistrado civil se emplearon para que aceptase, tal como deseaban.

El joven noble, con quien ella estaba comprometida, no pensaba más que en la venganza, pretendiendo que había recibido de ella una grave ofensa. La dejó en las manos de los magistrados y alegó tales artículos contra ella que fue condenada a que las bestias salvajes la destrozaran. No obstante, su resolución era invencible. Fue expuesta desnuda en el anfiteatro entre leones, leopardos y tigres. Pero los leones, de repente, perdiendo su natural ferocidad, se acercaron gentilmente a la santa virgen, y se pusieron a sus pies, lamiéndolos. Finalmente se retiraron dócilmente como corderos.

Fue arrojada otra vez al poder del fuego, y preservada sin sufrir daño alguno entre las llamas. Un martirologio muy antiguo que lleva el nombre de San Jerónimo menciona que Roma fue el lugar donde Dios extinguió las llamas para preservar la vida de esta santa virgen. Atendió a San Pablo en muchos de sus viajes apostólicos. Sus sufrimientos juntamente le ganaron el título de mártir, aunque Beda en su martirologio nos dice que murió en paz. La última parte de su vida la pasó en un retiro en Isauria, donde murió, y fue enterrada en Seleucia, la metrópolis de aquel país.

[Nota editorial: el culto a Santa Tecla se suprimió en la iglesia romana en 1969.]

24 DE SEPTIEMBRE

San Gerardo

OBISPO DE CHONAD, MÁRTIR

† 1046

San Gerardo, apóstol de una gran zona de Hungría, era un veneciano, y nació a principios del siglo XI. Renunció temprano a los placeres del mundo, dejando a su familia y su patrimonio para consagrarse al servicio de Dios en un monasterio.

Después de algunos años, con el permiso de sus superiores, emprendió una peregrinación al Santo Sepulcro en

LÁMINA 57. SAN MATEO, 21 DE SEPTIEMBRE. BUTLER, *VIDA DE LOS SANTOS*, EDICIÓN ILUSTRADA EN DOS VOLÚMENES PUBLICADA EN EL SIGLO XIX.

Jerusalén. Al pasar por Hungría, conoció a San Esteban, que con gran ardor le persuadió de que Dios lo había inspirado con el proyecto de esta peregrinación para que ayudase a las almas de aquel país. Gerardo, sin embargo, no permitió en ningún caso permanecer en la corte, pero construyó una pequeña ermita en Beel, donde pasó siete años con la única compañía del ayuno y la oración. El rey sacó a Gerardo de su soledad y el santo predicó el Evangelio con maravilloso éxito. No mucho después, el buen príncipe lo nominó para la sede de Chonad, una ciudad a ocho leguas de Temeswar. Dos tercios de la ciudad eran idólatras; sin embargo, el santo en menos de un año los hizo a todos cristianos. Su labor se vio coronada con un éxito similar en otras partes de la diócesis.

San Esteban secundó el celo del buen obispo durante toda su vida. Pero el sobrino del príncipe y sucesor, Pedro, un corrupto y cruel príncipe, se declaró perseguidor del santo, y expulsado por sus propios súbditos en 1042, y Abas, un noble de salvaje disposición, fue colocado en el trono. San Esteban había establecido la costumbre de que la corona fuera entregada al rey de manos del obispo. Abas se lo comunicó a San Gerardo para que viniese a la corte a oficiar la ceremonia. El santo rehusó. Dos años más tarde, las mismas personas que habían puesto a Abas en el trono se volvieron contra él y cortaron su cabeza en el cadalso. Pedro fue llamado de nuevo; pero dos años después desterrado por segunda vez. La corona se le ofreció entonces a Andrés, primo de San Esteban, con la condición de que restaurara la idolatría y extirpase la religión cristiana. Por ello, Gerardo y otros obispos fueron a disuadir al nuevo rey de su sacrílego compromiso.

Cuando los cuatro obispos fueron a cruzar el Danubio, se encontraron con una partida de soldados dirigidos por el duque de Vatha, el más obstinado patrón de la idolatría. Atacaron a San Gerardo primero con una lluvia de piedras, y, exasperados por su docilidad, volcaron su carro y lo arrastraron por el suelo. Mientras estaba en sus manos, el santo se alzó en sus rodillas, y rezó, con el protomártir San Esteban, «Señor, no se lo tengas en cuenta, pues no saben lo que hacen.» Apenas había pronunciado estas palabras, cuando dispararon una lanza contra su cuerpo y murió. El martirio de San Gerardo ocurrió el 24 de septiembre de 1046.

26 DE SEPTIEMBRE

Santos Cosmé y Damián

MÁRTIRES (lám. 59)

† ALREDEDOR DEL 303

Los santos Cosme y Damián eran hermanos y nacieron en Arabia, pero estudiaron ciencias en Siria y se hicieron

LÁMINA 58. SAN MAURICIO, 22 DE SEPTIEMBRE. BRITISH
LIBRARY. ADD.MS

famosos por su capacidad en la práctica de la medicina. Al ser cristianos, y estar rebosantes del santo espíritu de la caridad en el que consiste el alma de nuestra divina religión, practicaron su profesión con gran aplicación y maravilloso éxito; pero nunca cobraron gratificaciones ni tasas.

Vivieron en Aegae o Egaea en Cilicia, y fueron notables tanto por su amor como por su respeto por las gentes que recurrían a ellos a causa del buen oficio que recibían de su caridad y de su celo por la fe cristiana, que tuvieron oportunidad de propagar a través de su oficio.

Cuando comenzaron las persecuciones de Diocleciano, fue imposible para personas tan distinguidas permanecer ocultas. Por tanto, fueron aprehendidos por orden de Lysias, gobernador de Cilicia, y después de varios tormentos, fueron decapitados por su fe. Sus cuerpos fueron llevados a Siria y enterrados en Cyrus. Theodoret, que era obispo de aquella ciudad en el siglo V, menciona que sus reliquias fueron depositadas allí, en una iglesia que lleva sus nombres.

El emperador Justiniano, que comenzó su reinado en el año 527, considerando religiosamente el tesoro de estas preciosas reliquias, engrandeció y fortificó la ciudad de Cyrus, y encontrando una iglesia en ruinas en Constantinopla, construyó en honor de estos mártires, según se dice, en el reinado de Teodosio El Joven, un edificio en su lugar, como un monumento de su gratitud por recobrar su salud en una peligrosa enfermedad, con su intercesión, como relata Procopius.

27 DE SEPTIEMBRE

San Vicente de Paul

FUNDADOR DE LOS LAZARITAS, O PADRES DE
LA MISIÓN (lám. 60)

† 1660

Vicente era oriundo de Poui, un pueblo de Gasconia. Sus padres tenían una pequeña granja. Su padre estuvo determinado a procurarle una educación y lo puso bajo el cuidado de los Cordelieres o frailes franciscanos en Acqs. En 1596 fue a Toulouse donde fue promovido al sacerdocio en 1600, habiendo recibido la tonsura y las órdenes menores antes de dejar Acqs. El santo fue a Marsella pero por el camino fue asaltado por unos piratas africanos. Los cristianos se vieron obligados a rendirse. Los mahometanos cortaron al capitán en trozos, al resto les pusieron cadenas y navegaron hacia Barbary. En Túnez, Vicente fue comprado por un pescador que pronto lo vendió otra vez a un viejo médico. En 1606 lo vendió a un cristiano renegado que vino de Niza. Sinceramente arrepentido de su apostasía, se puso de acuerdo con Vicente para escapar juntos. Cruzaron el Mediterráneo en una pequeña barca y desembarcaron sanos y salvos cerca de Marsella en 1607.

Después de una corta estancia en Roma, Vicente regresó a París donde se convirtió en prefector de los hijos de Emmanuel de Gondy, conde de Joigny. Su señora, la condesa, convenció a Vicente para que predicara en la iglesia de Folleville en 1617. Así lo hizo, y se congregaban tales multitudes para hacer confesiones generales que se vio obligado a llamar a los jesuitas para que le ayudasen. La congregación de la misión data su primera institución desde este momento. San Vicente dejó la casa de la condesa en 1617 y formó una pequeña comunidad en la parroquia de Chatillon. La buena condesa le dio seis mil

libras para fundar una misión perpetua entre el pueblo llano. Arreglados todos los asuntos, San Vicente tomó posesión de su casa en abril de 1625. Estableció ciertas reglas que fueron aprobadas por el papa Urbano VIII en 1632. En 1633 los canónigos de San Víctor dieron a este nuevo instituto el Priorato de San Lázaro, y por él se llamó a los padres con frecuencia lazaritas. Eran una congregación de sacerdotes seculares que se dedicaban a las labores de la conversión de los pecadores y a formar al clero para su ministerio. San Vicente estableció otras muchas confraternidades como la llamada De la Caridad para atender a los enfermos, y otra llamada las Damas de la Cruz, para la educación de las jóvenes muchachas. Dirigió la fundación de grandes hospitales, como el de los incluseros en París; en Marsella el hospital para los esclavos de galeras. Asistió al rey Luis XIII en su muerte y fue altamente favorecido por la reina regente que lo nominó como miembro del consejo del joven rey y le consultaba en todos los asuntos eclesiásticos, oficio que desempeñó diez años.

Murió en paz en su silla el 27 de septiembre de 1660 y fue enterrado en la iglesia de San Lázaro en París.

28 DE SEPTIEMBRE

San Wenceslao

DUQUE DE BOHEMIA (lám. 61)

† 938

San Wenceslao era hijo de Uratislas, duque de Bohemia, y nieto de la Santa Ludmilla. Su padre fue un príncipe bueno y valiente; pero su madre era pagana, no menos cruel que altanera, no menos pérfida que impía. Ludmilla consiguió que la educación de Wenceslao no le fuera confiada a él, y en esta tarea fue ayudada por Pablo, su capellán. A una edad apropiada, fue enviado a un colegio en Budweis, a más de sesenta millas de Praga.

Era aún joven cuando, al morir su padre, su madre Drahomira asumió el título de regente y se encargó del gobierno. Dio rienda suelta a su rabia contra los cristianos (a los que había encubierto mientras su marido vivía). Ludmilla, llena de preocupación por motivos de la religión, que ella y su consorte habían establecido no sin gran dificultad, mostró a Wenceslao la necesidad de tomar las riendas del gobierno en sus propias manos. El joven duque obedeció, y los bohemios testificaron la aprobación de su conducta; pero para evitar las disputas entre él y su hermano menor, dividieron el país entre ellos.

Wenceslao se dedicó enteramente al establecimiento de la paz, la justicia y la religión en sus dominios, y por consejo de Ludmilla eligió hábiles y celosos cristianos como ministros. Drahomira nunca dejó de conjurar todas las furias del infierno contra él. Considerando a Ludmilla la primera inductora de todos los consejeros en favor de la religión cristiana, tramó un complot para arrebatarle la vida. Los asesinos la encontraron postrada en oración ante el altar en la capilla doméstica, y la estrangularon con su propio velo. Este complicado crimen afectó mucho a Wenceslao.

La severidad con la que el santo eliminó las opresiones y otros desórdenes de la nobleza, hizo que algunos se sumaran al bando de la desnaturalizada madre, que tomó ciertas medidas con su otro hijo, Boleslas, para matarlo. Al nacer un hijo de Boleslas, aquel príncipe y su madre invi-

taron al buen duque para que los obsequiase con su compañía en el regocijo. San Wenceslao fue sin la menor sospecha de la traición, y fue recibido con increíbles signos de amabilidad. Así lo hicieron para mejor ocultar sus diabólicos planes. El festejo fue magnífico, pero nada podía hacer que el santo desatendiese sus usuales devociones. A medianoche, fue a ofrecer sus acostumbradas plegarias en la iglesia. Boleslas, instigado por Drahomira, lo siguió allí, y cuando sus sirvientes lo hubieron herido, él lo mató con sus propias manos, atravesándolo con una lanza. El martirio del santo duque ocurrió el 28 de septiembre, en el año 938.

30 DE SEPTIEMBRE

San Jerónimo
DOCTOR DE LA IGLESIA *(lám. 62)*

† 420

San Jerónimo nació en Sdrigni, cerca de Aquileia. Su padre cuidó de que su hijo recibiera educación en el hogar, y después lo envió a Roma. San Jerónimo tuvo allí como tutor al famoso gramático pagano Donatus. Se convirtió en un maestro de las lenguas latina y griega e hizo grandes progresos en oratoria por lo que durante algún tiempo desempeñó la abogacía en los tribunales; pero olvidó los sentimientos de piedad que le habían inculcado en su infancia, y estaba lleno de proyectos mundanos. Al llegar a la madurez, resolvió viajar y hacer un recorrido por toda la Galia. Llegó a Triers no mucho antes del año 370 y fue en esta ciudad donde su corazón se volvió hacia Dios.

San Jerónimo se encerró en un monasterio en Aquileia por algún tiempo. La experiencia le convenció de que ni su propio país ni Roma eran los lugares apropiados para una vida de soledad y resolvió ir a algún país lejano. Al llegar a Antioquía, San Jerónimo permaneció algún tiempo en la ciudad para atender a las lecciones de Apollinaris, y después marchó a un desierto entre Siria y Arabia, donde pasó cuatro años estudiando. Un gran cisma dividió a la Iglesia de Antioquía. Los monjes del desierto tomaron con entusiasmo parte en esta desafortunada división y compelieron a San Jerónimo a declarar de qué parte estaba. Molesto por estas importunidades dejó su soledad y fue a Antioquía. Algo antes de partir escribió dos cartas al cónsul de Damasco, que había ascendido al trono papal. San Jerónimo recibió la orden del sacerdocio antes de que finalizara el año 377, a lo que sólo consintió con la condición de que no se le obligase a servir en las funciones de su ministerio. Poco después, fue a Palestina para perfeccionar la lengua hebrea.

Alrededor del año 380, nuestro santo fue a Constantinopla, para estudiar las Escrituras con San Gregorio Nacianzeno. No mucho después, fue llamado desde Roma, donde el papa Damusus retuvo a San Jerónimo y lo hizo su secretario. Nuestro santo doctor pronto ganó la estima de todos por sus conocimientos. Se le encargó la conducta de muchas damas devotas, tales como las santas Marcella, Paula y muchas otras. Después de haber estado tres años en Roma, decidió regresar al Este. Visitó principalmente los monasterios de Egipto, después de lo cual se retiró a Bethlehem. Santa Paula, que lo había seguido, construyó para él un monasterio. Nada hizo el nombre de San Jerónimo tan famoso como su labor de crítica de las Escrituras. El papa Damasus comisionó a San Jerónimo para revisar y corregir las versiones latinas del Evangelio. Después hizo lo mismo con el resto del Nuevo Testamento. Su nueva traducción del Antiguo Testamento, del hebreo, fue una empresa más difícil. Murió en el año 420, el treinta de septiembre.

VINCENTIVS A PAVLO

DEVS CARITAS EST

LAMINA 60. SAN VICENTE DE PAUL, 27 DE SEPTIEMBRE, *VIDA DE LOS SANTOS,* EDICION ILUSTRADA EN DOS VOLUMENES PUBLICADA EN EL SIGLO XIX.

2 DE OCTUBRE

La Festividad del Santo Ángel Guardián

(lám. 63)

La providencia de Dios atestigua el empleo de los seres superiores en la ejecución de su voluntad en varios designios divinos para con otras criaturas inferiores. Es claro, en las Sagradas Escrituras, que aquellos sagrados espíritus a los que llamamos ángeles (tanto como decir mensajeros de Dios) reciben su nombre por su oficio, siendo empleados por El en la ejecución de las comisiones en nuestro favor y defensa.

El que ángeles determinados sean designados y comandados por Dios para velar por cada persona en particular entre sus siervos, esto es, todos los justos o aquellos en estado de gracia, es un artículo de la fe católica del que ningún escritor eclesiástico se ha visto nunca tentado a dudar. Los salmistas nos aseguran, «El ha dado a sus ángeles para que cuiden de ti, para guardarte en todos los caminos.» Tan cierta era la creencia de un ángel custodio asignado a cada uno que cuando San Pedro fue milagrosamente liberado de su prisión, los discípulos que, al acercarse a ellos, no podían creer que fuese él, exclamaron, «Es su ángel.»

Que San Miguel fue el protector de la nación judía, o del pueblo de Dios, y que los países o cuerpos colectivos del hombre han tenido sus ángeles tutelares, es claro en la Sagrada Escritura. Los demonios con implacable envidia y malicia, estudian cómo provocar nuestra eterna ruina. A Dios le complace oponer a sus esfuerzos estos buenos ángeles, haciéndolos nuestros defensores. Los buenos ángeles, por el mismo celo con el que continúan su guerra contra estos perversos espíritus, vienen a aliviarnos.

Un segundo motivo que nos hace querida su protección es su compasión y su caridad para con nosotros. Consideran que nos queda mucho para ser sus compañeros en la glòria eterna. Ven la miseria del pecado en la que caemos, los peligros que nos rodean y los infinitos males bajo los que gemimos.

No sólo debemos respetar sino también amar y honrar devotamente y con gratitud a nuestro espíritu tutelar. El es un fiel guardián, un verdadero amigo, y pastor atento y un poderoso protector. Realiza de forma invisible para nosotros lo que aquel ángel que condujo a los judíos a la tierra prometida hizo para ello. «En Dios«, dice San Bernardo, «amaremos afectuosamente a los ángeles.» Del mismo modo debemos depositar nuestra confianza en la protección de nuestro buen ángel. Para merecer su protección debemos por encima de todo huir del pecado. «Como el humo espanta a las abejas, así el hedor del pecado aparta al ángel, el guardián de vida», dice San Basilio.

LAMINA 61. SAN WENCESLAO, 28 DE SEPTIEMBRE. BRITISH LIBRARY, ADD. MS 18851, F.463V.

4 DE OCTUBRE

San Francisco

DE ASÍS, O FUNDADOR DE LOS FRAILES MENORES

(lám. 64)

† 1226

El bendito San Francisco nació en Asís en Umbría en 1181. Su padre era comerciante. Francisco, mientras aún vivía en el mundo, era dulce, paciente y generoso con los pobres. Con frecuencia visitaba los hospitales, servía a los enfermos y les besaba las úlceras a los leprosos.

Un día, cuando estaba rezando en la iglesia de San Damián fuera de Asís, ante un crucifijo, le pareció escuchar una voz que procedía de él que le dijo tres veces, «Francisco, ve y repara mi casa, que ves derrumbarse.» El santo, viendo que la iglesia era antigua, pensó que Nuestro Señor le ordenaba repararla. Por tanto, tomó un caballo cargado de telas del almacén de su padre y lo vendió. El sacerdote de San Damián no tomó el dinero. Su padre insistió en que Francisco debía bien regresar a casa o renunciar a toda su herencia. El hijo felizmente fue con su padre ante el obispo, se despojó de todas sus ropas y renunció al mundo. El obispo lo cubrió con su manto. Esto ocurrió en 1206.

Francisco partió, cantando divinas alabanzas a lo largo de sus caminos. Para la construcción de San Damián él mismo llevó las piedras y reparó la iglesia. Exhortó al pueblo a la penitencia con tal energía que sus palabras rompían los corazones de los que le escuchaban. Muchos comenzaron a admirar la virtud de este gran siervo de Dios y algunos quisieron ser sus compañeros y discípulos. El santo les dio su hábito el 16 de agosto de 1209, a partir del cual fundó su Orden.

En su regla, exhorta a sus hermanos al trabajo manual, pero para conseguir lo necesario para vivir, no dinero. Les invita a no avergonzarse por pedir limosnas y les prohíbe predicar en cualquier lugar sin el permiso del obispo. Llevó su regla a Roma para obtener la aprobación del Papa y fue ordenado diácono. En menos de tres años su orden se multiplicó a sesenta monasterios.

LÁMINA 62. SAN JERÓNIMO, 30 DE SEPTIEMBRE. BODLEIAN LIBRARY, MS LITURG. 401, F. 198V.

Diez años después de la primera institución de la Orden, en 1219, San Francisco convocó el famoso capítulo general de Matts. Habiendo viajado a Palestina y a España, regresó en 1215, y el conde Orlando de Catona le otorgó un lugar apartado en el Monte Alverno donde construyó un convento y una iglesia para los frailes menores. En 1224 San Francisco se retiró al lugar más privado del Monte Alverno, y el 15 de septiembre vio la figura de un hombre crucificado. Después de una conversación secreta, la visión desapareció y las marcas de los clavos comenzaron a aparecer en sus manos y en sus pies. San Francisco se esforzó por ocultar este singular favor del cielo de los ojos de los hombres, pero a pesar de sus precauciones, estas heridas milagrosas fueron vistas por grandes multitudes antes de su muerte. Durante los dos años que vivió después de su visión, estuvo muy afligido por la enfermedad. Entregó su alma en cuatro de octubre de 1226.

5 DE OCTUBRE

San Mauro

ABAD

† 584

Entre los muchos nobles que pusieron a sus hijos bajo el cuidado de San Benito, para ser educados en la piedad y el saber, Equitius, uno de este rango, dejó con él a su hijo Mauro, entonces de sólo doce años, en el año 522. El joven aventajó a todos sus compañeros monjes en el cumplimiento de los deberes monásticos, y cuando hubo crecido, San Benito le hizo su coadjutor en el gobierno de Sublaco. Mauro, por su sencillez de corazón y profunda humildad, fue un modelo de perfección para todos los hermanos, y fue favorecido por Dios con el don de los milagros. San Plácido, un monje, al ir un día a por agua, cayó en el lago y fue arrastrado a la distancia de un tiro de flecha de la orilla. San Benito vio esto en su espíritu mientras estaba en su celda, y pidió a Mauro que fuera a sacarlo. Mauro obedeció; caminó sobre las aguas sin darse cuenta de ello, y arrastró por los cabellos a Plácido, sin hundirse lo más mínimo. Atribuyó el milagro a las plegarias de San Benito, pero el santo abad a la obediencia del discípulo. Poco después, aquel santo patriarca se retiró a Cassino, y llamó allí a Mauro en el año 528.

San Mauro, llegando a Francia en el 543, fundó la gran abadía de Glanfeuil, ahora llamada San Maur-sur-Loire, que gobernó por muchos años. En el año 581 dejó la abadía a Bertulf, y pasó el resto de su vida en la más total soledad. Después de dos años cayó enfermo, con un dolor en su costado; recibió los sacramentos yaciendo en su arpillera ante el altar de San Martín, y en la misma postura expiró el 15 de enero, en el año 584. Fue enterrado a la derecha del altar en la misma iglesia y se lo nombra en la antigua letanía francesa compuesta por Alcuin. Por miedo a los normandos, en el siglo IX, su cuerpo fue tras-

LÁMINA 63. ANGEL GUARDIÁN, 2 DE OCTUBRE. BRITISH LIBRARY,
ADD. MS 15114, F.48V.

LAMINA 64. SAN FRANCISCO, 4 DE OCTUBRE. BUTLER, *VIDA DE LOS SANTOS*, EDICION ILUSTRADA EN DOS VOL. PUBLICADA EN EL SIGLO XIX.

ladado a diferentes lugares; finalmente, en el año 868, se le llevó a San Pedro des Fosses, entonces una abadía benedictina, cerca de París.

Nuestros antepasados tuvieron una especial veneración por San Mauro bajo el reinado normando, y la noble familia de Seymour (del francés *Saint Maur*) tomó de él su nombre.

[Nota editorial: los modernos estudiosos creen que el Mauro que salvó a Plácido y el Mauro que se convirtió en el abad de Glanfeuil no son en realidad la misma persona. La festividad de San Plácido, que se dice fue asesinado por los piratas alrededor del año 546, se celebre en el mismo día.]

6 DE OCTUBRE

San Bruno

FUNDADOR DE LOS MONJES CARTUJOS *(lám. 65)*

† 1101

San Bruno nació en Colonia alrededor de 1003. Sus padres lo llevaron siendo él muy joven al colegio del clero de la iglesia de San Cunibert, donde dio extraordinarias pruebas de sus conocimientos, de manera que San Anno, Obispo de Colonia, le confirió una canonjía en aquella iglesia. Era aún joven cuando dejó Colonia y fue a Rheims por sus estudios, donde destacó principalmente en filosofía y teología. El arzobispo de Rheims en 1056 hizo a Bruno escolástico, dignidad a la que pertenecía la dirección de las grandes escuelas de la diócesis. Enseñó durante un tiempo considerable en la iglesia de Rheims. Al morir el arzobispo en 1067, Manasses por una simonia abierta tomó posesión de esa iglesia y la oprimió. El legado del Papa ordenó a Manasses que se presentara en un concilio en 1077. San Bruno y otros dos lo acusaron en este concilio. El usurpador, exasperado contra los dos canónigos, hizo que sus casas fueran saqueadas y vendidas sus prebendas. Los canónigos se refugiaron en el castillo del conde de Rouci hasta agosto de 1078.

Antes de esto, San Bruno había concebido el proyecto de su retiro; y cuando la iglesia de Rheims estuvo preparada para elegirlo arzobispo en el lugar de Manasses, quien había entonces sido depuesto y convicto, renunció a su beneficio y persuadió a algunos de sus amigos para que lo acompañasen en su soledad. Parece que primero se retiró a Reciac, una ciudad fortificada en Champagne. Después de algún tiempo, fue a Colonia, y algo después a Saisse-Fontaine en la diócesis de Langres.

En este retiro se dirigió para pedir consejo a San Roberto de Molesme, que lo exhortó para pedir a Hugo, Obispo de Grenoble, estando informado de que en la diócesis había bosques, rocas y desiertos más adecuados para su deseo de perfecta soledad. San Bruno y seis compañeros llegaron a Grenoble a mitad del verano, 1084. San Hugo los recibió con los brazos abiertos y les asignó Chartreuse para su retiro. Bruno y sus compañeros inmediatamente construyeron un oratorio allí y celdas muy pequeñas. Éste fue el origen de la Orden de los Cartujos. Pedro El Venerable escribe de ello: «Sus ropas son inferiores a las de otros monjes. Ayunan casi perpetuamente. Su ocupación constante es la oración, la lectura y el trabajo manual, que consiste principalmente en la transcripción de libros.» Esta forma de vida la siguieron sin ninguna regla escrita. San Bruno no había gobernado su congregación seis años

cuando el papa Urbano II le mandó la orden de que fuera a Roma para ayudarlo en el gobierno de la Iglesia. Partió en 1089. El Papa tenía en demasiada estima a aquel amigo para concederle su petición de regresar a Chartreuse, pero finalmente consintió en su retiro. El santo fundó una conveniente soledad en Squillaci, donde se instaló en 1090 con algunos nuevos discípulos que había ganado en Roma. Entregó su alma a Dios el 6 de octubre de 1101.

7 DE OCTUBRE

Santa Osita

† ALREDEDOR DEL 870

Santa Osita nació en Quarendon, y era hija de Frewald, un príncipe merciano, y sobrina de Editha, a quien pertenecía la ciudad y señorío de Ailesbury, donde fue llevada con su piadosa tía. Osita se casó joven con el rey de los anglos del Este; pero el mismo día obtuvo su consentimiento para vivir siempre como una virgen. Este rey la confirmó en su propósito religioso y la dio el señorío de Chick, en el que construyó un monasterio. Había gobernado esta casa muchos años con gran santidad, cuando fue coronada con el martirio en los caminos de Hinguar y Hubba; los bárbaros líderes daneses la decapitaron por la constancia en su fe y su virtud alrededor del año 870. Por temor a los piratas daneses, su cuerpo fue después de algún tiempo trasladado a Ailesbury, y permaneció allí cuarenta y seis años; después de lo cual fue llevado de vuelta a Chick, o Chich, en Essex, cerca de Colcester, lugar que se llamó durante algún tiempo Santa Osita. Una gran abadía de canónigos regulares fue erigida bajo su invocación, que continuó hasta la disolución siendo famosa por las reliquias y honrada por muchos milagros.

[Nota editorial: Santa Osita fue objeto de muchas leyendas durante la Edad Media, incluyendo una historia que narra cómo llevó en sus manos su propia cabeza, después de que fuera cortada, a una distancia de tres millas a la iglesia donde fue enterrada. Además de este relicario principal en Chich, hay un segundo ante el que las gentes continuaron rezando hasta 1502. Puede ser que en realidad hubiese dos Ositas, una de Chich y otra de Aylesbury, que se combinaran en la misma figura.]

9 DE OCTUBRE

San Dionisio

(DENIS) DE PARÍS, Y SUS COMPAÑEROS, MÁRTIRES *(lám. 66)*

† 272

De todos los misioneros romanos enviados a la Galia, San Dionisio fue el que llevó la fe más allá en este país, fijando su sede en París, y gracia a él y sus discípulos se erigió la sede de Chartres, Senlis y Meaux. Se nos asegura en los acontecimientos del martirio de San Dionisio que este celoso obispo construyó una iglesia en París, y convirtió a un gran número a la fe.

Parece haber sufrido la persecución de Valerio en el año 272, aunque algunos modernos aplazan su muerte

hasta el principio del reinado de Maximian Herculeus, quien residió principalmente en la Galia entre los años 286 y 292. Los martirologios occidentales nos informan de que después de un largo y cruel encarcelamiento, fue decapitado por la fe junto con Rusticul, un sacerdote, y Eleutherius, un diácono. Los hechos añaden que los cuerpos de los mártires fueron arrojados al río Sena, pero recogidos y honrosamente enterrados por una dama cristiana llamada Catalla, no lejos del lugar donde fueron decapitados. Los cristianos poco después construyeron una capilla sobre sus tumbas.

En el año 469, por las piadosas exhortaciones de Santa Genoveva, se levantó una iglesia sobre las ruinas de esta capilla, que fue un lugar de gran devoción, muy visitado por los peregrinos. Por donación de Clotaire II parece que aquí estuvo entonces una comunidad religiosa gobernada por un abad. Dagobert, que murió en el año 638, fundó una gran abadía en este lugar en la que fue enterrado, y que ha sido durante muchos años el lugar de enterramiento de los reyes de Francia. Pepin y su hijo Carlomagno fueron los principales benefactores de este monasterio, que fue magníficamente reconstruido por el abad Suger. Las reliquias de los santos Dionisio, Rusticus y Eleuterio se conservan en tres relicarios de plata. San Dionisio de Francia es comúnmente llamado San Denis, de los Denis franceses.

12 DE OCTUBRE

San Wilfrido

OBISPO DE YORK

† 709

San Wilfrido nació en Northumberland hacia el año 634. A los catorce años fue enviado a Lindisfarne. Un deseo de mejorar le hizo concebir el proyecto de un viaje a Francia y a Italia. En Lyon fue retenido un año entero por San Delphinus, arzobispo de la ciudad, que le ofreció a su sobrina en matrimonio. Peor el santo continuó firme en la resolución que había tomado de dedicarse a Dios. En Roma, el santo papa San Martín le dio su bendición. Después de esto, Wilfrido dejó Roma, y volvió a Lyon donde recibió la tonsura de San Delphinus.

Alcfrid, hijo del rey Oswi, al ser informado de que Wilfrido se había instruido en la disciplina de la iglesia romana, mandó por él y lo conjuró a instruirlo a él y a su pueblo. Este santo Wilfrido consintió y el príncipe le dio tierras en Rippon para fundar allí un monasterio. Agilbert, obispo de los sajones del Oeste, dijo que una persona con sus méritos debía ser ascendida a obispo y lo ordenó sacerdote en el año 663. Alcfrid envió a Wilfrido a Francia para recibir la consagración, pero al estar ausente tanto tiempo Wilfrido, Oswi hizo que se ordenase obispo a Chad. A su vuelta a Inglaterra se retiró a Rippon. San Theodorus, Archobispo de Canterbury, encontró que la elección de Chad había sido irregular y puso a San Wilfrido en posesión de la sede de York en el año 669. La condición monástica era el principal objeto de preocupación de San Wilfrido; y para ello se asentó entre los ingleses del centro y del norte.

El rey Egfrid había tomado como esposa a Santa Audry, quien prefiriendo una vida religiosa recibió el velo de San Wilfrido. Esta acción provocó al rey y se

emprendió el proyecto de dividir su obispado. Wilfrido apeló al Papa y embarcó hacia Roma. Al ser llevado por vientos contrarios hacia las cosas de Friesland, convirtió y bautizó allí a muchos. Llegó a Roma en el año 679. Un sínodo decretó que en la Iglesia británica un arzobispo debía ordenar a los otros obispos; pero que ninguno de los obispos podía entrometerse en los derechos de los otros. Cuando Wilfrido llegó a Inglaterra, reparó en el reino de los sajones del Sur, donde residió en la península de Selsey, hasta la muerte de Egfrid, cuando fue llamado de nuevo a Northumberland. Después de su restauración, su vigilancia y su celo levantaron tormentas contra él y se retiró a Mercia. Al ver que sus enemigos estaban solicitando una sentencia de deposición contra él, apeló por segunda vez a Roma. El papa Juan VI absolvió honorablemente al santo y le envió cartas encargándole el arzobispado de Brithwald para convocar un sínodo que le hiciera justicia. Su restitución fue acordada y Wilfrido tomó posesión de la diócesis de Hexham, pero residió principalmente en Rippon. Murió en Oundle el 24 de abril del año 709. El 12 de octubre, día de su traslado, se convirtió en su festividad principal.

13 DE OCTUBRE

San Eduardo

REY Y CONFESOR *(lám. 67)*

† 1066

Este príncipe era hijo del rey Ethelred II, de su segunda esposa Emma, hija de Ricardo I, y hermana de Ricardo II, tercero y cuarto Duque de Normandía respectivamente. Aunque educado en el palacio del Duque de Normandía, fue siempre enemigo de la vanidad, el placer y el orgullo. Su carácter desde su juventud reunía todas las virtudes morales y cristianas.

Con la alegría de todo su reino, fue ungido y coronado en el día de Pascua de 1042, teniendo cuarenta años. Aunque ascendió al trono en los tiempos más difíciles de insurrecciones y conmociones, sin embargo nunca fue un reinado más feliz. Incluso los daneses asentados en Inglaterra amaban, respetaban y temían su nombre. La única guerra santa que el santo emprendió fue para restaurar a Malcolm, rey de Escocia, a la que una gloriosa victoria puso fin inmediatamente. En casa, el conde Godwin y otros ambiciosos espíritus se quejaron de que tenía a muchos normandos a su alrededor. Peor el rey les hizo entrar en razón o los obligó a abandonar sus dominios sin derramar sangre.

Siendo situado en el trono, fue animado tanto por la nobleza como por el pueblo a tomar esposa. El conde Godwin, cuyo poder y riqueza parecían elevarlo por encima de los otros súbditos, hizo todo lo posible para que la elección recayera en su hija Edgitha, una dama totalmente diferente a su padre, siendo notable por su virtud y su abstención. Eduardo esperaba que ella se comprometiese fácilmente a convertirse en su esposa con la condición de vivir siempre en santa virginidad, no estando en su poder otra forma de matrimonio, al haberse consagrado a Dios por un voto de perpetua castidad. Ella con presteza accedió a ello, uniéndose en santo matrimonio, y vivieron siempre como hermano y hermana.

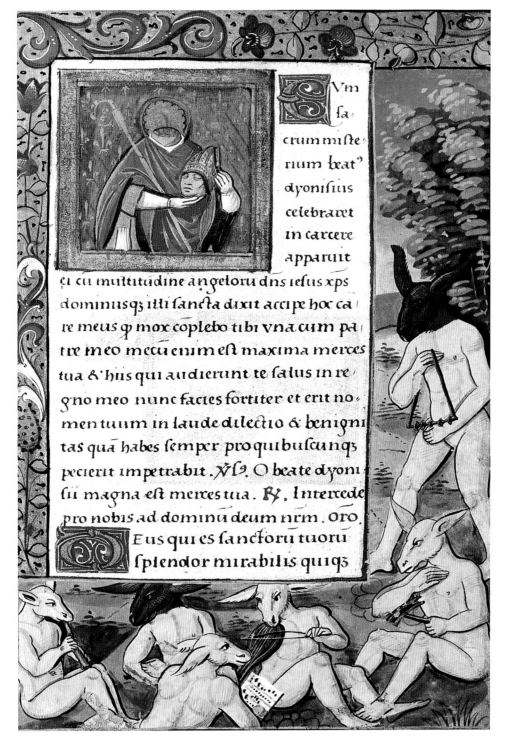

LÁMINA 66. SAN DIONISIO DE PARIS, 9 DE OCTUBRE. BODLEIAN LIBRARY, MS DOUCE 276, F.124.

Las leyes establecidas por San Eduardo fueron el fruto de su sabiduría, y la de sus consejeros. En ellas los castigos eran muy suaves; prácticamente ningún crimen era capital y las multas eran justas, no infringidas por el placer de los jueces.

San Eduardo residió algunas veces en Winchester, otras en Windsor, o en Londres. Siendo las Navidades las únicas festividades en las que la nobleza atendía al rey, San Eduardo eligió esta solemnidad para la dedicación de la nueva iglesia de Westmister. El rey firmó la carta de la fundación y de las inmunidades y privilegios concedi-

dos a esta iglesia. Cayendo enfermo antes de que hubiese acabado la ceremonia de la dedicación, continuó en ella hasta el final. Entonces fue a su cama, y se preparó para el pasaje a la eternidad. En sus últimos momentos viendo a los nobles bañados en lágrimas alrededor de su cama, y a su virtuosa y cariñosa reina sollozando más vehementemente que el resto, la encomendó a su hermano Harold y a otros señores, y declaró que la dejaba virgen. Expiró en paz el 5 de enero, en 1066, habiendo reinado treinta y tres años, y teniendo sesenta y cuatro de edad.

14 DE OCTUBRE

San Calixto

O CALLISTUS, PAPA Y MARTIR

† 222

El nombre de San Callistus se hizo célebre por el antiguo cementerio que él embelleció y que, por el gran número de mártires cuyos cuerpos fueron allí depositados, era el más famoso de Roma. Era un romano por nacimiento y sucedió a San Zeferino en el pontificado en el año 217 o 218. Habiendo sido Antonio Carcalla, que había sido el más bárbaro opresor del pueblo, masacrado por Macrinus, quien asumió la púrpura en el año 217, el imperio se veía amenazado por todos los lado con conmociones. Julia Moesa, hermana de la madre de Caracalla, tenía dos hijas, Sohemia y Julia Mammaea. La última fue la madre de Alejandro Severus, la primera de Heliogabalus, quien triunfó por dinero con el ejército en Siria para proclamar a su emperador; y Macrinus fue vencido y asesinado en el año 219.

Heliogabalus, a causa de su antinatural lujuria, prodigalidad y gula, fue uno de los tiranos más detentados, siendo asesinado el 11 de marzo del 222. Su primo Alejandro fue por su clemencia, modestia y prudencia uno de los mejores príncipes. Tenía en su capilla privada imágenes de Cristo, Abraham y Orpheus, y aprendió de su madre a tener en gran estima a los cristianos. Refleja un gran honor en nuestro Papa el que este sabio emperador soliera siempre admirar con qué cuidado se elegía a las personas que eran ascendidas al sacerdocio, cuyo ejemplo siempre propuso a sus oficiales y al pueblo, para ser imitado en la elección de los magistrados. Fue en su pacífico reinado cuando los cristianos empezaron por primera vez a construir iglesias, que fueron destruidas en las siguientes persecuciones.

San Callistus se opuso a las orgías de Heliogabalus con lágrimas y ayunos. Sus labores apostólicas fueron recompensadas con la corona del martirio el 12 de octubre del año 222. El calendario Liberiano testifica que fue enterrado el 14 de este mes a tres millas de Roma.

[Nota editorial: Se dice que Callistus había sido un esclavo cuyo amo le dio una gran suma de dinero para invertir. Callistus perdió el dinero y fue sentenciado a la rueda de molino. Aunque otros de sus acreedores se las arreglaron para liberarlo, fue de nuevo arrestado y lo mandaron a trabajar a las minas de Sardinia. Finalmente fue liberado y regresó a Roma donde entró en el sacerdocio.]

15 DE OCTUBRE

Santa Teresa

(lám. 68)

† 1582

Santa Teresa nació en Ávila, en la Vieja Castilla, el 28 de marzo de 1515. Su padre era de una buena familia y tenía tres hijos de su primera esposa y nueve de la segunda, la madre de nuestra santa, que murió cuando Teresa tenía once años. Por esta época, una prima, una joven mujer mundana, empezó a visitarla y a operar un cambio tal en

Teresa que, olvidando sus anteriores devociones, se apartó gradualmente de su fervor. Su padre la llevó a un convento, pero después de un año y medio la santa cayó peligrosamente enferma y su padre la llevó de vuelta a casa.

Después de una violenta fiebre (pues solía tener una salud delicada) determinó hacerse monja. Fue en secreto al convento de las monjas carmelitas fuera de las murallas de Ávila, donde su gran amiga la hermana Juana Suárez vivía e hizo su profesión el noviembre, 1534.

Santa Teresa, después de haberse ejercitado veinte años el la oración mental, tenía frecuentes experiencias interiores y fue censurada por todas partes y ridiculizada como una entusiasta o una hipócrita. En 1559 San Pedro de Alcántara, al venir a Ávila, conversó bastantes días con Teresa y descubrió en ella ciertos signos de las gracias del Espíritu Santo. En sus éxtasis se le hacían revelaciones. En sus raptos a veces se elevaba en el aire. Algunas veces vio a Cristo en el seno de su Padre, otras a la Virgen María y otros santos, y con frecuencia a ángeles.

San Teresa concertó un proyecto de establecer una reforma en su Orden. A pesar de la violenta oposición de las otras monjas, la nobleza, los magistrados y el pueblo, una hermana casada de la santa junto con su marido comenzaron a construir un nuevo convento en Ávila en 1561. La carta del Papa para la elevación de su nuevo convento fue allí llevada y hacia finales del año 1563 el obispo decidió con el provincial enviar a Teresa a este nuevo convento, al que fue seguido por cuatro fervientes monjas del antiguo convento. Al venir el general de la Orden a Ávila en 1566, quedó encantado por el sabio gobierno de la casa y dio autoridad a Santa Teresa para fundar otros conventos sobre el mismo plan.

Santa Teresa declaraba que la oración, el silencio, el retiro y la penitencia eran los cuatro pilares del edificio espiritual que había erigido. Vivió para ver sesenta conventos de monjas de la Orden Reformada fundados, y catorce conventos de frailes carmelitas. Volvía a Ávila, donde era priora, cuando la Duquesa de Alba la llamó. Estaba en aquel tiempo muy enferma. Peor cuando llegó a Alba, conversó con la Duquesa muchas horas, y entonces fue a su convento en la ciudad. Se vio aquejada de un flujo y cayó en cama, y ya no se levantó de ella. Expiró el 4 de octubre de 1582, siendo contado el siguiente día como 15 (por la reforma del calendario) el señalado como su festividad.

16 DE OCTUBRE (17 DE OCTUBRE)

Santa Hedwiges

DUQUESA DE POLONIA

† 1243

El padre de esta santa era Bertold III, marqués de Meran, conde de Tyrol y príncipe de Carinthia e Istria. Fue llevada muy joven al monasterio de Lutzingen, y sólo fue sacada de allí cuando tenía doce años, para casarse con Henry, duque de Silesia. Después de dar a su esposo tres hijos, comprometió a su marido para que consintiera en realizar un mutuo voto de perpetua continencia, y desde entonces sólo se encontraron en lugares públicos. Su marido fielmente mantuvo la promesa durante treinta años, tiempo durante el cual no llevó ni plata, ni oro, ni púrpura y nunca afeitó su barba, por lo que le dieron el sobrenombre de Henry el Barbado.

EDWARDVS REX. ANGLIÆ

DIEU ET MON DROIT

LAMINA 67. SAN EDUARDO CONFESOR, 13 DE OCTUBRE. BUTLER, *VIDA DE LOS SANTOS,* ED. ILUSTRADA EN DOS VOL. PUBLICADA EN EL SIGLO XIX.

El duque, persuadido por ella, fundó un gran monasterio de monjas cistercienses en Trebnitz. La construcción comenzó en 1203, y se llevó a cabo en quince años sin interrupción, durante los cuales los malhechores en Silesia, en lugar de otro castigo, eran condenados a trabajar allí. El monasterio se terminó y la iglesia se dedicó en 1219.

La duquesa practicaba en su palacio mayores austeridades que aquellas de los más rígidos monjes y gastaba todos sus ingresos en aliviar a los menesterosos. Su deseo de mejorar en la perfección hizo que abandonase el palacio con el consentimiento de su marido y se estableciera en Trebnitz, cerca del monasterio. Hacía frecuentes retiros de varios días al monasterio, donde participaba con la comunidad en todos los ejercicios penitenciales. Llevaba el mismo manto y túnica tanto en invierno como en verano. Ayunaba todos los días excepto los domingos y las grandes fiestas. Al ir a las iglesias descalza, sus pies se llenaban de ampollas y dejaban el suelo manchado con marcas de sangre. Su ejemplo tuvo una influencia tan poderosa sobre su marido, que él comenzó a imitar en algún grado sus virtudes. Murió en 1238, y desde entonces ella se puso el hábito religioso en Trebnitz y vivió en obediencia a su hermana Gertrudis quien, habiendo hecho su profesión religiosa en aquel convento cuando fue fundado, había sido elegida abadesa.

Tres años después de la muerte de su marido, sufrió una grave prueba al perder a su hijo mayor y el más amado, Henry, que había sucedido a su padre. Los tártaros después de saquear Rusia y Bulgaria llegaron a Cracovia en Polonia. El duque Henry reunió sus fuerzas en Legnitz y durante algún tiempo condujo a los bárbaros delante de él, pero fue asesinado. Santa Hedwiges misma se había retirado a la fortaleza de Chrosne. Al recibir las noticias del desastre, sin derramar un lágrima, dijo, «Gracias, Dios mío, por darme un hijo así. Verlo vivo fue mi mayor alegría; pero siento todavía mayor placer al verlo unido a ti en el reino de tu gloria.» Dios se complació en poner un fin feliz a sus labores llamándola ante él el 15 de octubre de 1243.

17 DE OCTUBRE (1 DE FEBRERO)

San Ignacio

OBISPO DE ANTIOQUÍA (lám. 69)

† 107

San Ignacio fue un celoso converso y un discípulo allegado de San Juan Evangelista, como sus hechos nos aseguran. Durante la persecución de Domiciano, San Ignacio defendió a su congregación con plegarias, ayunos y predicaciones diarias de la palabra de Dios. Él disfrutó la paz restaurada a la muerte del emperador; pero los gobernadores de muchas provincias reanudaron la persecución bajo el reinado de Trajano, su sucesor. Este emperador, en el año 106, partió hacia el este en un campaña contra los Parthinians e hizo su entrada en Antioquía el 7 de febrero del año 107. Su primera preocupación fue el culto de los dioses, y resolvió compeler a los cristianos para que hicieran sacrificios ante ellos o sufrieran la muerte.

Ignatius permitió ser tomado y llevado ante Trajano, que lo sentenció a que lo ataran y lo condujeran a Roma, para ser devorado allí por las fieras salvajes para entretenimiento del pueblo. Habiendo rezado por la iglesia, Ignacio se puso las cadenas y fue llevado deprisa por una tropa de soldados para conducirlo a Roma. A su llegada a Seleucia,

un puerto de mar a unos 25 kilómetros de Antioquía, fue llevado a bordo de un barco. Al llegar a Smyrna, se le permitió que desembarcara para ir a saludar a San Policarpo, que había sido su compañero discípulo con San Juan, y salieron a su encuentro los delegados de muchas iglesias que habían sido enviados para saludarlo. Desde Smyrna escribió San Ignacio cuatro cartas. En la destinada a la iglesia de Ephesus exhortaba al pueblo a mantenerse unánime con su obispo y sacerdotes y a reunirse lo más frecuentemente posible para orar en común, para debilitar el poder de Satán; para oponer tan sólo la docilidad a la furia, la humildad a jactancia y soportar todas las injurias sin murmurar. Llamaba a la Eucaristía la medicina de la inmortalidad, el antídoto contra la muerte Repite instrucciones similares a las iglesias de Magnesia y a la de los Trallianos. Su cuarta carta se dirigía a los cristianos de Roma para pedir que no se esforzasen por suplicar a Dios que las bestias le conservasen la vida. Escribe, «Aunque esté vivo al escribir esto, mi deseo es morir. Mi amor está crucificado.»

Los guardias hicieron que el santo dejara Smyrna, para poder llegar a Roma antes de que el espectáculo terminase. Navegaron hacia Troas, donde escribió otras tres cartas a la iglesia de Philadelphia, a la de Smyrna y a San Policarpo. Al desembarcar, los creyentes de Roma vinieron a recibirlo y fue conducido con premura al anfiteatro. El santo, al oír rugir a los leones, gritó, «Soy el trigo del Señor; debo ser molido por los dientes de estas bestias para hacer el puro pan de Cristo.» Dos fieros leones lo devoraron instantáneamente, no dejando de su cuerpo más que los huesos grandes. Su martirio ocurrió en el año 107.

18 DE OCTUBRE

San Lucas

EVANGELISTA (lám. 70)

† SIGLO I

San Lucas fue un prosélito de la religión cristiana, y escribió su Evangelio de los relatos de aquellos «que desde el principio fueron testigos y ministros de la palabra». Tan pronto como fue iluminado se puso a aprender de corazón el espíritu de su fe y a practicar sus lecciones. Se convirtió en el compañero de San Pablo en sus viajes y su colaborador en el ministerio del Evangelio. La primera vez que en su historia de las misiones de San Pablo habla en su proescribió su evangelio de los relatos de aquellos «que desde el principio fueron testigos y ministros de la palabra». Tan pronto como fue iluminado se puso a aprender de coraza el espíritu de su fe y a practicar sus lecciones. Se convirtió en el compañero de San Pablo en sus viajes y su colaborador en el ministerio del evangelio. La primera vez que en su historia de las misiones de San Pablo habla en su propio nombre y en primera persona es cuando este apóstol navegó de Troas a Macedonia, en al año 51, poco después de que San Bernabé lo dejara. Antes de esto, fue sin duda un asiduo discípulo de este gran apóstol; pero desde entonces parece que no lo abandonó salvo cuando le comisionaba para las iglesias que había implantado. En su compañía estuvo algún tiempo en Philippi, después viajó con él por todas las ciudades de Grecia.

Alrededor del año 56 San Pablo envió a San Lucas con San Tito a Corinto, con la alta encomienda de que su orgullo en el Evangelio resonase en todas las iglesias. San Lucas lo atendió en Roma, a donde había sido enviado

LAMINA 68. SANTA TERESA, 15 DE OCTUBRE. BUTLER, *VIDA DE LOS SANTOS*, EDICION EN DOS VOLUMENES PUBLICADA EN EL SIGLO XIX.

como prisionero desde Jerusalén en el año 61. El apóstol permaneció allí dos años encadenado, pero le permitieron vivir en una casa que alquiló, aunque bajo la custodia de un guardián; y allí predicó a aquellos que diariamente volvían para escucharlo. San Lucas fue el apóstol fiel que lo ayudó y lo atendió durante su confinamiento, y tuvo la felicidad de verlo puesto en libertad en el año 63.

San Epifanio dice que después del martirio de San Pablo, San Lucas predicó en Italia, Galia, Dalmatia y Macedonia. Nicephorus dice que murió en Tebas en Boetia, y que su tumba se muestra cerca de este lugar. Los modernos griegos nos dicen que fue crucificado en un olivo. Los huesos de San Lucas fueron trasladados a Patras en el año 357, por orden del Emperador Constantino, y depositados en la iglesia de los Apóstoles en Constantinopla, junto con los de San Andrés y San Timoteo. Algunas de sus reliquias se conservan en el gran monasterio sobre el Monte Athos en Grecia.

25 DE OCTUBRE

Santos Crispín

Y CRISPINIANO, MÁRTIRES.

† 287

Los nombres de estos dos gloriosos mártires son famosos en Francia. Vinieron de Roma a predicar la fe a la Galia

LAMINA 70. SAN LUCAS, 18 DE OCTUBRE. BODLEIAN LIBRARY, MS. ADD. A 185, F. 15

hacia mediados del siglo III. Fijando su residencia en Soissons, instruyeron a muchos en la fe de Cristo, que predicaron públicamente todos por el día, a intervalos estacionales; y trabajaron con sus propias manos por la noche, haciendo zapatos, aunque se dice que eran de noble cuna, y hermanos.

Los infieles escuchaban sus instrucciones y quedaban asombrados por el ejemplo de sus vidas, especialmente por su caridad, desinterés, piedad celestial y desdén por la gloria y todas las cosas terrenales; el efecto fue la conversión de muchos a la fe cristiana. Los hermanos habían continuado en su empeño bastantes años cuando, al llegar el emperador Maximian Hervuleus a la Galia Belga, una acusación fue arrojada contra ellos. El emperador, quizás para gratificar a sus acusadores tanto como para ceder a sus propias supersticiones y dar rienda suelta a su salvaje crueldad, dio orden de que fueran llevados ante Rictius Valus, el más implacable enemigo del nombre cristiano, a quien había hecho primer gobernador de esta parte de la Galia, y había ascendido a la dignidad de prefecto.

Los mártires vencieron sobre este inhumano juez, gracias a la paciencia y la constancia con la que soportaron los más crueles tormentos, y terminaron su vida por la espada alrededor del año 287. Son mencionados en los martirologios de San Jerónimo, Beda, Florus, Ado, etc. Una gran iglesia se construyó en Soissons en su honor en el siglo VI, y San Eligio ornamentó ricamente su sagrado relicario.

[Nota editorial: Existe una improbable tradición inglesa según la cual Crispín y Crispiniano escaparos de sus perseguidores en Galia y fueron a la ciudad de Faversham en Kent, donde existe un altar a ellos dedicado en la iglesia parroquial. La casa en la que supuestamente habrían vivido y trabajado fue objeto de peregrinación hasta el siglo XVII.]

26 DE OCTUBRE

San Cedd

OBISPO DE LONDRES

† 664

San Cedd era hermano de San Chad y sirvió durante mucho tiempo a Dios en el monasterio de Lindisfarne. Cuando Peada, el hijo de Penda, rey de Mercia, fue designado por su padre como rey de los ingleses de las tierras centrales, fue a la corte de Oswi, rey de los Northumbers, y fue allí bautizado junto con todos sus sirvientes por Finian, obispo de Lindisfarne. Cuatro sacerdotes, San Cedd, Adda, Betta y Diuma, fueron enviados a predicar el Evangelio entre su pueblo, los ingleses de las zonas centrales.

San Cedd, después de trabajar allí durante algún tiempo con mucho éxito, fue sacado de su misión para una nueva cosecha. Sigebert, rey de los sajones del Este, al visitar a Oswi, había sido convencido por el príncipe para que abandonase sus ídolos y fuera bautizado por Finian. Cuando regresó a su reino, pidió a Oswi que le enviase algunos maestros que pudiesen instruir a su pueblo en la fe de Cristo. Oswi llamó a San Cedd y los envió con otro sacerdote a los sajones del Este. Cuando habían viajado por toda la provincia, y recolectado numerosas iglesias para nuestro Señor, San Cedd regresó a Lindisfar-

LÁMINA 69. SAN IGNACIO DE ANTIOQUIA, 17 DE OCTUBRE. BUTLER, *VIDA DE LOS SANTOS*, ED. ILUSTRADA EN DOS VOL. PUBLICADA EN EL SIGLO XIX.

ne para consultar al obispo Finian, quien lo ordenó obispo de los sajones del Este. San Cedd, volviendo a esta provincia, continuó la labor que había iniciado, construyó iglesias y ordenó sacerdotes y diáconos.

Erigió dos monasterios en aquellas zonas, que al parecer fueron destruidos después por los daneses y nunca fueron restaurados. El primero lo fundó en una ciudad llamada Ythancester, que fue tragada gradualmente por la invasión del mar. El otro monasterio de San Cedd se construyó en Tilbury. En un viaje que hizo a su propio país, Ediwald, que reinaba en el condado de York, quiso que aceptase algunas tierras para construir un monasterio. San Cedd eligió un lugar entre un despeñadero y unas remotas montañas. Aquí decidió primero pasar cuarenta días ayunando y orando, para consagrar el lugar a Dios. Este monasterio, fundado en el año 658, fue llamado Lestingay. San Cedd situó en él a los monjes con un superior procedente de Lindisfarne; y continuó dirigiéndolo y después lo visitó muchas veces.

El año 664, San Cedd estuvo presente en el sínodo de Whitbi, en el que renunció a la costumbre escocesa, y estuvo de acuerdo en recibir la observancia canónica del tiempo de la Pascua. Poco después, una gran peste invadió Inglaterra y San Cedd murió de ella, en su querido monasterio de Lestingay, destruido después por los daneses, por lo que su exacta ubicación no se conoce. Treinta de los santos hermanos religiosos en Essex, al conocer su muerte, vinieron a Lestingay, con el propósito de vivir y morir donde su santo padre había terminado su vida. Fueron gustosamente recibidos, pero fueron atacados por la misma peste, excepto un niño pequeño, encontrando después que no había sido bautizado; siendo con el paso del tiempo ascendido al sacerdocio, vivió para ganar muchas almas para Dios.

27 DE OCTUBRE

San Frumentio
APÓSTOL DE ETIOPÍA

† SIGLO IV

Cierto filósofo llamado Metrodorus, llevado por su deseo de ver mundo, realizó muchos viajes y fue a Persia y llegó hasta la India, nombre que los antiguos dan a Etiopía. Su éxito animó a Meropius, un filósofo de Tyre, a emprender un viaje similar. Se llevó con él a dos de sus sobrinos, Frumentio y Edesio, de quienes le habían encargado la educación.

En el curso de su viaje de regreso, el barco arribó a un puerto para coger provisiones y agua fresca. Los bárbaros de aquel país detuvieron el barco y pasaron a toda la tripulación y a los pasajeros por la espada, excepto a los dos niños que estaban estudiando sus lecciones bajo un árbol a alguna distancia. Cuando fueron encontrados, fueron llevados ante el rey, que residía en Axuma, anteriormente una de las mayores ciudades del Este, ahora un pobre poblado llamado Accum. El príncipe quedó encantado por la agudeza de los dos niños, se encargó de su educación y no mucho después hizo a Edesios su copero, y Frumentio, que era el mayor, su tesorero y secretario de estado. Vivieron con grandes honores con el príncipe, quien en su lecho de muerte les dio las gracias por sus servicios y les dio la libertad.

Después de su pérdida, la reina, que se había quedado como regente de su hijo mayor, los persuadió para que se quedasen y la ayudasen en el gobierno del estado. Frumentio ostentaba la principal administración de los asuntos, y deseando promover la fe de Cristo, animó a los comerciantes cristianos que hacían sus negocios allí a establecerse en el país, y por medio de su propio fervor y ejemplo aconsejó la verdadera religión a los infieles.

Cuando el joven rey alcanzó la edad adecuada y tomó las riendas del gobierno en sus propias manos, los hermanos dimitieron en sus puestos, y aunque se les invitó a quedarse, Edesios volvió a Tyre, donde después sería ordenado sacerdote. Pero Frumentio marchó para Alejandría y convenció al obispo para que enviase un pastor a aquel país, ya listo para una conversión a la fe.

San Atanasio convocó un sínodo de obispos, y por su unánime consejo ordenó a Frumentio mismo obispo de los etíopes, juzgando que no había otro tan apropiado para continuar la tarea que él ya había iniciado. Frumentio, investido con esta sagrada dignidad, regresó a Axuma, y ganó a un gran número a la fe por medio de sus discursos; rara nación ha abrazado la fe con tanto fervor o la ha defendido con tanto coraje. Los abisinios lo honran como el apóstol del país de los axumitas, que constituye la parte más considerable de su imperio.

28 DE OCTUBRE

San Simón
APELLIDADO EL FANÁTICO, Y SAN JUDAS
APÓSTOLES (lám. 71)

† SIGLO I

A San Simón se le da el nombre de Cananeo y El Fanático para distinguirlo de San Pedro y de San Simeón. A juzgar por el primero de los sobrenombres muchos han pensado que nació en Caná, en Galilea, y ciertos griegos pretenden que fue en su boda cuando Cristo transformó el agua en vino. Hammond y Grotius piensan que San Simón fue llamado El Defensor porque pertenecía a aquella secta entre los judíos llamada los Fanáticos, por el particular celo que poseían en favor del honor de Dios y la pureza de la religión. Un partido llamado los Fanáticos fue famoso en las guerras de los judíos contra los romanos. Fueron los instrumentos principales en instigar al pueblo para sacudirse el yugo de la sumisión.

San Simón, después de su conversión, fue celoso con el honor de su Maestro, y exacto en todos los deberes de la religión cristiana. Sólo aparece mencionado en los Evangelios cuando fue aceptado por Cristo en el colegio de los Apóstoles. Algunos martirologios sitúan su martirio en Persia, y los que mencionan la forma de su muerte dicen que fue crucificado. La iglesia de San Pedro en el Vaticano en Roma, y la catedral de Toulouse se dice que poseen la mayor parte de las reliquias de San Simón y San Judas.

El apóstol San Judas se distingue del Iscariote por el sobrenombre de Thaddeus, que significa alabanza o confesión, y también por el de Lebbeus, que se le da en el texto griego de San Mateo. San Judas era hermano de San Jaime El Menor; así como de San Simeón de Jerusalén y de un José, a quien se les llama Hermanos de Nuestro Señor. El parentesco de este apóstol con nuestro Salvador le exaltó no tanto a los ojos de su Maestro sino en el desdén por el mundo y a los sacrificios en su favor.

No se conoce cuándo y cómo se convirtió en discípulo

de Cristo, al no decirse nada de él en los Evangelios antes de que lo encontremos enumerado en el catálogo de los Apóstoles. Después de la Ascensión de nuestro Señor y de la bajada del Espíritu Santo, San Judas partió para expulsar al príncipe de las tinieblas de su trono usurpado. Los martirologios nos dicen que San Judas predicó especialmente en Mesopotamia. San Paulinus dice que San Judas implantó la fe en Libia.

Este apóstol regresó a Jerusalén en el año 62 después del martirio de su hermano San Jaime, y escribió una epístola general a todas las iglesias del Este, particularmente dirigida a los judíos conversos. San Pedro había escrito a los mismos dos epístolas antes de esto y San Judas copió ciertas expresiones de San Pedro.

Fortunato y los martirologios occidentales nos dicen que San Judas sufrió martirio en Persia. Muchos griegos dicen que le dispararon flechas hasta la muerte; algunos añaden que mientras estaba atado a una cruz.

29 DE OCTUBRE

San Narciso
OBISPO DE JERUSALÉN

† SIGLO II

San Narciso nació hacia finales del siglo I, y tenía casi cuarenta años cuando fue emplazado a la cabeza de la iglesia de Jerusalén.

La veneración de todos los buenos hombres por este santo obispo pudo no ampararlo de la malicia de los perversos. Tres incorregibles pecadores, temiendo su inflexible severidad en la observancia de la disciplina eclesiástica, le cargaron con un detestable crimen. Confirmaron su atroz calumnia con horrorosos juramentos e imprecaciones; uno quiso perecer en el fuego, otro alcanzado por la lepra, y el tercero perder la vista, si lo que alegaban no era verdad. A pesar de estas protestas, su acusación no encontró crédito; y algún tiempo después, la venganza divina persiguió a los calumniadores.

Narciso, a pesar del escándalo, no había impresionado al pueblo, no pudo soportar el golpe de tan cruel calumnia, o tal vez la tomó como excusa para abandonar Jerusalén y pasar algún tiempo en soledad, lo que había deseado durante largos años. Pasó muchos años sin que lo descubrieran en su retiro, donde disfrutó toda la felicidad y el provecho que la íntima conversación con Dios pueda proporcionar. Como la iglesia no podía permanecer desprovista de un pastor, los obispos de las provincias vecinas, después de algún tiempo, situaron en ella a Pius, y después de él a Germanion, que, muriendo en poco tiempo, fue sucedido por Gordius.

Mientras este último detentaba la sede, Narciso apareció de nuevo, como surgido de la muerte. Todo el cuerpo de los creyente, entusiasmados al recobrar a su santo pastor, cuya inocencia había sido auténticamente justificada, lo conjuraron a reasumir la administración de la diócesis. El aceptó; pero después, vencido por el peso de la edad, hizo a Alejandro su coadjutor. San Narciso continuó sirviendo a su feligresía, e incluso a otras iglesias, por sus asiduas plegarias y sus ardientes exhortaciones a la unidad y la concordia, como San Alejandro testifica en su carta a Arsinoites en Egipto, donde dice que Narciso tenía en aquel tiempo alrededor de ciento dieciséis años.

30 DE OCTUBRE

San Marcelo
EL CENTURIÓN, MÁRTIR

† 298

El cumpleaños del emperador Maximian Herculeus se celebró en el año 298 con extraordinaria alegría y solemnidad. Pomposos sacrificios a los dioses romanos constituían una parte importante de la celebración. Marcelo, un centurión cristiano o capitán en la legión de Trajano, entonces apostada en España, para no ensuciarse tomando parte en esas impías abominaciones, arrojó su cinturón militar a la cabeza de su compañía, declarando en voz alta que era un soldado de Jesucristo, el Rey eterno. También se desprendió de sus armas y de la rama de parra, que era la marca de su puesto de centurión; pues los oficiales romanos tenían prohibido golpear a un soldado con otro instrumento que no fuera la rama de parra, que los centuriones llevaban usualmente en su mano.

Los soldados informaron a Anastasius Fortunatus, prefecto de la legión, por cuya orden Marcelo fue conducido a prisión. Cuando las celebraciones hubieron terminado, el juez ordenó que llevasen a Marcelo ante él, y le preguntó qué intentaba con sus últimas acciones. Marcelo dijo, «Cuando celebraste la festividad del emperador el 12 antes de las calendas de agosto, dije en alto que era un cristiano, y que no podía servir a otro que a Jesucristo, el Hijo de Dios.» Fortunatus le dijo que no estaba en su poder pasar por alto aquella temeridad, y que estaba obligado a poner el caso ante el emperador Maximian y el César Constantius.

España fue inmediatamente puesta bajo Constantius,

que era por aquel tiempo césar, y más favorable para los cristianos; pero Marcelo fue enviado con un fuerte guardián a Aurelian Agricolaus, vicario ante el prefecto del praetorium, que estaba entonces en Tánger, en Africa. Agricolaus le preguntó si realmente había hecho·lo que decía la carta del juez; y, al confesar los hechos, el vicario pasó la sentencia de muerte por su deserción e impiedad, como llamó a su acción. San Marcelo fue llevado a la ejecución y decapitado el 30 de octubre. Sus reliquias fueron trasladadas después de Tánger a León, en España, y se conservan en un relicario en la iglesia parroquial principal de esta ciudad, de la que es el santo titular.

1 DE NOVIEMBRE

Todos los Santos

(lám. 72)

La iglesia en esta gran festividad honra a todo los santos a un mismo tiempo; primero para dar gracias a Dios por las gracias de todos sus elegidos; en segundo lugar, para incitarnos a imitar sus virtudes; y en tercer lugar, para implorar la divina merced a través de esta multitud de intercesores.

Es en sus santos donde Dios ha obrado sus más maravillosas obras. Para ellos fue concebido este mundo; gracias a ellos se preserva y gobierna. En las revoluciones de estados e imperios, y en la extirpación de conservación de ciudades y naciones, Dios tiene presentes principalmente a sus elegidos. Por el secreto orden de su providencia, «Todas las cosas funcionan para el bien de ellos.» Por su bien, Dios hará más breves los malos días en el último período del mundo. Por la santificación de un alma elegida, él conduce con frecuencia innumerables segundas causas y fuentes ocultas. Y con qué infinita condescendencia y ternura hace Dios que todo vele por cada uno de sus elegidos¡ Con qué dones invisibles e indecibles los adorna¡ A qué sublime y asombrosa dignidad los exalta, haciendo de ellos los compañeros de los benditos ángeles, y coherederos de su divino Hijo¡ Débiles y frágiles hombres, sumergidos en el abismo del pecado, él, con su brazo omnipotente, y con su estupenda merced, ha rescatado de la esclavitud del mal y de las fauces del infierno; los ha limpiado de sus manchas; y con los ornamentos de su gracia, ha hecho de ellos los más hermosos y gloriosos, y con qué honor los ha coronado. Su gracia los condujo por la humildad, la paciencia, la caridad y la penitencia a través de las ignominias, los tormentos, los dolores, las penas, las mortificaciones y las tentaciones, a la alegría y la bendición, por la cruz a sus coronas.

Estos gloriosos ciudadanos del Jerusalén celestial han sido por él elegidos de todas las tribus de los hijos de Israel, y de todas las naciones, sin distinción, de los griegos o de los bárbaros; personas de todas las edades, mostrando que no hay edad que no sea apropiada u oportuna para el cielo; y de todos los estados y condiciones; en el trono entre la pompa de la grandeza del mundo; en la cabaña; en el ejército; en el comercio; clérigos; monjas, vírgenes, personas casadas, viudas, esclavos y hombres libres.

Dios no obliga a ningún hombre a abandonar sus ocupaciones en el mundo; por el contrario, les ordena diligentemente desempeñar cada parte de sus administraciones temporales. El comerciante está obligado a atender su negocio, el campesino su arado, el sirviente su trabajo, el amo el cuidado de su casa y sus propiedades. Pero entonces, deben siempre reservarse para el placer de sus deberes espirituales y religiosos.

3 DE NOVIEMBRE

San Malaquías
ARZOBISPO DE ARMAGH

† 1148

En el siglo V Irlanda se convirtió del paganismo al cristianismo; pero en el siglo IX estaba infestada por bárbaros, quienes, bajo el nombre de normandos, saqueaban a un mismo tiempo los distritos marítimos de Francia, Inglaterra y Escocia. Fue en este estado donde nació este santo. Malaquías era oriundo de Armagh. Para aprender más profundamente el arte de vivir enteramente para Dios, se puso bajo la disciplina de un santo hombre llamado Imar, que llevaba una vida austera en una celda cerca de la iglesia de Armagh. Este paso en uno de su edad asombró a toda la ciudad y sus amigos se lo reprocharon. Pronto muchos desearon ser sus compañeros. Malaquías convenció a Imar para que admitiera a los más fervientes entre estos demandantes y formó una comunidad considerable.

Imar y Celsus, arzobispo de Armagh, juzgaron a Malaquías digno de las sagradas órdenes y el prelado le obligó a recibir el sacerdocio cuando tenía veinticinco años de edad. Al mismo tiempo, el arzobispo le hizo su vicario para predicar la palabra de Dios y extirpar las malas costumbres. Malaquías renovó el uso de los sacramentos, especialmente de la confesión, de la confirmación, y el matrimonio regular.

La gran abadía de Benchor estaba en aquel tiempo en una desolada condición, y su hacienda la poseía un tío de San Malaquías. Este tío la dejó a su sobrino y gracias al cuidado del santo se convirtió en un floreciente seminario. San Malaquías, a los treinta años fue elegido obispo de Connor. Después de algunos años, la ciudad de Connor fue tomada y saqueada por el rey de Ulster; por lo que San Malaquías junto con ciento veinte discípulos se retiró a Munster y allí construyó el monasterio de Ibrac. Mientras nuestro santo gobernaba esta familia, el arzobispo Celsus fue atacado por una enfermedad de la que murió y señaló a San Malaquías como su sucesor. Para conseguir la confirmación de todo lo que había hecho, emprendió un viaje a Roma en 1139. En su viaje a través de Francia, visitó Clairvaux, donde fue tan edificante la piedad que encontró en San Benito y sus monjes que deseó unirse a ellos. El papa Inocencio II lo recibió con gran honor pero no escuchó su petición para pasar el resto de su vida en Clairvaux. Lo hizo su legado en Irlanda.

San Malaquías fue recibido en Irlanda con gran júbilo y desempeñó su oficio con maravilloso celo, convocando sínodos, aboliendo abusos y obrando muchos milagros. Inocencio murió antes de que los dos palios que le había prometido pudiesen ser enviados. San Malaquías recibió a un delegación para hacer una nueva solicitud a la sede apostólica. Determinó no cruzar los Alpes sin visitar a su amada Clairvaux. Pero cuando llegó allí cayó enfermo con fiebre y murió el 2 de noviembre de 1148.

LAMINA 72. TODOS LOS SANTOS, 1 DE NOVIEMBRE. BUTLER, *VIDA DE LOS SANTOS*, EDICION ILUSTRADA EN DOS VOL. PUBLICADA EN EL S. XIX.

4 DE NOVIEMBRE

San Carlos

BORROMEO, CARDENAL, ARZOBISPO DE MILÁN

† 1584

San Carlos Borromeo era hijo de Gilberto, conde de Arona, y Margarita de Medici, y nació el dos de octubre de 1538, en el castillo de Arona, a orillas del Lago-Mayor (Maggiore). Carlos aprendió latín y humanidades en Milán y fue después enviado a Pavia donde estudió derecho civil y canónico. A causa de un problema en su habla y de su amor por el silencio, algunos no lo tenían bien considerado, pero hizo grandes progresos.

Su tío, el cardenal de Medici, fue elegido Papa en 1559 y lo nombró arzobispo de Milán cuando tenía sólo veintitrés años de edad. El Papa, sin embargo, lo retuvo en Roma, confiándole la administración del estado eclesiástico y lo hizo su legado en Bolonia, Romaniola y Ancona, y protector de Portugal, los Países Bajos y los Cantones católicos de Suiza.

En noviembre de 1562 el hermano mayor del santo murió de fiebres. Todos sus amigos y el Papa lo convencieron para que dejase sus dignidades eclesiásticas; pero fue ordenado sacerdote ante del final de aquel año. Fundó el noble colegio de los Borromeos en Pavia, para la educación del clero de Milán. El Concilio de Trento, que había sido con frecuencia interrumpido, concluyó en 1563, debido al celo incansable y a la prudencia de San Carlos Borromeo, que comenzó a reforzar el cumplimiento de todos sus decretos para la reforma de la disciplina.

El santo dejó Roma en 1565 y fue recibido en Milán con gran júbilo. Poco después, abrió su primer consejo provincial y se puso a visitar la diócesis. Vendió la bandeja y otros efectos por valor de treinta mil coronas y empleó toda la suma en el alivio de las familias necesitadas de la diócesis, construyó seminarios y reparó iglesias y hospitales. Su confesor era Gryffydd Roberts, un galés. San Carlos, a través de seis concilios provinciales y once sínodos diocesanos, hizo excelentes reformas en las costumbres tanto del clero como del pueblo y estableció escuelas en las que había tres mil cuarenta catequistas y cuarenta mil noventa y nueve alumnos.

En 1568 tomó en sus manos la reforma de los Humiliati, una Orden religiosa de la que fue el protector. Habiendo empleado todos los medios para anular las regulaciones que nuestro santo había hecho, tres directores de aquella Orden conspiraban para asesinar al arzobispo. Mientras el prelado estaba en sus devociones, un asesino disparó contra él un trabuco pero el disparo rasgó sus ropas y se detuvo en su piel, dejando sólo una magulladura. En 1575 brotó una plaga, y aunque sus vicarios intentaron que no expusiese su vida, él no abandonó a su pueblo sino que dio sus muebles a los indigentes, incluso la cama de paja en la que yacía.

Murió en la noche entre los días 3 y 4 de noviembre de 1584.

5 NOVIEMBRE

Santa Bertila

ABADESA DE CHELLES

† 692

Santa Bertila nació de una de las más ilustres familias de Soissons, en el reinado de Dagobert I. Desde su infancia prefirió el amor de Dios al de las criaturas y cuando creció aprendió a desdeñar el mundo y deseaba fervientemente renunciar a él. No atreviéndose a desvelar esta inclinación a sus padres, primero abrió su corazón a San Ouen, quien la animó en su resolución.

Sus padres la condujeron a Jouarre, un gran monasterio en Brie, fundado no mucho antes por Ado, hermano de San Ouen, quien tomó el hábito monástico allí y estableció un convento de monjas en los alrededores. Santa Bertila fue recibida con gran alegría e instruida en la estricta práctica de la perfección monástica. Por su sumisión a todas sus hermanas, parecía la sirviente de todas y en todos sus comportamientos era un modelo de humildad, obediencia y devoción. Aunque era aún joven, se le encomendó recibir a los extranjeros, a los enfermos y a los niños que eran educados en el monasterio. Había cumplido bien con todos estos deberes con gran caridad cuando fue elegida priora para ayudar a la abadesa.

Cuando Santa Bathildes, esposa de Clovis II, refundó la abadía de Chelles cerca de Marnes, a 25 kilómetros de París, deseó que la abadesa le suministrara un pequeño grupo de experimentadas monjas de Jouarre que pudiesen dirigir a las novicias. Bertila fue enviada a la cabeza de esta santa compañía y fue designada como la primera abadesa de Chelles en el año 646 aproximadamente. La reputación de la santidad de nuestra santa atrajo a muchas princesas extranjeras. Entre otras, Beda menciona a Hereswith, reina de los anglos del Este, quien en el año 646 se convirtió en monja de Chelles. La reina Bathildes, después de la muerte de su marido en el año 655, se hizo cargo de la regencia del reino durante la minoría de edad de su hijo, pero tan pronto como tuvo edad de gobernar en el año 665 se retiró allí, tomó los hábitos religiosos de las manos de Santa Bertila y la obedeció como si fuera la última de las hermanas de la casa.

Santa Bertila gobernó este gran monasterio por espacio de cuarenta y seis años con el mismo vigor y discreción. En su vejez, lejos de que su fervor disminuyera, se esforzaba diariamente por redoblarlo. En esta santa disposición la santa terminó su vida penitencial en el año 692.

6 DE NOVIEMBRE

San Leonardo

ERMITAÑO (lám. 73)

† SIGLO VI

San Leonardo era un noble francés de la corte de Clovis I, y en la flor de su juventud se convirtió a la fe gracias a San Remigio, probablemente después de la batalla de Tolbiac. Decidió dejar a un lado todas las ocupaciones mundanas, dejó la corte y se convirtió en un discípulo constante de San Remigio. Predicó la fe algún tiempo, pero encontrando muy difícil resistir a las importunidades del rey, que necesitaba llamarlo a la corte, y ardiendo de deseos por consagrarse enteramente a los ejercicios de penitencia y contemplación, se retiró secretamente al territorio de Orleans, donde San Mesmin gobernaba el monasterio de Micy. En esta casa San Leonardo tomó el hábito religioso.

Aspirando San Leonardo a una soledad mayor, con el permiso de San Mesmin, dejó su monasterio, viajó a través de Berry y llegó a Limousin, eligiendo para su retiro un bosque a cuatro leguas de Limoges. Aquí, en un lugar llamado Nobiliac, construyó un oratorio, vivió de hierbas salvajes y frutos y no tuvo más testigo de sus virtudes que a Dios. Su devoción a veces le llevaba a las iglesias de los alrededores, y algunos que se sintieron inflamados por sus discursos con el deseo de imitarlo en su forma de vida se unieron a él en su soledad y formaron una comunidad, que en los tiempos venideros se convertiría en un floreciente monasterio.

Habiéndose extendido la reputación de su santidad, el rey le ofreció a él y a sus hermanos ermitaños una parte considerable del bosque donde vivían. El santo, incluso antes de retirarse a Micy, había sido notable por su caridad, la concedió un privilegio especial por el que podía algunas veces dar la libertad a los prisioneros. Pero el principal objetivo del santo en su caritativo empleo era lleoraciones, y que el rey, por respeto a su eminente santidad, le concedió un privilegio especial por el que podía algunas veces dar la libertad a los prisioneros. Peor el principal objetivo del santo en su caritativo empleo era llevar a los malhechores al verdadero sentido de sus pecados y a un sincero sentimiento de compunción. Cuando hubo llenado su medida de buenas obras, sus labores fueron recompensadas con una feliz muerte alrededor del año 559, según el nuevo breviario de París.

En honor a este santo su iglesia disfruta aún de grandes exenciones de los gravámenes y exacciones públicos. Muchos otros lugares en Francia llevan su nombre, y muchas grandes iglesias de Inglaterra de las que él es el santo titular muestran que su nombre no era menos famoso en Inglaterra. En una lista de fiestas publicada en Worcester en 1240, la festividad de San Leonardo se ordena se conserve como medio día festivo, con obligación de oír misa y la prohibición de trabajar excepto en las labores de la siembra.

7 DE NOVIEMBRE

San Willibrordo

PRIMER OBISPO DE UTRECHT

† 738

San Willibrordo nació en Northumberland hacia el año 658 y fue llevado por sus padres antes de que cumpliese los siete años al monasterio de Rippon. Willibrordo había

LÁMINA 73. SAN LEONARDO, 6 DE NOVIEMBRE. BRITISH LIBRARY, ADD. MS 54782, F.39.

hecho grandes progresos en conocimientos cuando, por el deseo de mayores mejoras, a los veinte años, fue a Irlanda, donde se unió a San Egbert y al bendito Wigbert. Pasó en su compañía doce años estudiando las ciencias sagradas.

San Egbert había albergado durante mucho tiempo el deseo de predicar el Evangelio en Friesland y en la baja Alemania. Pero fue disuadido de tal proyecto por personas de piedad que lo comprometieron a desarrollar sus labores en las islas situadas entre Irlanda y Escocia. Su compañero, Wigbert, fue mientras tanto a Friesland y después de dos años regresó sin haber alcanzado el éxito. Willibrordo, quien tenía entonces treinta y un años y había sido ordenado sacerdote el año anterior, expresó su gran deseo de que le permitiesen emprender este peligroso cargo. Se le unieron en su misión San Swidbert y otros diez monjes ingleses.

Nuestros doce misioneros desembarcaron en la desembocadura del Rin. Pepin El Grande, quien anteriormente había conquistado parte de Frisland, recibió con cortesía a San Willibrordo y a sus compañeros. Pero Willibrordo partió para Roma y se arrojó a los pies del papa Sergio, pidiendo su bendición y la autorización para predicar el Evangelio a las naciones idólatras. El Papa le concedió las más amplias licencias y le dio algunas reliquias para la consagración de las iglesias. San Willibrordo, bajo la protección de Pepin, predicó el Evangelio con maravilloso éxito en aquella parte de Friesland que había sido conquistada por los franceses; de forma que después de seis años Pepin envió al santo a Roma con cartas de recomendación para que fuera ordenado obispo. El papa Sergio le ordenó arzobispo de los friesanos.

El santo hombre estuvo sólo catorce días en Roma, volvió a Utrech, y eligió esta capital como su residencia. En el segundo año después de su consagración, fundó en el año 698 la abadía de Epternac, que gobernó hasta su muerte. No satisfecho de haber implantado la fe en el país que los franceses habían conquistado, extendió sus esfuerzos al oeste de Friesland, que obedecía a Radbod, Príncipe de los friesianos, quienes continuaban obstinadamente en la idolatría. El apóstol penetró también en Dinamarca y adquirió a treinta muchachos daneses a los que bautizó y trajo de vuelta con él. A su retorno, fue arrastrado por un temporal a la isla pagana llamada Fositeland (Heliogoland). Uno de su compañía fue sacrificado por la superstición del pueblo y murió como un mártir.

Después de la muerte de Radbod en el año 719, Willibrordo se vio con total libertad para predicar en cualquier parte del país. Por el celo de sus esfuerzos y el de sus colegas, la fe fue implantada en la mayor parte de Holanda, Zelanda y los Países Bajos. Murió, según Pagi, en el año 739 y fue enterrado en Epternac.

10 DE NOVIEMBRE (11 DE ABRIL)

San León

EL MAGNO (lám. 74)

† 461

San León, de sobrenombre El Magno, descendía de una noble familia de la Toscana. Al ser archidiácono de la iglesia de Roma, se encargaba de la dirección de los más importantes asuntos bajo el papa Celestino. Ocurrió que Aetius y Albinus, dos generales del emperador Valentinia-

no, estaban en desacuerdo en la Galia, y no habiendo nadie tan cualificado para solventar diferencias como León, fue enviado a esta importante misión. Durante su ausencia, Sixto III murió en el año 440, y el clero romano puso sus ojos en nuestro pastor, juzgando que era el más apropiado para ocupar la primera silla de la iglesia. Fue invitado a Roma por una embajada pública, pero tardó cuarenta días en llegar. La alegría con la que fue recibido no puede expresarse y recibió la consagración episcopal el 29 de septiembre del 440. Se conservan aún ciento un sermones predicados por este Papa. Sus ciento cuarenta y una epístolas tratan importantes asuntos de disciplina y fe. Llevó a muchos infieles a la fe. Sus señaladas victorias sobre los maniqueos, los arrianos, los apollinaristas, los nestorianos, los euticianos, los novatianos y los donatistas dan prueba de su celo.

Muchos asuntos en las iglesias del Este dieron trabajo a este gran Papa. Pero sobre todo, la aparición de la herejía euticiana atrajo su atención. Mientras el imperio oriental estaba enloquecido por las facciones heréticas, el occidental era arrasado por los bárbaros. Atila El Huno, enriquecido con el saqueo de muchas naciones y ciudades, marchaba hacia Roma. En la general consternación, León fue a encontrarse con Atila con la esperanza de apartar los peligros que amenazaban a su país. Contrariamente a las expectativas de todos, lo recibió con grandes honores, y por su sugerencia, se decidió un tratado de paz con el imperio a condición de un tributo anual.

En el año 455 los amigos de Aetiu (cuya arrogancia había causado tanta ofensa al emperador que había hecho que fuera asesinado) vengaron la muerte de aquel general con el asesinato del propio Valentiniano. Su mujer Eudoxia invitó a Genseric, el vándalo arriano de Africa, para que viniese y vengase la muerte de su esposo. San León salió a su encuentro y le convenció para que impidiese a sus tropas la matanza y el incendio, y para contentarlo con el saqueo de la ciudad. Después de que los vándalos se hubieran marchado, León mandó sacerdotes y limosnas para el alivio de los cautivos en África. Reparó la Basílica y reemplazó los ornamentos de las iglesias que habían sido saqueadas. Este gran Papa, por su humildad, su dulzura y su caridad, fue reverenciado y amado por los emperadores, los príncipes y por todo el pueblo. Ocupó la Santa Sede veintiún años, muriendo el 10 de noviembre del año 461.

11 DE NOVIEMBRE

San Martín

OBISPO DE TOURS (lám. 75)

† 397

El gran San Martín era oriundo de la baja Hungría. San Gregorio de Tours data su nacimiento en el año 316 o en el 317. Sus padres lo llevaron en su infancia a Pavia donde se trasladaron. Su padre era un oficial del ejército. Aunque sus padres eran idólatras, a los diez años se encaminó hacia la iglesia y quiso enrolarse con los catecúmenos. Se promulgó una orden por la que todos los hijos de los oficiales veteranos debían llevar armas y a los quince años se le obligó a tomar el juramento militar y entrar en la caballería.

De su caridad y compasión San Sulpicio ha recogido este ejemplo. Un día, en mitad de un crudo invierno, se

LAMINA 74. SAN LEON EL MAGNO, 10 DE NOVIEMBRE. BUTLER, *VIDA DE LOS SANTOS,* EDICION ILUSTRADA EN DOS VOL. PUBLICADA EN EL S. XIX.

encontró en las puertas de Amiens a un pobre hombre casi desnudo, temblando por el frío y pidiendo limosnas. Por sus caridades con otros, San Martín no llevaba más que sus armas y sus ropas; cuando, sacando su espada, cortó su manto en dos piezas, dándole una al mendigo y tapándose él con la otra mitad.

Recibió el bautismo a los dieciocho años, pero continuó aún dos años en el ejército. San Martín, habiendo abandonado el campamento, fue a San Hilario que era obispo de Poitiers. Martín deseaba mucho hacer una visita a sus padres. Convirtió a su madre y a muchos otros, pero su padre continuó en su infidelidad. En Italia oyó que San Hilario estaba desterrado; al conocer estas noticias, eligió un retiro cerca de Milán y entró en la vida monástica. Auxentius, el invasor arriano de la sede de Milán, se enteró de su celo por la ortodoxia y lo expulsó. Al saber en el año 360 que San Hilario estaba regresando a su obispado, lo acompañó a Poitiers. San Hilario le dio un pequeño terreno a once kilómetros de la ciudad donde nuestro santo construyó un monasterio, que parece haber sido el primero que se erigió en la Galia. En el año 371, fue elegido como el tercer obispo de Tours y consagrado el 3 de julio.

San Martín en su nueva dignidad continuó con la misma vida austera y pobre ropaje. Vivió primero en una pequeña celda cerca de la iglesia y se retiró a un monasterio que construyó a dos millas de la ciudad, que es la famosa abadía de Marmoutier. En poco tiempo tenía una cuarentena de monjes. Destruyó muchos templos de los ídolos e inmediatamente construyó iglesias o monasterios.

Mientras San Martín se empleaba en sus conquistas espirituales, el imperio de Occidente se veía sacudido por horribles convulsiones. Ni San Ambrosio ni San Martín se comunicaron con Ithacius o con aquellos obispos que mantenían comunión con él porque debían dar muerte a los herejes. Martín también imploró al emperador Maximus que no derramase la sangre de los culpables.

San Martín tenía más de cuarenta años cuando murió el 8 de noviembre, probablemente del año 397.

13 DE NOVIEMBRE

San Homobonos

COMERCIANTE

† 1197

Homobonos era hijo de un comerciante de Cremona, en Lombardía, quien le dio este nombre (que significa «hombre bueno») en su bautismo. Le enseñó su propio

LÁMINA 75. SAN MARTÍN, 11 DE NOVIEMBRE. BODLEIANS LIBRARY, MS. ADD. A 185, F.63.

negocio mercantil en el cuidado de la tienda sin ninguna educación escolar. Por consejo de sus padres, Homobonos tomó por esposa a una virtuosa virgen, que fue una fiel y prudente ayudante en el gobierno de su casa.

La caridad con los pobres es una característica distintiva de todos los discípulos de Cristo y un tributo que los comerciantes deben a Dios por sus ganancias; y esta era la virtud favorita de Homobonos. No contento con dar sus diezmos a los menesterosos, después de la muerte de su padre (de quien heredó el negocio además de una casa en la ciudad y una pequeña villa en el campo) no parecía tener límite en sus limosnas; buscaba a los pobres en sus chozas, y mientras aliviaba sus necesidades corporales, tiernamente les exhortaba a la penitencia y a la vida santa. Su mujer a veces se quejaba de que a causa de sus excesivas limosnas reducía a la familia a la mendicidad; pero él dulcemente le contestaba que dar a los pobres es poner el dinero al mejor interés, por cien rediles, Cristo nos ha dado como pago por ello su título. El autor de su vida nos asegura que Dios recompensaba sus caridades con milagros en favor de aquellos a los que ayudaba, y multiplicaba sus mercancías.

Su abstinencia y su templanza no eran menos remarcables que su dadivosidad. El santo pasaba gran parte de su tiempo rezando, incluso en su tienda, en su habitación, en la calle y cualquier sitio era para él un lugar de oración. Era su costumbre ir cada noche a la iglesia de San Gil algo antes de medianoche, y asistir a maitines, que por aquel entonces era usual que fueran rezados por los laicos; y no abandonaba la iglesia hasta la misa principal de la mañana siguiente. Los domingos y las fiestas se consagraba enteramente a sus devociones.

El 13 de noviembre de 1197, estaba presente en los maitines, según era su costumbre, y permaneció de rodillas ante el crucifijo hasta que la misa empezó. En el *Gloria in excelsis* alzó sus brazos en cruz, y poco después cayó sobre su rostro en el suelo, de forma que los que lo vieron creyeron que era un acto de devoción. Como no se levantaba en el Evangelio, se fijaron más en él, y algunas personas empezaron a darse cuenta de que había muerto en paz. Sicard, obispo de Cremona, después de un riguroso examen de sus virtudes y sus milagros, fue a Roma para solicitar su canonización, que el papa Inocencio III llevó a cabo después de los escrutinios necesarios. El cuerpo del santo fue recogido en 1356 y trasladado a la catedral, pero su cabeza permanece en la iglesia de San Gil.

14 DE NOVIEMBRE

San Lorenzo
ARZOBISPO DE DUBLÍN

† 1180

Lorenzo era el hijo menor de Maurecice O'Toole, un rico y poderoso príncipe de Leinster. Contaba con sólo diez años cuando su padre lo entregó como rehén a Dermod, Rey de Leinster. El bárbaro rey retuvo al niño en un lugar solitario, donde lo trató con gran inhumanidad; hasta que su padre, informado de que su hijo estaba en un lamentable estado de salud, obligó al tirano a ponerlo en manos del obispo de Glendaloch, por quien fue cuidadosamente instruido en el servicio de Dios, y a los doce años de edad lo mandó de vuelta con su padre.

A la muerte del obispo de Glendaloch, que era a su vez abad del monasterio, Lorenzo, aunque tan sólo de veinticinco años, fue elegido abad, y únicamente evitó la dignidad episcopal alegando que los canónigos requerían un obispo de treinta años. El santo gobernó su numerosa comunidad con admirable prudencia, y en la gran carestía que hizo estragos en los primeros cuatro meses de su administración, fue el salvador de su país gracias a sus generosas caridades.

Gregorio, el Arzobispo de Dublín, murió en el momento en que nuestro santo alcanzó los treinta años, y fue elegido unánimemente para ocupar esta sede, siendo consagrado en 1162. Su primera preocupación fue la reforma de las costumbres del clero y dotar a la Iglesia de ministros honestos. Alrededor del año 1163 comprometió a los canónigos regulares de su catedral a recibir la regla de Arouasia. Nuestro santo tomó el hábito religioso, que siempre llevó bajo su atavío pontificio y con frecuencia escogía Glendaloch para sus retiros.

San Lorenzo se vio obligado por los asuntos de la Iglesia a viajar a Inglaterra, para realizar una solicitud a Enrique II. El Tercer Concilio General de Lateran se celebró en Roma en 1179. San Lorenzo fue de Inglaterra a Roma y asistió a este concilio. El Papa lo designó legado de la Santa Sede en Irlanda. Tan pronto como el santo regresó a casa, encontró a todo su país afectado por una terrible escasez que perduró durante tres años. El santo se impuso la obligación de alimentar cada día a cincuenta extranjeros y a trescientos pobres de su diócesis.

Enrique II sufrió una ofensa de Roderic, el monarca irlandés, y nuestro santo emprendió otro viaje a Inglaterra para negociar una reconciliación entre ellos. Enrique no deseaba oír hablar de paz y partió hacia Normandía. Lorenzo lo siguió a Francia, y Enrique finalmente se conmovió tanto por su piedad que dejó toda la negociación a su discreción. Habiendo cumplido la misión, Lorenzo fue obligado por una fiebre a hacer un alto en el camino. Ocupó sus habitaciones en el monasterio de Eu y allí murió el 14 de noviembre de 1180.

16 DE NOVIEMBRE

Santa Margarita
DE ESCOCIA, REINA DE ESCOCIA

† 1093

Santa Margarita era la pequeña sobrina de San Eduardo El Confesor y nieta de Edmundo Ironside. A la muerte de este último en 1017, Cnute El Danés hizo que se le reconociese el guardián de los hijos pequeños de este último, su colega, Edmundo y Eduardo. Cnute mandó a los dos príncipes al rey de Suecia, para que los hiciera desaparecer. El sueco rehusó manchar sus manos con sangre inocente y los envió a Solomon, rey de Hungría, por el que fueron amablemente recibidos. Edmundo murió, pero Eduardo, al casarse con Agatha, hermana de la reina, tuvo tres hijos, Edgar, Cristina, una monja, y Margarita. Cuando Eduardo El Confesor fue llamado al trono en 1041, invitó a Eduardo a venir desde Hungría con sus hijos. A la muerte de San Eduardo muchos desearon elevar a Edgar, el legítimo heredero sajón, al trono inglés; pero fue incapaz de que sus demandas fructificaran por medio de las armas y abandonó el reino. El barco en el que navegaba fue arrastrado por una tempestad a las costas escocesas, donde Malcolm los recibió, a él y a su hermana, de la forma más cortés.

Malcolm quedó prendado por las virtudes de la princesa Margarita y deseó con impaciencia hacerla su real consorte. Al obtener su consentimiento, se casaron, y Margarita fue coronada como reina de Escocia en 1070, teniendo veinticuatro años de edad. El matrimonio se celebró solemnemente en el castillo del rey en Dumfermline. Malcolm era rudo y tosco, pero ni altivo ni caprichoso. Margarita suavizó su carácter, cultivó su mente y lo inspiró con las virtudes cristianas.

Dios bendijo a la real pareja con numerosa y virtuosa descendencia, seis hijos y dos hijas. La santa reina recordaba que, por el rango en el que Dios la había emplazado, todo el reino era su familia. Su primera preocupación fue procurar celosos pastores para que se establecieran en todas las partes de sus dominios. La simonía, los matrimonios incestuosos, la usura y otros abusos fueron desterrados. La caridad con los pobres era su virtud más apreciada. Cada vez que salía de su palacio estaba rodeada de viudas, huérfanos y otras personas necesitadas; no dejaba marchar a ninguno sin un alivio. Erigió hospitales para los extranjeros pobres. «Por lo que respecta a su comida, era tan escasa que apenas era suficiente para mantener su vida,» dice Theodoric. «En una palabra, sus obras eran más maravillosas que sus milagros, aunque no careciera de éstos.»

Malcolm reinó treinta y tres años y murió en 1093. Su infortunio fue para la reina motivo de aflicción, que sólo fue capaz de soportar con resignación gracias a sus virtudes. Cayó al mismo tiempo en su lecho de muerte. Fue liberada de sus lazos corporales el 16 de noviembre de 1093. Fue enterrada en la iglesia que había sido construida en honor de la Santa Trinidad en Dumfermline.

17 DE NOVIEMBRE

San Hugo
OBISPO DE LINCOLN

† 1200

San Hugo nació de una buena familia en Burgundy en 1140, perdió a su madre antes de cumplir los ocho años, y fue educado en un convento de canónigos regulares situado cerca de la sede de su padre. Cuando tenía diecinueve, el abad llevó consigo al santo a Chartreuse. El retiro y la soledad y el comportamiento de los monjes provocaron en el corazón de San Hugo un fuerte deseo de abrazar la fe en esa Orden. Ni siquiera sus hermanos los canónigos fueron capaces de disuadirlo; de manera que en secreto regresó a Chartreuse y fue admitido para tomar el hábito. El santo había pasado diez años en su celda, cuando la procuraduría general del monasterio le fue comisionada: por lo que la reputación de su prudencia y su santidad se difundió por toda Francia.

El rey Enrique II de Inglaterra fundó el primer monasterio de monjes cartujos en Witham en Somersetshire y mandó un enviado a Chartreuse con la esperanza de que Hugo viniese a tomar el gobierno de este monasterio. Después de una larga discusión, y aunque el santo protestó diciendo que no era el adecuado para aquel puesto, fue enviado por el cabildo a Inglaterra. Tan pronto como desembarcó, fue directamente a Witham, y por la humildad y dulzura de su comportamiento ganó los corazones de los más inveterados enemigos de la fundación.

Su majestad había dejado la sede de Lincoln algunos años vacante, y se complació con dar permiso al dean y al capítulo para elegir un pastor, recayendo la elección en San Hugo, que recibió la consagración en 1186. Tan pronto como ascendió a la silla episcopal, empleó toda la autoridad que daba su puesto para restaurar la disciplina, especialmente entre su clero. Buena parte de su tiempo lo dio siempre al alivio de las necesidades de los pobres.

Enrique II, un príncipe deseoso de consejo, tenía un miedo pavoroso a este santo prelado y recibía sus admoniciones con supuesta deferencia. Los guardabosques del rey ejercían una inhumana tiranía, dando muerte o mutilando a aquel que matase una bestia salvaje. Una compañía de este rango había puesto las manos sobre un clérigo. San Hugo los excomulgó, acción que no le pareció bien a Enrique. El obispo le mostró cómo sólo había tenido en cuenta el servicio de Dios y la salvación del alma de su majestad, que estaba en grave peligro si se protegía a los opresores de la iglesia. El rey se conmovió tanto que quedó totalmente satisfecho.

Hugo con la misma libertad exhortó al rey Ricardo I a evitar la incontinencia y defender las inmunidades de la iglesia en su reino y en el del rey Juan, que llegó al trono en 1199. San Hugo fue enviado como embajador a Francia por este último para pactar una paz entre las dos coronas. A su regreso, llegó a Londres donde enfermó de fiebre. Murió el 17 de noviembre de 1200.

17 DE NOVIEMBRE (19 DE NOVIEMBRE)

Santa Isabel
DE HUNGRÍA, VIUDA *(lám. 76)*

† 1231

Isabel, hija de Alejandro II, rey de Hungría, y su reina, Gertrudis, nació en 1207. Herman, Langrave de Thuringia y Hesse, tenía un hijo nacido casi al mismo tiempo llamado Luis. El príncipe obtuvo del rey de Hungría la promesa de que su hija le sería dada en matrimonio a su hijo recién nacido; y la princesa, a los cuatro años de edad, fue enviada a su corte y allí fue educada. Al morir Herman cuando Isabel tenía sólo nueve años, el gobierno pasó a manos de su viuda en nombre de su hijo, hasta que fuera mayor de edad.

La santa tenía catorce años cuando Luis regresó a casa después de una prolongada ausencia, debida a su educación. La eminente virtud de Isabel hizo que sintiera una gran estima por su persona y no mucho después hicieron solemne su matrimonio. Conrad de Marpurg, el más santo e instruido sacerdote, fue la persona a la que eligió como director espiritual. Isabel, con el consentimiento de su piadoso marido, se levantaba con frecuencia en la noche para rezar. El resto del tiempo, que no empleaba en la plegaria o la lectura, lo dedicaba a obras de caridad. La austeridad de su vida superaba a la de los que están en clausura. Su comida con frecuencia consistía en pan y miel. Era una gran enemiga del rico atavío. Atendiendo a los enfermos, con alegría lavaba y limpiaba las más asquerosas heridas, y servía a aquellos que estaban infectados con las enfermedades más repugnantes. En 1225, al sufrir Alemania una severa escasez, gastó todo su tesoro.

Únicamente por motivos de religión, el langrave tomó la cruz para acompañar al emperador Federico Barbarossa en la guerra santa a Palestina, pero cuando iba a embarcar, cayó con fiebre en Otranto y expiró. La envidia, los celos y el rencor se desataron todos a un tiempo contra la virtuosa langravina. Se alegaba que la santa había malgastado los ingresos públicos con los pobres y que Enrique, el hermano del último langrave, debía subir al principado. Enrique tomó posesión y echó a Isabel del castillo. Reducida a la más ínfima decadencia, suplicó ayuda a un sacerdote, que la recibió en su pequeña casa. La abadesa Kitzingen, tía de nuestra santa, al conocer su infortunio, la aconsejó ir con su tío, el obispo de Bambreg. Mientras tanto, el cuerpo de su marido fue trasladado a Alemania. La princesa convenció a los barones y caballeros para que usasen sus relaciones con su cuñado y se la hiciese justicia. Hicieron esto y Enrique prometió devolver a Isabel su dote y todos los derechos de su viudedad.

Su dote se empleó en los pobres y pasó los últimos tres años de su vida en la más ferviente devoción, caridad y penitencia. El día de su feliz muerte fue el 19 de noviembre de 1231, contando veinticuatro años de edad.

20 DE NOVIEMBRE

San Edmundo

REY Y MÁRTIR (lám. 77)

† 870

Aunque desde el año 802 los reyes de los sajones occidentales fueron los monarcas de toda Inglaterra, sin embargo muchos monarcas reinaron después de entonces en ciertas partes, en alguna medida subordinados a ellos. Un tal Offa fue rey de los anglos del Este, que dejó su corona a San Edmundo, cuando sólo contaba quince años de edd. El santo fue coronado el día de Navidad del año 855. La religiosidad y la piedad eran lo más distintivo de su carácter. Los monjes y las personas devotas solían saber el salterio de memoria, de forma que podían recitar los salmos en el trabajo, viajando o en cualquier otra ocasión. Para aprendérselo, San Edmundo vivió retirado todo un año en la torre real de Hunstanton, en Norfolk.

El santo rey había reinado quince años cuando los daneses invadieron sus dominios. Hinguar y Hubba, dos hermanos, los más bárbaros de los saqueadores daneses, al desembarcar en Inglaterra, pasaron el invierno entre los anglos del Este; entonces, habiendo acordado una tregua con esta nación, navegaron en verano hacia el norte y arrasaron con fuego y espada Northumberland y después Mercia. Por un apetito de rabia y crueldad, y una implacable aversión al nombre cristiano, destruyeron por todas partes las iglesias y monasterios; y masacraron a los sacerdotes y a las personas religiosas. En el gran monasterio de Coldingham, más allá de Brewick, al no temer las monjas por sus vidas sino por las ofensas que pudieran hacer contra su castidad, cortaron sus narices y sus labios superiores de forma que pareciesen ante los bárbaros auténticos espectáculos de horror para poder salvar su virtud del peligro; los infieles perdonaron su virtud pero las pasaron a todas por la espada.

En su marcha fueron arrasados, entre otros monasterios, los de Barney, Crowlan, Peterborough, Ely y Huntingdon. Los bárbaros, rezumando sangre, entraron en los dominios de San Edmundo, quemando Therford, la primera ciudad con la que se encontraron, dejando baldías todas las tierras tras ellos. El buen rey reunió todas las fuerzas que pudo, salió al encuentro de los infieles cerca de Thet-

ford y los desconcertó. Pero viendo que poco después se reforzaban, dispersó a sus tropas y se retiró hacia su castillo de Framlinsham en Suffolk. En su huida, fue capturado y conducido a la tienda general. Se le ofrecieron condiciones perjudiciales para la religión y el pueblo, que el santo rey no aceptó, declarando que la religión era más preciada para él que su vida. Hinguar hizo que lo golpearan con garrotes, que lo ataran después a un árbol y que lo latigaran durante largo tiempo. Los infieles le hicieron una marca extravagante contra la que disparar, hasta que su cuerpo quedó cubierto de flechas como un puerco espín. Hinguar finalmente ordenó que le cortasen la cabeza. Así terminó el santo su martirio el 20 de noviembre del año 870. La cabeza del santo fue llevada al bosque y arrojada entre los arbustos; pero milagrosamente encontrada por un rayo de luz.

22 DE NOVIEMBRE

Santa Cecilia

(lám. 78)

† 230

Santa Cecilia era oriunda de Roma, de una buena familia, y educada en la religión cristiana. En su juventud consagró por un voto su virginidad a Dios, aunque fue compelida por sus padres a casarse con un noble llamado Valerio. Lo convenció de su fe, y poco después hizo lo mismo con su hermano Tiberio. Los hombres sufrieron primero el martirio, siendo decapitados por la fe. Santa Cecilia finalizó su glorioso triunfo algunos días después que ellos. Las narraciones de sus hechos, que no poseen gran autoridad, los hacen contemporáneos al papa Urbano I, y consecuentemente sitúan sus martirios alrededor del año 230; otros, sin embargo, datan el triunfo de estos mártires entre los años 176 y 180.

Se hace mención de la antigua iglesia de Santa Cecilia en Roma en el siglo V. El papa Pascual I comenzó a reconstruirla; pero le preocupaba cómo podría encontrar el cuerpo de la santa, ya que creía que se lo habían llevado los lombardos. Un domingo, cuando este Papa asistía a maitines en San Pedro, cayó en un sueño en el que la misma Santa Cecilia le comunicó que los lombardos habían buscado en vano su cuerpo, y que podría encontrarlo; consecuentemente, lo descubrió en el cementerio que llevaba su nombre, vestido con un manto de paño de oro, y con tela de lino en sus pies, bañado en su sangre. Con su cuerpo se encontró el de Valerio, su marido; y el Papa hizo que los trasladasen a su iglesia en la ciudad; así como los cuerpos de Tiberio y Máximo, mártires. Este traslado se hizo en el año 821. El papa Pascual fundó un monasterio en honor de estos santos, cerca de la iglesia de Santa Cecilia, para que los monjes pudieran celebrar el oficio día y noche. Adornó la iglesia con gran magnificencia, y le dio una bandeja de plata junto con nueve mil libras; y una gran pieza de rico paño para los velos, y ornamentos de la misma clase; en una de sus representaciones, el ángel corona a Santa Cecilia, a Valerio y a Tiberio.

Santa Cecilia por su asiduidad en el cántico de divinas alabanzas (en las que, según sus Hechos, con frecuencia unía la música instrumental a la vocal) es considerada la patrona de la música religiosa.

LAMINA 76. SANTA ISABEL DE HUNGRIA, 17 DE NOVIEMBRE. BUTLER, *VIDA DE LOS SANTOS*, ED. ILUSTRADA EN DOS VOL. PUBLICADA EN EL S. XIX.

23 DE NOVIEMBRE

San Clemente

PAPA *(lám. 79)*

† 100

San Clemente, el hijo de Faustino, un romano por nacimiento, era de extracción judía, pues nos cuenta que era de la raza de Jacob. San Pedro y San Pablo lo convirtieron a la fe, y tan constante fue su ayuda a estos apóstoles, y tan activo en asistirlos en su ministerio que San Jerónimo y otros padres lo llaman el hombre apostólico. San Pablo lo llama su colaborador, y lo sitúa entre aquellos cuyos nombre están escritos en el libro de la vida.

San Clemente siguió a Pablo a Roma, donde oyó predicar también a San Pedro. Tertuliano nos dice que San Pedro lo ordenó obispo, por lo que algunos entienden que lo hizo obispo de las naciones, para predicar el Evangelio en muchos países; otros que lo nombró vicario de Roma, para gobernar esta iglesia durante su ausencia en sus frecuentes misiones. Después del martirio de San Pedro y San Pablo, San Linus fue designado obispo de Roma, y después de once años fue sucedido por San Cletus. Después de su fallecimiento en el año 89 o 91, San Clemente ocupó la silla apostólica.

En Corinto, tuvo lugar entre los creyentes una impía y detestable división, y una partida se rebeló contra los sagrados sacerdotes y quisieron deponerlos. Parece que poco después de la muerte de Diocleciano, en el año 96, San Clemente escribió en nombre de la Iglesia de Roma, su excelente epístola, pieza muy encomiada en la Iglesia primitiva como una admirable obra. San Clemente comienza su carta conciliando la benevolencia de aquellos que estaban en desacuerdo. El santo lamenta que hayan caído en el orgullo, la envidia, las disensiones y la sedición y los exhorta a dejar a un lado la cólera, pues Cristo es de los humildes.

Conservamos un largo fragmento de una segunda epístola de San Clemente a los corintios. En ella nuestro santo exhorta a los creyentes a menospreciar este mundo y sus falsos placeres, y a tener ante nuestros ojos aquellos que nos han sido prometidos. Además de estas cartas de San Clemente, se han descubierto otras dos dirigidas a los eunucos espirituales, o vírgenes.

San Clemente con paciencia y prudencia se salvó de la persecución de Diocleciano. La tempestad aumentó con Trajano y fue en el año 100 cuando fue capturado en la tercera persecución general. Rufino, el papa Zosimus y el Concilio General de Bazas expresamente dieron el nombre de mártir a San Clemente. Eusebio nos dice que San Clemente murió en el año 100. Por su expresión algunos han interpretado que se trató de una muerte natural.

La antigua iglesia de San Clemente en Roma, en la que San Gregorio Magno predicó muchas homilías, todavía

LAMINA 78. SANTA CECILIA, 22 DE NOVIEMBRE. BRITISH LIBRARY, HARLEY MS 2897, F.440V.

conserva gran parte de sus reliquias. Fue reparada por Clemente XI, pero aún muestra las viejas estructuras de las iglesias cristianas, divididas en tres partes, el nártyex, el ambón y el sagrario.

25 DE NOVIEMBRE

Santa Catalina
VIRGEN Y MÁRTIR *(lám. 80)*

† SIGLO IV (?)

Santa Catalina glorificó a Dios por la ilustre confesión de su fe bajo el reinado de Maximinus II. La narración de sus hechos está tan adulterada que poco se puede sacar de ellos. El emperador Basilio en su menología griega relata que esta santa que era de sangre real y muy culta, refutó a una asamblea de los más sabios filósofos paganos, a quienes Maximinus había encargado que entraran en discu-

sión con ella, y que siendo convertidos por ella a la fe, fueron todos quemados. Añade que Catalina fue finalmente decapitada. Se dice que primero la pusieron en un mecanismo constituido por cuatro ruedas, y le clavaron cuatro afiladas estacas que, cuando las ruedas se movían, rasgaban su cuerpo en pedazos. Los hechos añaden que al primer movimiento del terrible mecanismo, las cuerdas con las que la mártir estaba atada se rompieron por el invisible poder de un ángel, y al destrozarse el mecanismo y separarse las ruedas, ella se libró de la muerte. De ahí el nombre de rueda de Santa Catalina.

El cuerpo de Santa Catalina fue descubierto por los cristianos en Egipto alrededor del siglo VIII. Fue pronto trasladado al gran monasterio situado en la cima del Monte Sinaí en Arabia, construido por Santa Helena. Falconius, arzobispo de San Severino, habla del traslado como sigue: «Según se dice, aquel cuerpo de esta santa fue transportado por los ángeles al Monte Sinaí.» El significado de esto es que fue llevado por los monjes de Sinaí a su monasterio, para poder enriquecer su morada con tan preciado tesoro. Es bien sabido que el nombre de un angélico hábito se usa para referirse a un hábito monástico, y que los monjes. por su pureza y funciones, eran antiguamente llamados «ángeles». Desde entonces encontramos menciones más frecuentes de la festividad y las reliquias de Santa Catalina. En el siglo XI, Simeón, un monje del Sinaí, al venir a Rouen para recibir una limosna anual de Ricardo, duque de Normandía, trajo con él parte de las reliquias dejándolas allí. La mayor parte de los restos mortales de esta santa se conservan todavía en un cofre de mármol en la iglesia del monasterio del Monte Sinaí.

[Nota editorial: el culto a Santa Catalina de Alejandría fue suprimido por la Iglesia católica romana en 1969.]

27 DE NOVIEMBRE

San Jaime

APELLIDADO INTERCISUS, MÁRTIR

† 421

San Jaime era oriundo de Beth-Lapeta, una ciudad de Persia. Cuando su príncipe declaró la guerra a la religión cristiana, este cortesano no tuvo el coraje de renunciar a la amistad de su real benefactor; y en lugar de perder su favor, prefirió abandonar el culto al verdadero Dios, que antes profesaba. Su madre y su esposa estaban profundamente afligidas por su caída. A la muerte del Rey Isdegerdes, le escribieron: «Nos han informado que por el favor del rey y por las riquezas terrenales has abandonado el amor del Dios inmortal. Piensa dónde yace ahora el rey, en cuyo favor pusiste tan alto valor. Y debes saber que si perseveras en tus crímenes, caerás bajo ese castigo, junto con el rey, tu amigo. Por lo que a nuestra parte se refiere, no tendremos más trato contigo.»

Jaime se sintió profundamente afectado al leer esta carta. No apareció más en la corte; ni temió abiertamente condenarse a sí mismo. Sus palabras llegaron pronto al nuevo rey, que inmediatamente mandó a por él. El santo se confesó resueltamente cristiano. Vararanes le reprochó su ingratitud, enumerando los muchos favores que había recibido de su real padre. San Jaime dijo sosegadamente, «¿Dónde está él ahora?» Estas palabras exasperaron al tirano que le amenazó con el castigo de una muerte rápida, pero lentos tormentos.

El rey reunió a sus ministros y jueces con el fin de deliberar qué nueva muerte cruel inventarían para el castigo de tan notorio ofensor. El consejo llegó a la resolución de que, a menos que el pretendido criminal renunciase, se le colgaría del potro y sus miembros serían arrancados uno por uno, descoyuntados uno detrás de otro.

LÁMINA 79. SAN CLEMENTE, 23 DE NOVIEMBRE. BRITISH LIBRARY, ADD. MS.

LAMINA 80. SANTA CATALINA DE ALEJANDRIA, 25 DE NOVIEMBRE. BUTLER, *VIDA DE LOS SANTOS*, ED. EN DOS VOL. PUBLICADA EN EL S. XIX.

Los paganos lo conjuraron para que ocultase su religión. El mártir le contestó, «Esta muerte es muy poco para adquirir la vida eterna.» Con la pérdida de cada parte, el mártir repetía sus alabanzas a Dios. Mientras yacía bañado en su propia sangre, sus muslos eran arrancados de sus caderas. Presentando un tronco desnudo, y habiendo perdido ya la mitad de su cuerpo, todavía continuaba rezando, y alabando a Dios con alegría, hasta que un guardia, al cortar la cabeza de su cuerpo, puso fin a su martirio. Esto ocurrió el 27 de noviembre del año 421. Los cristianos ofrecieron una suma considerable de dinero por las reliquias del mártir, pero no les fue permitido redimirlas. Sin embargo, después las sacaron con cautela. Las encontraron en veintiocho piezas diferentes.

29 DE NOVIEMBRE

San Saturnino

MÁRTIR, OBISPO DE TOULOUSE

† 257

San Saturnino partió de Roma por indicación del papa Fabián alrededor del año 245 para predicar la fe en la Galia, donde San Trophimus, el primer obispo de Arles, había algún tiempo antes reunido una abundante cosecha. En el año 250, San Saturnino fijó su sede episcopal en Toulouse. Fortunato nos dice que convirtió a un gran número de idólatras por su predicación y sus milagros. Esto es todo lo que se cuenta de él hasta la época de su martirio.

El autor de sus Hechos, que escribió unos cincuenta años después de su muerte, relata que reunía a su feligresía en una pequeña iglesia; y que el capitol, que era el templo principal en la ciudad, estaba a mitad de camino entre la iglesia y la residencia del santo. En este templo se daban oráculos; pero los diablos quedaban sordos por la presencia del santo conforme pasaba siguiendo su camino. Los sacerdotes lo espiaron un día al pasar, y lo cogieron y lo arrojaron al interior del templo, declarando que podía o bien apaciguar a los ofendidos dioses ofreciéndoles un sacrificio o pagar el crimen con su sangre.

Saturnino resueltamente replicó, «Adoro a un solo Dios, y estoy preparado para ofrecerle un sacrificio de alabanza. Vuestros dioses son diablos, y se deleitan más con el sacrificio de vuestras almas que con el de vuestros bueyes.» Los infieles, encolerizados por esta réplica, y después de una gran variedad de ultrajes, ataron sus pies a un toro salvaje, que había sido llevado allí para ser sacrificado. La bestia, al ser sacada del templo, corrió violentamente colina abajo, de forma que el cráneo del mártir se rompió, y sus sesos salieron. Su feliz alma fue liberada del cuerpo por la muerte, y huyó al reino de la paz y la gloria, y el toro siguió arrastrando su sagrado cuerpo, y sus miembros y su sangre esparcidos por todas partes, hasta que la cuerda se rompió, y lo que quedaba del tronco quedó en la llanura fuera de las puertas de la ciudad. Dos mujeres devotas depositaron los restos en un féretro y lo ocultaron en una profunda zanja para preservarlo de otros insultos, donde permanecieron en un ataúd de madera hasta el reinado de Constantino El Grande. Entonces, Hilario, obispo de Toulouse, construyó una pequeña capilla sobre el cuerpo de su predecesor. Silvio, hacia finales del siglo IV, comenzó a construir una iglesia magnífica en honor del

mártir que fue terminada por su sucesor Exuperio que trasladó a ella sus reliquias. El martirio de este santo ocurrió probablemente en el reinado de Valerio, en el año 257.

30 DE NOVIEMBRE

San Andrés

APÓSTOL (lám. 81)

† SIGLO I

San Andrés era oriundo de Bethsaida, una ciudad en Galilea, a las orillas del lago Genasareth. Era el hijo de Jonás, o Juan, una pescador de la ciudad, y hermano de Simón Pedro, pero las escrituras no nos dicen si era mayor o menor que él. Tuvieron después una casa en Capernaum, donde Jesús se alojaba cuando predicaba en la ciudad.

Una gran prueba de la piedad de San Andrés la constituye el hecho de que cuando San Juan Bautista empezó a predicar la penitencia, él no se contentó con ir a escucharlo, como hicieron otros, sino que se convirtió en su discípulo. Estaba con su maestro cuando Juan, viendo a Jesús pasar, dijo, «Mirad, El Cordero de Dios». Andrés y otro discípulo de Juan Bautista siguieron a Jesús. Volviendo mientras caminaba, y viendo que ellos le seguían, dijo: «¿Qué buscáis?» Ellos dijeron que deseaban conocer dónde vivía; y él los invitó a venir y ver.

Andrés, que amaba cariñosamente a su hermano Simón, llamado después Pedro, no pudo descansar en paz hasta que lo llevó ante Cristo para que pudiera verlo también. Los hermanos se retrasaron un día para oír su divina doctrina, y al día siguiente regresaron a casa. Desde entonces se convirtieron en discípulos de Jesús, no atendiéndolo constantemente, sino escuchándolo con frecuencia siempre que sus deberes se lo permitían, y regresando a su trabajo y a los asuntos familires de nuevo. Jesús realizó su primer milagro en Caná y estuvo complacido de que estos dos hermanos estuvieran presentes. Nuestro Salvador, encontrando un día a Pedro y a Andrés pescando en el lago, los llamó al servicio constante diciendo que les haría pescadores de hombres. Después de lo cual dejaron inmediatamente sus redes para seguirlo y no se volvieron nunca atrás.

Después de la Resurrección de Cristo, San Andrés predicó el Evangelio en Scythia. Muchos calendarios conmemoran la festividad de la silla de San Andrés en Patrae, Achaia. Se está de acuerdo en que dio allí su vida por Cristo. San Sofronio, San Gaudencio y San Agustín nos aseguran que fue crucificado. El cuerpo de San Andrés fue trasladado a Constantinopla en el año 357 y depositado en la iglesia de los Apóstoles que Constantino El Grande había construido poco antes.

Se cree comúnmente que la cruz de San Andrés tenía la forma de la letra X, compuesta por dos piezas de madera cruzadas oblicuamente en el centro. Es cierto que tales cruces se usaban algunas veces; pero no se tienen pruebas claras sobre la forma de la cruz de San Andrés.

Los escoceses honran a San Andrés como el patrón principal de su país, y hay historiadores que nos dicen que cierto abad llamado Regulus trajo de Patrae en el año 369, o de Constantinopla algunos años más tarde, ciertas reliquias de esta apóstol que depositó en una iglesia que construyó en su honor, con un monasterio llamado Abernethy donde se sitúa ahora la ciudad de San Andrés.

San Eligio

OBISPO DE NOYON (lám. 82)

† 659

Eligio nació en Caletata, a once kilómetros de Limoges, alrededor del año 588. Sus padres lo acomodaron con un orfebre llamado Abbo, que era el jefe de una mina en Limoge. Elogio era un joven de una inteligencia poco común, obtuvo gran destreza en su profesión y fue presentado ante Bobo, tesorero de Clotaire II en París. El rey ordenó al santo que le hiciera una magnífica silla de estado, lo llevó a su casa y le hizo jefe de la mina. Él gran respeto que sentían por él en la corte no le impidió seguir dedicándose a su profesión y gustar de hacer suntuosos sepulcros para las reliquias de los santos.

No había permanecido mucho tiempo allí cuando tomó la resolución de llevar una vida más austera y devota. Cedió todos sus adornos a los pobres y diariamente daba de comer a un gran número en su propia casa. Cuando sabía que en cualquier lugar un esclavo iba a ser vendido, se precipitaba allá y rescataba a cincuenta o a cien a un mismo tiempo.

Al morir Clotaire en el año 628, su sucesor Dagoberto consultaba con frecuencia al santo, en lugar de al consejo, sobre cuestiones públicas, por lo que suscitó la envidia de la corte. Pero sus calumnias sólo sirvieron para aumentar la veneración de Dagoberto hacia él, pero nunca estuvo en su poder hacer rico al santo, pues todo lo que recibía, lo utilizaba inmediatamente en erigir fundaciones caritativas y religiosas. La primera de éstas fue la abadía de Solignac, que construyó a dos leguas de Limoge en un terreno donado por el rey con tal propósito. Dagoberto también dio a nuestro santo una hermosa casa en París, que convirtió en un convento de monjas.

Las sedes de Noyon y Touney, que entonces abarcaban el norte de Picardy y todas las provincias que se encuentran entre ese país y la garganta del Rin, quedaron vacantes en el año 639, y fue San Eligio quien tuvo que hacerse cargo de tan ardua tarea. El rey Clivis II, que había sucedido a Dagoberto, necesitaba de aquellos ministros; pero San Eligio tardó dos años en prepararse, tiempo durante el cual fue ordenado sacerdote. Bajo esta dignidad, el primer año se dedicó a reformar a su clero. Luego, encaminó su atención a la conversión de los infieles de Flandes. Una gran parte de Flandes quedó en deuda con San Eligio por haber recibido el Evangelio. Predicó en las tierras de Antwerp, Gnent y Courtray. Todos los años durante la Pascua bautizó a grandes multitudes a las que daba el conocimiento verdadero de Dios durante los siguientes doce meses.

Habiendo gobernado a sus fieles durante diecinueve años, le fue otorgada la predicción de su muerte y la presagió a sus discípulos. Viéndoles derramar lágrimas, les dijo, «No os aflijáis, hijos míos. He ansiado este momento y he deseado esta liberación.» Expiró el 1 de diciembre del año 659.

San Francisco Javier

APÓSTOL DE LAS INDIAS

† 1552

Francisco nació en Navarra en el castillo de Javier en 1506. Su propensión por el estudio determinó que sus padres lo enviaran a París a los dieciocho años, donde entró en el colegio de Santa Bárbara. Habiendo estudiado filosofía dos años, enseñó en el colegio de Beauvais. San Ignacio vino a París en 1528 y entró en el colegio de Santa Bárbara. Este santo hombre había concebido el deseo de formar una sociedad dedicada a la salvación de las almas. En 1535, San Ignacio y sus seis compañeros, de los cuales uno era San Francisco, prometieron en Montmatre visitar Tierra Santa y unir sus labores por la conversión de los infieles. Llegaron a Venecia en 1537 y esperaron la oportunidad para embarcarse hacia Palestina. Javier fue ordenado sacerdote y en 1538 fue llamado por San Ignacio a Roma para deliberar sobre la fundación de su orden.

Dado que el rey de Portugal solicitaba hombre para ser enviados a sembrar la fe al este de las Indias, nuestro santo abandonó Roma en marzo de 1541, con al menos unas mil personas, y desembarcó en Goa en mayo de 1542. No había más de cuatro predicadores en todas las Indias; ninguno dentro de los muros de Goa.

Nada más afligió a Francisco que la deportación escandalosa de los cristianos; por ello, pensó que lo mejor sería abrir su misión con ellos. La reforma de toda la ciudad de Goa fue lograda en medio año, cuando el santo embarcó en 1542 y navegó hacia el Cabo Comorin. Había trabajado durante unos quince meses por la conversión de las Paravas cuando fue obligado a regresar a Goa a buscar a sus ayudantes; se llevó a algunos con él al reino de Travancor, donde bautizó a diez mil indios en un mes. Habiendo predicado en otras islas, permaneció un tiempo considerable en Moluccas y en 1548 llegó a Ceilán, donde convirtió a un gran número de gentes. Allí, tomó la resolución de ir a Japón, y llegó a Cangoxima en agosto de 1549. Después fue a Firando, Amanguchi y Meaco. Se salvó de ser decapitado en dos pueblos; sin embargo, amplias multitudes deseaban ser educadas y bautizadas. Nuestro santo se embarcó para ir a la India en 1551, donde recibió la mayor de las alegrías. Los misioneros que dispersó antes de su partida habían difundido el Evangelio por todas partes.

San Francisco esperó encontrar los medios para llegar a la China en secreto, sin embargo, los puertos estaban muy vigilados. Los portugueses en Sancian, temerosos de que los chinos se vengaran por este intento, le pidieron que cambiara sus planes. Durante el tiempo del aplazo del viaje, Javier cayó enfermo y fue trasladado a la nave que era el hospital común de los enfermos. Finalmente, el 2 de diciembre de 1552, murió. Sólo tenía cuarenta y seis años de edad.

Santa Bárbara

VIRGEN Y MARTIR (lám. 83)

† 306 (?)

Esta santa virgen y mártir es respetada con particular devoción en los calendarios latino, griego, moscovita y siríaco, pero su historia está oscurecida por una variedad

LAMINA 81. SAN ANDRES, 30 DE NOVIEMBRE. BUTLER, *VIDA DE LOS SANTOS*, EDICION ILUSTRADA EN DOS VOL. PUBLICADA EN EL S. XIX.

LAMINA 82. SAN ELIGIO, 1 DE DICIEMBRE. BRITISH LIBRARY, EGERTON MS 859, F. 17.

de hechos falsos. Boronius prefiere aquellos que dicen que fue una alumna originariamente y que sufrió martirio en Nicomedia bajo el reinado de Maximinus I, quien levantó la sexta persecución general en el año 235. Pero José Assemani demuestra que los hechos que se narran en Metaphrastes y Mombritius parecen ser más exactos y sinceros. A través de ellos, sabemos que Santa Bárbara sufrió en Heliopolis, en Egipto, alrededor del año 306. Esta versión concuerda con la Menología del emperador Basilio y con la Synaxary griega. Su nombre fue dado a un antiguo monasterio cerca de Edessa.

[Nota editorial: la fiesta de Santa Bárbara fue eliminada del calendario romano en 1969. Una versión legendaria de su vida nos cuenta que fue encerrada en una torre por su padre para que ningún hombre pudiera verla. Mientras su padre estuvo ausente, se convirtió al cristianismo, el padre enfureció por esto y la denunció a las autoridades. Un juez ordenó a su padre que la matara, pero fue alcanzado por un rayo. Por este motivo, Santa Bárbara fue considerada patrona de aquellos en peligro de muerte repentina, particularmente de poder ser alcanzados por algún rayo, explosiones o balas de cañón.]

5 DE DICIEMBRE

San Sabas

ABAD

† 532

San Sabas nació en Capadocia, no muy lejos de Cesarea, en el año 439. Su padre era un oficial del ejército, y al haber sido obligado a traladarse a Alejandría, encomendó el cuidado de su hijo y de sus bienes a Hermias, el hermano de su esposa. La esposa de su tío abusaba del niño duramente hasta que, después de tres años, fue con su tío Gregorio, hermano de su padre. Gregorio demandó administrar también sus bienes, por lo que surgieron grandes litigios y hostilidades entre los dos. Sabas se ofendió por los desacuerdos y se retiró a un monasterio a 5 kilómetros de Mutalasca.

Después de haber estado diez años en el monasterio, con dieciocho años de edad fue a Jerusalén. Pasó el invierno en el monasterio de Passarion, pero su gran amor por el silencio y el retiro hicieron que prefiriese la vida que practicaba San Eutimio. Se arrojó a los pies de este santo abad, quien lo juzgó muy joven para su clausura en celdas separadas en el desierto y por ello le recomendó un monasterio en la ladera del monte a unos 5 kilómetros de distancia. Cuando cumplió treinta años, obtuvo el permiso de San Eutimio para quedarse durante cinco semanas en una cueva remota. Dejó el monasterio un atardecer de domingo, llevando con él ramas de palma y volvió un sábado por la mañana con 50 canastas que había hecho.

Después de la muerte de San Eutimio una disciplina relajada invadió el monasterio; por ello, Sabas se retiró al desierto hacia el este. Escogió como morada una cueva en la cima de una montaña, debajo de la cual corría el arroyo Cedron. Después de haber vivido allí durante cinco años, varios acudieron a él con el deseo de servir a Dios bajo su dirección. Primero no quería aceptarlos; pero la caridad venció a su resistencia, fundó una nueva comunidad que primeramente contuvo a setenta personas y una pequeña capilla. No había ningún sacerdote en su comunidad y Sallus, obispo de Jerusalén, obligó a Sabas a recibir el sagrado oficio de sus manos y le nombró superior general de todos los monjes de Palestina, que vivían en algunas celdas.

Las iglesias del Este sufrieron una gran confusión. El emperador Anastasio apoyó a la herejía eutichiana y desterró a muchos obispos católicos. Elías, el patriarca, envió a Sabas para que se esforzara en parar esta persecución. Sabas tenía setenta años cuando emprendió su viaje a Constantinopla. Se quedó durante todo el invierno y con frecuencia visitaba al emperador para ganar su aprecio. A sus noventa y un años, por petición de Pedro, el patriarca de Jerusalén, comenzó su segundo viaje a Constantinopla en favor de los cristianos de Palestina, que habían sido calumniados en la corte. Justiniano, que entonces ocupaba el trono, concedió todas sus peticiones. Inmediatamente después de su regreso cayó enfermo y murió el 5 de diciembre del año 532.

6 DE DICIEMBRE

San Nicolás

ARZBISPO DE MYRA (lám. 84)

† 342

Existe un acuerdo en que Nicolás era de Patara, en Lycia, una provincia grande de Asia, en la que San Pablo había sembrado la fe. Myra, la capital, a 5 kilómetros de Patara y del mar, fue la sede arzobispal. Encontrándose vacante la sede, el abad Nicolás fue elgido arzobispo y en esta dignidad se hizo famoso por su piedad y su celo. Las historias griegas concuerdan en que sufrió encarcelamiento debido a su fe y fue llevado ante el gran Concilio de Nicea, donde condenó el arrianismo. El silencio de muchos autores despierta sospechas sobre estos acontecimientos.

La historia del transporte de sus reliquias sitúa su muerte en el año 342. Murió en Myra y fue enterrado en su propia catedral. Algunos comerciantes de Bari, un puerto sobre el mar en Nápoles, navegaron en tres barcos a la costa de Lycia y, esperando a que no hubiera mahometanos, fueron a la iglesia donde estaban las reliquias de San Nicolás, que se encontraban en un lugar desértico cuidadas por una comunidad de monjes. Abrieron el cofre de mármol blanco donde los sagrados huesos yacían y lo trasladaron a sus barcos. Atracaron en Bari el nueve de mayo de 1087 y el sagrado tesoro fue depositado en la iglesia de San Esteban. El primer día, treinta personas fueron curadas de diversas enfermedades rogando la intercesión de San Nicolás y desde entonces, la tumba de San Nicolás de Bari ha sido famosa por sus peregrinaciones. San Nicolás es considerado patrón de los niños.

[Nota editorial: aunque se sepa poco de la vida de San Nicolás, surgieron muchas leyendas en torno suyo, y de ahí el resultado de que se le considere patrón de los niños, marineros, muchachas solteras y otros muchos. De acuerdo con una de estas historias, devolvió milagrosamente la vida a tres niños que habían sido asesinados en una tinaja de salmuera. Otra nos dice cómo proveyó la dote a tres muchachas solteras para que no tuviesen que dedicarse a la prostitución.]

7 DE DICIEMBRE

San Ambrosio

DOCTOR DE LA IGLESIA (lám. 85)

† 397

El padre de Ambrosio era prefecto en la Galia. Nació en la ciudad donde residía su padre en el año 340. Su padre murió cuando él era aún un niño y su madre regresó a Roma. Aprendió la lengua griega, se convirtió en un buen poeta y orador, e intervenía en los tribunales con tanta reputación que Probus lo hizo gobernador de Liguna y Aemilia. Auxentius, un arriano, había usurpado la sede de Milán y la ciudad se había visto envuelta en grandes tumultos. Para prevenir una sedición abierta, pensó Ambrosio que el deber de su oficio era asistir a la iglesia donde se celebraba la asamblea, donde tanto católicos como arrianos le proclamaron unánimemente obispo de Milán. En consecuencia, fue primeramente bautizado, y después de una preparación, recibió la consagración el 7 de diciembre del año 374.

San Ambrosio se dedicó primero a estudiar las Escrituras bajo la instrucción de Simplicianus, un sacerdote erudito. Purgó la diócesis de Milán de las herejías de los arrianos. En sus discursos ensalzaba la virginidad y escribió tres libros *Sobre la Virginidad*, en el año 377, y escribió sus tratados *De las Viudas* para exhortarlas a la perpetua casti-

LÁMINA 83. SANTA BARBARA, 4 DE NOVIEMBRE. BUTLER, *VIDA DE LOS SANTOS*, EDICION ILUSTRADA EN DOS VOL. PUBLICADA EN EL S. XIX.

dad. Para Gratian escribió *Sobre la Fe,* que es la refutación de la herejía arriana.

El emperador Gratian era un celoso cristiano; San Ambrosio se mantuvo a su lado para sacar el altar de la Victoria fuera del senado. Sin embargo, este emperador no atendía suficientemente los asuntos y Máximo, un general que comandaba las tropas británicas, asumió el gobierno del imperio y atravesó por la Galia con su ejército en el año 383. Gratian huyó y Máximo trató con mucha severidad a sus partidarios. La emperatriz Justina mandó a Ambrosio a Máximo con una embajada, que concluyó con un tratado. El emperador Teodosio en el Este declaró la guerra a Máximo en el año 388, lo derrotó y restableció todo el imperio occidental con Valentiniano, quien se puso enteramente bajo la disciplina de San Ambrosio.

San Ambrosio convocó un concilio en el año 390, y éste aún no había comenzado cuando llegaron las noticias de una terrible masacre en Tesalónica. Teodosio fue arrastrado por la pasión y resolvió que debía ser enviada una garantía al comandante para que dejara a sus soldados atacar la ciudad hasta que se diera muerte a siete mil personas. San Ambrosio le escribió una dura carta, exhortándolo a la penitencia y el emperador confesó públicamente su pecado. Nuestro santo obispo hizo del sacramento de la penitencia una parte importante de sus preocupaciones pastorales. En contra de la herejía novatiana escribió sus dos libros sobre la Penitencia. Exhorta a los fieles a la comunión frecuente y recomienda a los nuevos creyentes conservar los sagrados misterios. San Agustín, que fue bautizado por San Ambrosio en el año 387, debió estar presente en los discursos que San Ambrosio dirigió a los neófitos.

San Ambrosio murió el cuatro de abril del año 397. Tenía unos cincuenta y siete años de edad.

LÁMINA 84. SAN NICOLÁS DE MYRA, 6 DE DICIEMBRE. BODLEIAN LIBRARY, MS. ADD.

9 DE DICIEMBRE

Los Siete Mártires

DE SAMOSATE

† SIGLO III

En el año 297, el emperador Maximian, al regresar victorioso de la derrota del ejército persa, celebró los juegos quinquenales en Samosate, a orillas del Éufrates. Ordenó a todos los habitantes acudir al templo de la Fortuna para asistir a los sacrificios solemnes a los dioses. Hiparco y Philoteus, personas nacidas en la ciudad y de fortuna, tardaron en abrazar la fe cristiana. En un departamento secreto de Hiparco realizaron la imagen de la cruz, frente a la cual adoraban a Jesús siete veces al día. Cinco amigos más jóvenes, llamados Jaime, Paragrus, Habibus, Romano y Lallianus fueron encontrados en la habitación secreta rezando y les preguntaron por qué rezaban en casa cuando las órdenes del emperador obligaban a asistir al templo de la Fortuna. Contestaron que adoraban al Creador del Mundo. Después de discutir, los cinco jóvenes declararon que querían ser bautizados.

El tercer día del festejo el emperador preguntó si todos habían cumplido con el deber de los sacrificios. Le fue respondido que Hiparco y Philotheus se habían manteni-do apartados del culto público a los dioses. Unos mensajeros que fueron a la casa de Hiparco los encontraron reunidos a los siete. El emperador ordenó que fuesen encadenados y encerrados en mazmorras separadas, sin comida ni bebida, hasta que los festejos terminaran.

Una vez concluida la celebración en honor a los dioses, el emperador hizo que el tribunal se reuniera en una pradera cercana a las orillas del Éufrates y por orden suya los acusados fueron llevados ante él. Ante su negativa a ofrecer un sacrificio, fueron atados al potro y cada uno recibió veinte latigazos en su espalda y luego azotados con correas sobre el pecho y el vientre. Hecho esto, fueron trasladados a sus mazmorras, con la orden estricta de que nadie podía verlos y que sólo debía dárseles pan suficiente para mantenerlos vivos. En estas condiciones permanecieron del 15 de abril al 25 de junio. Entonces, fueron llevados nuevamente ante el emperador, pero parecían cadáveres en lugar de seres vivos. Les dijo que si obedecían, los llevaría a palacio y restablecería su dignidad. Todos replicaron que no conseguiría apartarlos de Jesucristo. Entonces, el emperador ordenó que los amordazaran, ataran sus cuerpos y los crucificaran.

Hiparco murió en la cruz en el momento. Jaime, Romano y Lallianus expiraron al día siguiente. Philotheus, Habibus y Paragrus, fueron retirados de las cruces aún vivos y taladradas sus cabezas con grandes clavos.

LÁMINA 85. SAN AMBROSIO, 7 DE DICIEMBRE. BRITISH LIBRARY, ADD. MS. 29704, F.100V.

11 DE DICIEMBRE

San Dámaso

PAPA

† 384

Dícese que el papa Dámaso era español, lo que puede ser cierto por su extracción, pero parece que nació en Roma. Su padre, sea después de la muerte de su esposa o con su consentimiento, se prometió al estado eclesiástico y fue sucesivamente lector, diácono y sacerdote de la parroquia de la iglesia de San Lorenzo en Roma. Dámaso sirvió en el ministerio de esta misma iglesia.

Liberio murió en el año 366, y Dámaso, que entonces tenía sesenta años, fue elegido obispo de Roma. Inmediatamente después, Ursinus, quien no podía consentir que Dámaso fuera preferido a él, reunió una multitud de gentes de conducta desordenada y sediciosa y persuadió a Pablo, obispo de Tívoli, para que lo ordenara obispo de Roma. Juventius, prefecto de Roma, desterró a Ursinus y Máximo, un magistrado, llevó a muchos cismáticos a la tortura.

En el año 370, el emperador Valentiniano, para reprimir la conducta escandalosa de los eclesiásticos, quienes convencieron al pueblo para que dejara legados a la Iglesia en perjuicio de sus herederos, envió la ley de Dámaso, que prohibía al clero que visitara las casas de los huérfanos y las viudas o que recibieran presentes, legados o feudos de ellos.

El arrianismo reinaba en el Este, pero a él se oponía con vigor la ortodoxia. En Occidente se confinaba a Milán y Pannonia. Para erradicarlo totalmente de esta parte del mundo, el papa Dámaso en un Concilio en Roma en el año 386 condenó a Ursacius y Valens, famosos obispos arrianos de Milán. La herejía de Apolinar hizo una gran brecha, siendo su nombre el primer anatemizado por el papa Dámaso en Roma.

Cuando San Jerónimo acompañó a Epifanio y a Paulino a Roma, Dámaso lo retuvo cerca de él, rogándole se quedara en calidad de secretario. Este papa que era muy culto y buen conocedor de las santas escrituras, animó a San Jerónimo en sus estudios.

San Dámaso reconstruyó o reparó la iglesia de San Lorenzo donde había oficiado después de su padre, y que hasta el día de hoy se llama San Lorenzo, in *Damaso*. También drenó las fuentes del Vaticano que corrían sobre los cuerpos que habían sido allí enterrados y decoró los sepulcros de un gran número de mártires.

Habiendo llegado a los ochenta años, murió el diez de diciembre del año 384.

12 DE DICIEMBRE (21 DE AGOSTO)

Santa Juana Francisca de Chantal

VIUDA Y ABADESA

† 1641

El padre de Santa Juana de Chantal era Benignus Fremoit, uno de los presidentes del parlamento de Burgundy.

El presidente Fremiot quedó viudo cuando sus hijos eran todavía pequeños, pero se preocupó de tal forma por su educación que no necesitaron instructores para formarles en la práctica de todos los deberes religiosos. Juana, que en su confirmación se la llamó Francisca, fue tiernamente amada por su padre, quien la dio en matrimonio cuando tenía veinte años al barón de Chantal, de veintisiete años entonces, un distinguido oficial del ejército francés. El matrimonio se celebró solemnemente en Dijon y, unos cuantos días después, fue con su marido a su localidad en Bourbilly. Se encontró con una familia no acostumbrada a la regularidad, lo que primero se cuidó de establecer.

Un día el barón salió a cazar; sus amigos le dispararon en el muslo. Sobrevivió a este accidente durante nueve años y expiró en los brazos de su desconsolada dama, quien quedó viuda con veintiocho años, con un hijo pequeño y tres hijas; además había padecido con anterioridad la muerte de tres hijos en su infancia. En el año que el luto vencía, su padre envió a buscarla para que fuera a su casa en Dijon. Un año después de esto, fue obligada a vivir con sus hijos en casa de su suegro, el viejo barón de Chantal, que tenía por aquel entonces setenta y cinco años.

En el año 1604, cuando San Francisco de Sales vino a predicar a Dijon, la devota visitaba a su padre, y tuvo seguramente oportunidad de asistir a los sermones de aquel célebre predicador. Empezó a albergar deseos de renunciar al mundo. Cuando reveló su inclinación a San Francisco, éste le propuso diversas órdenes religiosas y mencionó su proyecto de formar una nueva congregación de la Visitación de la Virgen María. Fundó su nuevo instituto en Annecy en 1610, habiendo el obispo otorgado un convento para este propósito. Otras dos devotas mujeres tomaron los hábitos junto a ella, e inmediatamente después se le unieron otras diez. Santa Juana exhortó a sus monjas a que se perfeccionasen en el espíritu de oración, trabajo que comenzaron con humildad, obediencia y resignación.

Los asuntos de sus hijos y la fundación de muchos conventos la obligaban, con frecuencia, a abandonar Annecy. Gobernó su convento en París durante tres años, desde 1619 a 1622. Al año siguiente, la muerte de San Francisco causó en ella una gran aflicción. Una peste azotó violentamente durante dos años Annecy. El duque y la duquesa de Savoya procuraron llamar a nuestra santa para dar salvaguardia a su huida; pero el pueblo no la pudo convencer para que abandonase su congregación y gracias a sus limosnas generosas se alivió la calamidad pública en la ciudad. Murió el 13 de diciembre de 1641.

13 DE DICIEMBRE

Santa Lucía

VIRGEN Y MÁRTIR

† 304

Santa Lucía nació de padres acaudalados en la ciudad de Siracusa y fue educada en la fe de Cristo. Perdió a su padre aún siendo una niña y su madre cuidó de ella inculcándole sentimientos piadosos. Era muy joven cuando ofreció a Dios la flor de la virginidad. Esta promesa, en cualquier caso, la mantuvo en secreto y su madre, que no la conocía, la presionó para que contrajera matrimonio con un joven caballero pagano. La santa trató por todos los medios de que este proyecto no se realizara y su madre fue visitada por un molesto flujo de sangre que intentó curar durante cuatro años en vano. Finalmente fue persuadida por su hija para que fuera a Catana y que ofreciera sus oraciones a Dios sobre la tumba de Santa Águeda. Santa Lucía la acompañó y sus oraciones tuvieron éxito. Entonces nuestra santa reveló a su madre su deseo de entregarse a Dios en perpetua virginidad y dar su fortuna a los pobres, y Euthichia, en agradecimiento, le dio plena libertad para que siguiera sus inclinaciones.

El joven noble con quien la madre había pactado el matrimonio, llegó a saber esto por la venta de sus joyas y bienes y la distribución del dinero entre los pobres, y en su rabia, la acusó ante el gobernador de cristiana; la persecución de Diocleciano alcanzaba en estos momentos su mayor furia. El juez ordenó que la santa fuera prostituida en un burdel; pero Dios la dejó inmóvil y los guardias no se la pudieron llevar. Dios también hizo vencer la crueldad de sus perseguidores. Después de un largo y glorioso combate, murió en una prisión alrededor del año 304 a causa de las heridas recibidas.

Su festividad se matuvo en Inglaterra hasta el cambio de religión como un día santo en el que no se permitía trabajar salvo en las labores de labranza. Santa Lucía es con frecuencia representada con los globos oculares en un plato; quizás sus ojos fueran mutilados o extraídos, aunque los hechos que se conservan no mencionan esta circunstancia. En muchos lugares se implora su intercesión en las enfermedades de la visión.

14 DE DICIEMBRE (24 DE NOVIEMBRE)

San Juan de la Cruz

† 1591

San Juan, de apellido Yepes, era el menor de los hijos de González Yepes y nacido en Fontiberos, cerca de Ávila, en 1542. La muerte de su padre dejó a su madre desamparada con tres hijos pequeños con los que se asentó en Medina. Juan continuó sus estudios en un colegio de jesuitas y a los veintiún años de edad tomó el hábito religioso entre los padres carmelitas de Medina en 1563. Cuando llegó a Salamanca, para comenzar sus estudios superiores, la austeridad que practicaba era indecible. Su deseo era ser lego, pero fue rechazado. En 1567 fue ordenado sacerdote.

Santa Teresa estaba entonces ocupada estableciendo la reforma de las carmelitas y oyó hablar de la virtud del hermano Juan. Le dijo que había recibido la autorización del general de la Orden para fundar dos conventos reformados para hombres y que él debía ser el instrumento de esta gran tarea. Este fue el principio de los frailes carmelitas descalzos. San Juan, después de haber probado las bondades de la santa contemplación, se encontró desprovisto de toda vocación sensible. Esta sequedad espiritual fue seguida por una problemática interior. El escribe lo que un alma siente en este proceso en su obra *La Noche Oscura*.

El convento donde Santa Teresa hizo sus primeros votos en Ávila siempre se había opuesto a su reforma. Sin embargo, el obispo de Ávila consideró necesario ordenarla priora de éste. Mandó a buscar a San Juan y le designó director espiritual de esta casa en 1576. Los frailes mayo-

res vieron esta reforma como una rebelión en contra de la Orden y condenaron a San Juan de apóstata. Enviaron delegados que le trasladaron a Toledo, donde fue encerrado en una oscura celda. Lo liberaron después de nueve meses por el favor de Santa Teresa. Sin haberse repuesto todavía, fue designado superior del convento del Calvario y, en 1579, fundó el de Baeza. En 1588 fue elegido primer definidor de la Orden. Dios se complació en terminar su martirio con una segunda persecución por parte de sus propios hermanos. Había en la orden dos hermanos de gran autoridad que se declararon ellos mismos sus enemigos. Uno de ellos alardeó de tener pruebas para expulsarlo de la Orden. Esta tormenta terminó cuando la información fue presentada ante sus superiores, ya que juzgaron que nada de lo expuesto merecía castigo.

San Juan, viviendo bajo la práctica de una extrema austeridad, enfermó, y el provincial le ordenó ir a Baeza o Ubeda. En este primero, el prior era amigo del santo. El otro era pobre y su prior era su enemigo. El amor al sufrimiento hizo que San Juan prefiriera el de Ubeda. El indigno prior lo trató con la mayor inhumanidad y lo encerró en una pequeña celda, aunque luego suplicaría el perdón del santo. San Juan murió el 14 de diciembre de 1591.

17 DE DICIEMBRE

Santa Olimpia

VIUDA

† ALREDEDOR DEL 410

Santa Olimpia nació hacia el año 368 y quedó huérfana bajo el cuidado de Procopius, que parece haber sido su tío; pero su mayor felicidad fue haber sido criada bajo el cuidado de Teodosia, hermana de San Amfiloquio, una virtuosísima mujer. Olimpia era muy joven cuando se casó con Nebridius, tesorero del emperador Teodosio El Grande; pero él murió después de veinte días de matrimonio.

Se dirigieron a nuestra santa lo hombres más distinguidos de la corte y Teodosio insistió para que aceptase como esposo a Elpidio, un español y pariente cercano. Ella modestamente declaró la resolución que había tomado de permanecer soltera por el resto de sus días; el emperador continuó forzando la relación y después de algunas respuestas concluyentes de la viuda, puso toda su fortuna en manos del prefecto de Constantinopla, con la orden de actuar como su guardián hasta que cumpliera los treinta años.

Por instigación del contrariado amante, el prefecto ordenó que fuera a ver a los obispos y a la iglesia esperando su condescendencia. Ella dijo al emperador que se sentía obligada para con él por la bondad que había tenido en liberla de la pesada carga de la administración de su patrimonio; y que su favor sería completo si ordenara que toda su fortuna fuera dividida entre los pobres y la Iglesia. Teodosio le devolvió la administración de sus bienes en el año 391. El uso que hizo de él consistió en consagrar los beneficios a los propósitos que la religión y la virtud prescriben. Abrazó la vida de penitencia y oración. Su vestimenta era humilde, sus muebles de mala calidad y su caridad sin límites.

El diablo la asaltó con muchas pruebas: Frecuentes enfermedades graves, las más atroces calumnias y persecuciones injustas, una detrás de otra. Su virtud fue la admiración de toda la Iglesia, como se muestra por la forma en la que la mencionan casi todos los santos y grandes prelados de la época. San Amfiloquio, Santa Epifania, San Pedro de Sebaste y otros mantuvieron correspondencia con ella. Nectarius, arzobispo de Constantinopla, la hizo diácono para servir a esta iglesia, en ciertas funciones del ministerio de las cuales es capaz ese sexo, como preparar los altares y cosas similares. San Crisóstomo no tuvo menos respeto por ella, pues fue una de las últimas personas de las que se despidió cuando fue desterrado en el año 404. Después de la partida de San Crisóstomo, también formó parte de la persecución en la que todos sus amigos estuvieron involucrados. Aticus dispersó y desterró a toda la comunidad de monjas que ella gobernaba, porque parece, según Palladius, que fue abadesa o al menos directora de un gran monasterio.

Otros testimonios nos dicen que murió bajo sufrimientos.

19 DE DICIEMBRE

San Nemesio

MÁRTIR, Y OTROS

† 250

Durante la persecución de Decius, Nemesio, un egipcio, fue aprehendido en Alejandría. El siervo de Cristo fácilmente se libró de la acusación, pero inmediatamente fue acusado por ser cristiano. De aquí fue enviado al augusto prefecto de Egipto, y confesando su fe al tribunal, se ordenó que fuera azotado y torturado dos veces más severamente que a los ladrones; después de ello, fue condenado a ser quemado junto con los más criminales de los ladrones y malhechores, donde tuvo el honor y la felicidad de imitar a la perfección la muerte de nuestro divino Redentor.

En el mismo momento se encontraban cerca del tribunal cuatro soldados llamados Ammon, Zenon, Ptomolomeo e Ingenuo, y otra persona llamada Teófilo que, siendo cristianos, alentaron vigorosamente a un confesor que estaba colgado del potro. Inmediatamente fueron descubiertos y presentados ante el juez que los condenó a ser decapitados, pero se sorprendió al ver la alegría con la que caminaron al lugar de la ejecución.

Heron, Ater e Isidro, egipcios, junto con Dioscoro, un joven de tan sólo quince años de edad, fueron entregados en Alejandría durante la misma persecución. Primeramente, el juez llevó al joven de la mano y comenzó a suplicarle con hermosos discursos; luego, le abrumó con variados tormentos; pero el generoso joven ni se inclinaba ante sus halagos, ni se horrorizaba o doblegaba ante la amenaza de los tormentos. Los otros, después de soportar el más cruel desgarramiento y desprendimiento de sus miembros, fueron quemados vivos. Pero el juez perdonó la vida a Dioscoro debido a su tierna edad, diciendo que le dejaba tiempo para arrepentirse y reflexionar sobre su propio bien, y expresó que había quedado admirado por la deslumbrante belleza de su semblante. En el martirologio romano, San Nemesio se conmemora el 19 de diciembre; el resto de los mártires en otros días diferentes.

25 DE DICIEMBRE

Natividad de Cristo

DÍA DE NAVIDAD (lám. 86)

Todas las cosas que tenían que predecir la venida del Mesías se cumplieron, de acuerdo con los antiguos profetas, cuando Cristo, habiéndose encarnado, nació para redimir a la humanidad.

Augusto promulgó un decreto, que fue publicado en todo el Imperio Romano, ordenando que todo el pueblo, junto con sus bienes y su condición, debían registrarse en determinados lugares, de acuerdo con sus respectivas provincias, ciudades y familias. El decreto fue promulgado por el emperador respondiendo a motivos políticos de estado, pero procedió de una orden de la providencia de que se manifestara a todo el mundo por este acto público que Cristo descendía de la casa de David, y la tribu de Judá. Por ello, todos sus familiares fueron obligados a registrarse en Belén, un pequeño pueblo a diez kilómetros de Jerusalén.

La sagrada Virgen y San José, después de un doloroso viaje de al menos cuatro horas por un terreno montañoso, llegaron a Belén. Allí encontraron que los albergues públicos estaban llenos; tampoco pudieron encontrar alojamiento en el pueblo, pues todos desdeñaban su pobreza. José y María, con esta angustia, se retiraron a una cueva formada en el lado de una roca, llamada establo porque servía a este propósito. Según la tradición, un buey y un asno estaban dentro en ese momento. En este lugar la Santa Madre dio a luz a su Hijo divino, lo envolvió en mantillas y lo acostó en el pesebre.

Dios se complació de que su Hijo, a pesar de haber nacido en la tierra en secreto, fuera conocido por los hombres. ¿Quiénes fueron los favorecidos por el honor de esta llamada? Esa feliz gente fueron algunos pastores. Mientras los soberbios dormían en blandas camas, un ángel se apareció a estos pobres hombres humildes y les dijo, «No temáis, pues os traigo un enorme júbilo para todas las gentes. Ha nacido en este país un Salvador, que es Cristo, el Señor, en la ciudad de David.» Se apresuraron inmediatamente hacia allí y encontraron a María, a José y al niño. Rindieron homenaje al Mesías y luego regresaron con sus rebaños, glorificando y alabando a Dios.

Antiguamente, los papas daban tres misas en Navidad, la primera en la basílica de Liberia, la segunda en la iglesia de Santa Anastasia y la tercera en el Vaticano. Esta costumbre fue universalmente imitada y se ha conservado en todas partes, aunque no es precepto. El que Cristo haya nacido el 25 de diciembre, lo prueba el papa Benedicto XIV a través de la autoridad de San Crisóstomo, San Gregorio de Nisa, San Agustín, etc. Él no duda de que la Iglesia griega mantuviera esta festividad el mismo día; y toma nota también de que entre las principales fiestas del año se sitúa después de la Pascua y de Pentecostés.

26 DE DICIEMBRE

San Esteban

PRIMER MÁRTIR (lám. 87)

† SIGLO I

Es indiscutible que San Esteban fuese judío, habiendo reconocido él mismo esta relación. Pero que fuese de extracción hebrea o de padres extranjeros incorporados y llevados a esa nación es incierto. El nombre de Esteban, que significa corona, es evidentemente griego.

Se dice generalmente que fue uno de los setenta y dos discípulos de Nuestro Señor, ya que inmediatamente después del descenso del Espíritu Santo le vemos perfectamente instruido en las leyes del Evangelio. San Esteban tenía preferencia entre los diáconos elegidos por los apóstoles, y habiéndose llenado del Espíritu Santo predicó y complació la causa de la Cristiandad, sin duda con coraje. Los éxitos de nuestro diácono bendito hicieron surgir la malicia y la envidia de los enemigos del Evangelio. La conspiración fue tramada por los libertinos (o los que fueron cautivos en Roma bajo Pompeyo y que desde entonces han obtenido la libertad). Primeramente, mantuvieron una disputa con Esteban; pero encontrando ellos mismos que eran rebatidos en todo, sobornaron a falsos testigos para que le acusasen por blasfemias contra Moisés y contra Dios. La acusación fue dictada en su contra en el Sanhedrim y el santo fue conducido allí.

Después de que la acusación fuese leída, Caifás, el supremo sacerdote, ordenó que se defendiera. De acuerdo con la licencia otorgada, realizó su apología, pero de manera tan audaz como si Jesucristo estuviera predicando en el mismo Sanhedrim. Señaló que Moisés predijo una nueva ley y al Mesías; que Salomón construyó el Templo; pero que el templo y las leyes de Moisés eran ministerios temporales por lo que debían dar lugar a instituciones más excelentes que Dios introdujera. Y que había hecho esto enviando al Mesías; pero los padres persiguieron y asesinaron a muchos de los profetas que anunciaron a Cristo, así a él mismo lo traicionaron y lo mataron.

El santo, sin prestar atención a lo que se murmuraba fijó sus ojos y su corazón en las cosas más elevadas, y mirando firmemente a los cielos, los vio abiertos y contempló a su Salvador divino preparado para proteger, recibir y coronar a su siervo. Los judíos se endurecieron y se enfurecieron al oír la declaración del santo sobre su visión, y decidieron su muerte sin continuar el proceso. Por la furia de su ciego entusiasmo, no esperaron ninguna sentencia judicial, ni la autorización del gobernador romano sin la cual, en aquel tiempo, nadie podía ser sentenciado entre ellos. Sino que con gran clamor corrieron a buscarlo, lo llevaron fuera de la ciudad y con una tempestad de piedras saciaron su furia contra él. El santo mártir rezó diciendo, «Señor Jesús, recibe mi espíritu.» Y cayendo de rodillas, gritó con voz fuerte y con gran ardor, «Señor, no dejes que sean culpados por este pecado.» Cuando había dicho esto, quedó dormido en el Señor.

LÁMINA 86. LA NATIVIDAD, 25 DE DICIEMBRE. BRITISH LIBRARY, KINGS. MS. 9, F.93V.

LAMINA 87. SAN ESTEBAN, 26 DE DICIEMBRE. BUTLER, *VIDA DE LOS SANTOS*, EDICION ILUSTRADA EN DOS VOL. PUBLICADA EN EL S. XIX.

27 DE DICIEMBRE

San Juan

APÓSTOL Y EVANGELISTA *(lám. 88)*

† SIGLO I

San Juan Evangelista, que es conocido como «el discípulo amado de Cristo», era de Galilea, hermano menor de San Jaime El Mayor, con quien se crió en el oficio de pescador. Se dice que fue el menor de los apóstoles, probablemente fue llamado con unos veinticinco años; pues vivió setenta años después del sufrimiento de su Señor.

Después de la Ascensión de Cristo, San Pedro y San Juan fueron encarcelados, pero liberados nuevamente con la condición de no volver a predicar, pero no hubo amenaza que intimidase su coraje. Fueron enviados a confirmar conversos en Samaria. San Juan fue de nuevo aprehendido por los judíos y azotado. Cuando San Pablo fue a Jerusalén en el año 14 después de su conversión, se dirigió él mismo en primer lugar a Pedro y a Juan, quienes lo confirmaron en su misión. Por entonces, San Juan asistió al concilio que tuvieron los apóstoles en Jerusalén en el año 51.

San Juan parece haberse quedado principalmente en Jerusalén durante un largo tiempo, a pesar de que algunas veces predicó fuera y estuvo a cargo de todas las iglesias de Asia, las que fundó y gobernó San Jerónimo. En la segunda persecución general del año 95, San Juan fue aprehendido por el procónsul de Asia, y fue enviado a Roma donde milagrosamente se libró de la muerte al ser arrojado a una pila de agua hirviendo. Los idólatras que intentaron tales milagros con hechizos, se cegaron ante esta evidencia y el tirano Diomitiano desterró a San Juan a la isla de Patmos en las Espóradas. Durante este retiro el apóstol fue favorecido con las visiones celestiales que registró en su libro de las Revelaciones: se le aparecieron un domingo del año 96. Los tres primeros capítulos son instrucciones proféticas para las siete iglesias vecinas del Asia Menor. Los tres últimos celebran el triunfo de Cristo. Los capítulos intermedios están variadamente expuestos.

Su exilio no duró indefinidamente, ya que al morir Domitiano en septiembre del 96, su sucesor llamó a todos aquellos a quienes había desterrado. San Juan regresó a Éfeso donde se le pidió llevar el gobierno de aquella iglesia que mantuvo hasta el reinado de Trajano. Los antiguos padres nos informan de que fue principalmente para refutar las blafemias por lo que compuso sus tres epístolas.

San Juan murió en paz en Éfeso en el tercer año de Trajano (según se deduce de la Crónica de Eusebio), esto es, el año 100 de la era cristiana, contando el santo entonces unos noventa y cuatro años. Fue enterrado en la montaña fuera de la ciudad. El polvo de su tumba se cogía por devoción y fue famoso por sus milagros.

28 DE DICIEMBRE

Los Santos Inocentes

(lám. 89)

Nuestro divino Redentor fue perseguido en el mundo tan pronto como apareció en él. Herodes, habiendo sabido por los Magos que venían de países lejanos a adorar a Cristo, el Mesías que había nacido, tembló al pensar que había venido a despojarlo de su reino en la Tierra. El tirano se enfureció de tal forma que decidió quitar la vida a ese niño. Pero Dios amonestó a los magos para que no volviesen a verlo. Asimismo, San José fue advertido por un ángel para que cogiese al niño y la madre y se dirigiese a Egipto. Según una antigua tradición de los griegos, todos los dioses de este reino cayeron al suelo con su entrada en Egipto, verificando literalmente la profecía del profeta Isaías.

Herodes, al descubrir que los magos le evitaron, fue transportado por temores enfurecidos y ansiosos. Para ejecutar su plan de matar al Mesías, tomó la sangrienta resolución de matar a todos los niños, de Belén y los territorios vecinos, que no tuvieran más de dos años de edad. Los soldados fueron alentados para ejecutar las crueles órdenes, cercaron el pueblo de Belén y masacraron a todos los niños varones de ese y de los pueblos vecinos (la matanza probablemente se extendió a la tribu vecina de Benjamin, que descendía de Raquel). Esta barbarie más que brutal estuvo acompañada de tales gritos de madres y niños que San Mateo emplea para ello la profecía de Jeremías, «Una voz en Ramá fue escuchada, lamento y gran duelo: Raquel se lamentaba por sus hijos, y no podía ser consolada porque éstos perecieron.» Ramá es un pueblo no muy lejos de esta ciudad y el sepulcro de Raquel estaba en un campo parecido a ése. La matanza se extendió probablemente también a la vecina tribu de Benjamín, descendiente de Raquel. Los etíopes en su liturgia y los griegos en su calendario cuentan catorce mil niños masacrados en esta ocasión; pero ese número excede todos los límites y tampoco está confirmado por ninguna autoridad de peso. Estas víctimas inocentes fueron las flores y los primeros frutos de los mártires de Cristo, y triunfaron sobre el mundo sin haberlo conocido siquiera.

Herodes no vivió mucho más para disfrutar el reino que tanto había temido perder. Cerca del tiempo de la Natividad de Nuestro Señor enfermó. Una fiebre violenta quemó en él, y tan desagradable hedor exhalaba su cuerpo que sus mejores amigos se retiraron de su lado. Murió cinco días después de haber dado muerte a su hijo Antipater.

29 DE DICIEMBRE

Santo Tomás

MÁRTIR, OBISPO DE CANTERBURY *(lám. 90)*

† 1170

Santo Tomás Becket nació en Londres en 1117. Cursó sus estudios en Oxford y París donde se consagró al derecho canónico. Cuando regresó a Londres fue nombrado secretario de la corte de esta ciudad. Una gran amistad unió a Theobald, que sería ascendido al arzobispado de Canterbury en 1138. Algunas personas recomendaron a Tomás a aquel prelado, por lo que fue invitado a aceptar algún cargo en su familia. Con la marcha del obispo, fue a Italia y estudió un año en Bolonia, y algún otro en Auxerre. A su regreso, el arzobispo lo ordenó diácono y fue sucesivamente ocupando las canonjías de Lincoln y San Pablo en Londres. El arzobispo le nombró archidiácono de Canterbury, lo envió varias veces a Roma con importantes misiones y fue recomendado para el cargo de Lord Canciller de Inglaterra, al que el rey Enrique le ascendió en 1157. En medio de los honores que disfrutaba, siempre

vivió humilde y modestamente, siendo caritativo con los pobres y totalmente casto.

Teobard murió en 1160. El rey Enrique estaba entonces en Normandía con su canciller al que inmediatamente decidió elevar a aquella dignidad. Santo Tomás rehusó hasta que el cardenal de Pisa, llegado de la Santa Sede, anulara sus escrúpulos. Se celebró su elección en 1162 y el santo partió para Canterbury. Primero Santo Tomás ofendió a su majestad renunciando a su puesto de canciller. Pero la fuente de la discordia la supuso un abuso por el que el rey usurpó las ganacias de los beneficios vacantes, injusticia que el santo no toleraría. Un tercer debate tuvo lugar cuando el arzobispo no quiso dejar que jueces legos citasen a eclesiásticos ante sus tribunales. El rey dijo a los arzobispos que pediría de ellos un juramento por el que se comprometieran a mantener las costumbres del reino. Tomás alegó que ciertas injusticias notorias eran denominadas por el rey «costumbres» y rechazó aquel juramento, pero luego accedió en una asamblea de Clarendon en 1164. Después se arrepentiría mucho. El rey se sintió terriblemente ofendido y declaró la confiscación de todos sus bienes. Santo Tomás decidió dejar el reino y marchó a Flandes.

Rogó a Dios que inspirara a Enrique un deseo de reconciliación, y habiendo estado siete años ausente, el santo llegó a Sandwich. El arzobispo de York acusó a Santo Tomás ante el rey, éste gritó que deseaba deshacerse del obispo que le había dado más problemas que el resto de los súbditos. Cuatro caballeros, que no tenían otra religión que la del halago del príncipe, conspiraron para asesinarlo. Fueron a Canterbury a ver al obispo, quien había ido a la misa por ser la hora de las vísperas, entraron con la espada en la mano y se la clavaron cerca del altar de San Bennet. Santo Tomás sufrió martirio el 29 de diciembre de 1170.

31 DE DICIEMBRE

San Silvestre

PAPA

† 335

San Silvestre nació en Roma, y era hijo de Rufino y Justa. Su virtuosa madre, para que fuese educado bajo las más estrictas prácticas de la religión y en la literatura sagra-

LÁMINA 89. LOS SANTOS INOCENTES, 28 DE DICIEMBRE.
BODELEIAN LIBRARY, ADD. MS. 54782, F.139V.

da, lo puso bajo las enseñanzas de Charitius, o Cannus, predicador de grandes conocimientos. Habiéndose formado con un excelente maestro, pasó a pertenecer al clero de Roma, y fue ordenado sacerdote por el papa Marcelino antes que la paz de la Iglesia fuese perturbada por Diocleciano. Su comportamiento, en aquellos turbulentos y peligrosos tiempos, le hizo ganar el aprecio del pueblo y vio el triunfo de la cruz en la victoria de Constantino sobre Maxentius, bajo la mirada de la ciudad de Roma, el 28 de octubre del año 312.

El papa Melquiades murió en enero del año 314, y San Silvestre fue ascendido al pontificado, comisionando el mismo año a cuatro legados, dos sacerdotes y dos diáconos, para que le representasen en el gran concilio que la Iglesia de Occidente celebró en Arlés, en el mes de agosto, en el cual el cisma de los donatistas, que habían subsistido entonces siete años, y la herejía de los cuartodenimanos fueron condenados y muchos puntos importantes de la disciplina fueron regulados con veinte cánones. Estas decisiones fueron enviadas al papa Silves-

tre por el concilio, con una honorable carta, antes de que la asamblea hubiese terminado, y fueron por él confirmadas y las publicó en toda la Iglesia. El Concilio General de Niza se levantó contra el arrianismo en el año 325. Sócrates, Sozomen y Teodoro dijeron que el papa Silvestre no pudo asistir en persona debido a su avanzada edad, pero que envió a sus delegados.

San Silvestre hizo que la religión avanzara en gran medida gracias al puntual desempeño de todas las funciones de su alta condición durante el espacio de veintiún años; murió el 31 de diciembre del año 354. Fue enterrado en el cementerio de Priscilla. San Gregorio Magno pronunció su novena homilía sobre los Evangelios en su festividad, y en μna iglesia dedicada a Dios en su memoria. Se hace mención a un altar consagrado a Dios en su honor en Verona, alrededor del año 500; y su nombre aparece en el antiguo martirologio llamado de San Jerónimo. El papa Gregorio IX, en el año 1227, marcó la celebración de su festividad general en la Iglesia latina; los griegos, sin embargo, la conservan el 10 de enero.

LÁMINA 90. SANTO TOMÁS BECKET, 29 DE DICIEMBRE. BUTLER, *VIDA DE LOS SANTOS*, ED. ILUSTRADA EN DOS VOL. PUBLICADA EN EL S. XIX.

ÍNDICE DE SANTOS

El siguiente índice contiene los principales santos del calendario cristiano, junto con las fechas en que vivieron, sus patronazgos (si tienen) y el día en que se celebran o se celebraban sus festividades. También se han incluido las festividades más importantes.

Cuatro Mártires de Sebaste, 320—10 de marzo

Cuatro Mártires Coronados, siglo IV (picapedreros)—8 de noviembre

Cunegunda, c. 978-1040—3 de marzo

Cutberto, c. 634-87 (pastores)—20 de marzo

Dámaso, c. 304-84 (arqueólogos)—11 de diciembre

Daniel El Estilita, 408-93—11 de diciembre

David de Escocia, c. 1085-1153—24 de mayo

David de Gales, siglo VI—1 de marzo

David de Suecia, 1080—15 de julio

Denis o Dionisio, c. 250—9 de octubre

Deusdecit, 664—14 de julio

Dimna, siglo VII (enfermos mentales, epilépticos)—15 de mayo

Domingo, 1170—1221 (astrónomos)

Domingo de Silos, 1073—20 de diciembre

Donato, 876—22 de octubre

Dorotea, 313 (floristas)—6 de febrero

Dunstano, 909-88 (orfebres, los ciegos)—19 de mayo

Ebba, 683—25 de agosto

Edgar, 943-75—8 de julio

Edita, 961-84—16 de septiembre

Edmundo, 841-70—20 de noviembre

Edmundo de Abingdon, 1175-1240—16 de noviembre

Edmundo Arrowsmiyh, 1585-1628—25 de octubre

Edmundo Campion, 1540-81—25 de octubre

Eduardo Confesor, 1003-66—13 de octubre

Eduardo Mártir, 962-79—18 de marzo

Edwin, 584-633—12 de octubre

Efrén, 373—9 de junio

Elfego 953-1012—19 de abril

Eloy o Eligio, 588-660 (herreros)—1 de diciembre

Emilia de Rodat, 1787-1852—19 de septiembre

Enrique II, 973-1024 (reyes)—13 de julio

Enrique de Finlandia, 1156—19 de enero

Enrique Morse, 1595-1645—1 de febrero

Epifanía—6 de enero

Erasmo, 300 (navegantes)—2 de junio

Eroco de Suiaecia, 1160—18 de mayo

Escolástica, c. 543 (monjas)—10 de febrero

Estanislao de Cracovia, 103-79—11 de abril

Estanislao Kotska, 1550-68—13 noviembre

Esteban, c. 35—26 de diciembre

Esteban I, 257—2 de agosto

Esteban Harding, 1134—17 de abril

Esteban de Hungría, c. 975-1038—16 de agosto

Esteban de Perm, 1345-86—26 de abril

Etelreda o Audry, 679—23 de junio

Ethelbert, 560-616—25 de febrero

Eufrasia, 410—13 de marzo

Eulalia de Mérida, 304—10 diciembre

Eusebio de Vercelli, 371—2 de agosto

Eustaquio, siglo II (cazadores)—20 de septiembre

Eutimio, 473—20 de enero

Fabián, 250—20 de enero

Fe, siglo III—6 de octubre

Felipe, siglo I—3 de mayo

Felipe Beniti, 1233-85—23 de agosto

Felipe Neri, 1515-95—26 de mayo

Félix de Nola, 260—14 de enero

Fernando III, 1199-1254 (ingenieros)—30 de mayo

Fergus, siglo VIII—30 de agosto

Fidel de Sidmaringa, 1577-1622—24 de abril

Fileas, 306—4 de febrero

Fisher, Juan, 1469-1535—22 de junio

Focas, siglo IV (?)—22 de septiembre

Francisca, 1384-1440 (motoristas)—9 de marzo

Francisca Cabrini, 1917 (emigrantes)—22 de diciembre

Francisco de Asís, 1181-1226 (animales y aves)—4 de octubre

Francisco de Borgia, 1510-72—10 de octubre

Francisco de Paula, 1416-1507—2 de Abril

Francisco de Sales, 1567-1622—24 de enero

Francisco Javier, 1506-51 (misioneros)—3 de diciembre

Fredesvinda, c. 680-735—19 de octubre

Frumentio, c. 380—27 de octubre

Fulberto, 1029—10 de abril

Gabriel, arcángel (trabajadores del telégrafo)—29 de septiembre

Gabriel Possenti, 1838-62—27 de febrero

Galo, c. 630—16 de octubre

Gaspar del Búfalo, 1786-1837—2 de enero

Gema Galgani, 1878-1903—14 de mayo

Genesio de Arlés, c. 303—3 de junio

Genoveva, c. 510—3 de enero

Gerardo, 1046—24 de septiembre

Gereón, c. 304—10 de octubre

Germán de Auxerre, 446—31 de julio

Germán de París, 576—28 de mayo

Gertrudis, 1302—16 de noviembre

Gervasio y Prostasio, fecha desconocida—19 de junio

Gil, c. 710 (leprosos)—1 de septiembre

Gilberto de Sempringham, c. 1083-1189 (lisiados)—4 de febrero

Gildas c. 500-70—29 de enero

Godelva, 1070—6 de julio

Goderico, c. 1069-1170—21 de mayo

Gregorio El Grande, c. 540-604 (músicos)—3 de septiembre

Gregorio VII, o Hildebrand, c. 1021-85—25 de mayo

Gregorio de Nacianzeno, 329-89—2 de enero

Gregorio de Nyssa, c. 330-95—9 de marzo

Gregorio de Tours, 539-94—17 de noviembre

Gregorio Taumaturgo, c. 213-70—17 de noviembre

Guido de Anderlecht, c. 1012—12 de septiembre

Guillermo de Eskill, c. 1125-1203—6 de abril

Guillermo de Roskilde, c. 1070—2 de septiembre

Guillermo de Toulouse, 1242—29 de mayo

Guillermo de Vercelli, 1085-1142—25 de junio

Guillermo de York, 1154—8 de junio

Hedwig, c. 1174-1243—16 de octubre

Helena, siglo III-IV—18 de agosto

Hermenegildo, 700—13 de abril

Hermenegildo, 586—13 de abril

Hilario de Arlés, 449—5 de mayo

Hilario de Poitiers, c. 315-68—13 de enero

Hilarión, c. 291-371—21 de octubre

Hilda, 614-80—17 de noviembre

Hildegarda de Bingen, 1098-1179—17 de septiembre

Hipólito, c. 250 (caballos)—13 de agosto

Homobono, 1197 (sastres)—13 de noviembre

Honorato, siglo V—16 de enero

Huberto, 727 (cazadores)—30 de mayo

Hugo de Cluny, 1024-1109—29 de abril

Hugo de Grenoble, 1052-1132—1 de abril

Hugo de Lincoln, c. 1140-1200—17 de noviembre

Hyacinth, 1185-1257—17 de agosto

Ignacio de Antioquía, 107—17 de octubre

Ignacio de Loyola, 1491-1556 (retirados)—31 de julio

Inés, 350 (niñas)—12 de enero

Inés de Montepulciano, c. 1268-1317—20 de abril

Ireneo de Lyons, c. 130-200—28 de junio (página 92)

Isabel Bayley Seton, 1774-1821—4 de enero

Isabel de Hungría, 1207-31 (panaderos)—17 de noviembre (página 163)

Isabel de Portugal, 1271-1336—4 de julio (página 96)

Isabel de Schonau, 1164—18 de julio

Iscarión, 250—22 de diciembre

Isidoro de Sevilla, c. 560-636—4 de abril

Isidro Labrador, 1170 (labradores)—15 de mayo
Ita, *c.* 570—15 de enero
Ivo, fecha desconocida-24 de abril

Jaime Intercisus, 421—27 de noviembre
Jaime El Mayor (Santiago), 44 (peregrinos)—25 de julio
Jaime El Menor, siglo I—3 de mayo
Jenaro, 305 (?)—19 de septiembre
Jerónimo, *c.* 341-420 (bibliotecarios)—30 de septiembre
Jerónimo Emiliano, 1481-1537—8 de febrero
Joaquín, siglo I—26 de julio
Jorge, 303 (soldados)—23 de abril
José, siglo I (padres y carpinteros)—19 de marzo
José de Arimatea, siglo I (dueños de funerarias)—17 de marzo
José de Cupertino, 1603-63 (astronautas)—18 de septiembre
Juan Apóstol, siglo I—27 de diciembre
Juan Bautista, *c.* 30 (monjes)—24 de junio
Juan de Beverley, 721—7 de mayo
Juan Bosco, 1815-88 (escolares)—31 de enero
Juan El Callado, 454-558—13 de mayo
Juan de Capistrato, 1386-1456 (juristas)—23 de ocubre
Juan Crisóstomo, 347-407 (predicadores y oradores)—13 de septiembre
Juan Climacus, 649—30 de marzo (página 54)
Juan de la Cruz, 1542-91 (místicos)—14 de diciembre (página 178)
Juan Damasceno, *c.* 657-749—4 de diciembre
Juan de Dios, 1495-1550 (libreros, impresores)—8 de marzo
Juan Eudes, 1601-80—19 de agosto
Juan Fisher, 1469-1535—22 de junio
Juan Gualbert, 1073 (guardabosques)—12 de julio
Juan Kanti, 1390-1473—23 de diciembre
Juan El Limosnero, siglo VII—23 de enero
Juan Nepomuceno, 1330-83 (confesores)—16 de mayo
Juan Neumann, 1811-60—5 de enero
Juan Vianney, 1786-1859 (párrocos)—4 de agosto
Juan Baptista Rossi, 1698-1764—23 de mayo
Juan Baptista de la Salle, 1651-1719 (profesores)—17 de abril
Juana de Arco, 1412-31-30 de mayo
Juana de L'Estonnas, 1640—2 de febrero
Juana Francisca de Chantal, 1572-1641—12 de diciembre
Judas, siglo I, (casos desesperados)—28 de octubre
Julia, siglo V—23 de mayo
Julia Billart, 1751-1816—8 de abril
Juliana Falconieri, 1341—19 de junio
Justino, *c.* 100-67—1 de junio
Justiniano, siglo VI—5 de diciembre

Kenelm, 812 o 821—17 de julio
Kentigern (Mungo), *c.* 600—14 de enero

Lamberto, *c.* 635-709—17 de septiembre
Lázaro, siglo I—17 de diciembre
Leocadia, 304—9 de diciembre
Leonardo, siglo VI (prisioneros de guerra)—6 de noviembre
Lioba, 782—28 de septiembre
León El Magno, 461—10 de noviembre
Lorenzo, 258 (cocineros)—10 de agosto
Lorenzo de Brindisi, 1559-1619—21 de julio
Lorenzo Justiniano, 1381-1455—5 de septiembre
Lucas, siglo I (pintores y médicos)—18 de octubre
Lucía, 304 (problemas oculares)—13 de diciembre
Lucía Filippini, 1672-1732—25 de marzo
Ludgerio, 809—26 de marzo
Luis IX, 1214-70—25 de agosto
Luisa de Marillac, 1591-1660 (trabajadores sociales)—15 de marzo
Lupo, 478—24 de julio

Macrina La Joven, 327-79—19 de julio
Magdalena Sofía Barat, 1779-1865—25 de mayo
Magno de Orkey, 1075-1116—16 de abril

Malaquías, 1094-1148—3 de noviembre
Malo, siglo VI-VII—15 de noviembre
Marcelo El Centurión, 298—30 de octubre
Marcial de Limoges, siglo III—30 de junio
Marcos, 74 (secretarios)—25 de abril
Margarita Clitherow, 1556-86—25 de octubre
Margarita de Cortona, *c.* 1247-97—22 de febrero
Margarita de Escocia, 1064-93—16 de noviembre
Margarita de Hungría, siglo XIII—26 de enero
María Goretti, 1890-1902—6 de julio
María, Virgen, siglo I, nacimiento—8 de septiembre
María de Egipto, siglo V (?)—2 de abril
María Magdalena, siglo I (penitentes)—22 de julio
María di Rosa, 1813-1855—15 de diciembre
Martín de Porres, 1579-1639—5 de noviembre
Martín de Tours, *c.* 316-97 (mendigos)—11 de noviembre
Mártires de Norte América, entre 1642 y 1649—19 de ocubre
Mártires de Japón, entre 1597 y 1622—6 de febrero
Mateo, siglo I (banqueros y contables)—21 de septiembre
Matías, siglo I—14 de mayo
Matilde, 968—14 de marzo
Mauricio y sus compañeros, siglo III—22 de septiembre
Mauro y Plácido, siglo VI—5 de octubre
Maximiliano, 295—12 de marzo
Maximiliano Kolbe, 1894-1941—14 de agosto
Melitón, 624—24 de abril
Miguel, arcángel—29 de septiembre
Mónica, 332-87 (mujeres casadas)—27 de agosto

Narciso, siglo II—29 de octubre
Navidad (Natividad del Señor)—25 de diciembre
Nemesio, 250—19 de diciembre
Neot, *c.* 877—31 de julio
Nicolás de Flue, 1417-87—21 de marzo
Nicolás de Myra, siglo IV (niños)—6 de diciembre
Nicolás Owen, 1606—22 de marzo
Nicolás de Tolentino, 1245-1305—10 de septiembre
Ninian, siglo V—16 de septiembre
Norberto, *c.* 1080-1134-6 de junio
Notburga, 1313—14 de septiembre

Odilo, *c.* 962-1049—29 de abril
Odón de Cluny, 879-942—18 de noviembre
Olavo, 995-1030—29 de julio
Olimpía, *c.* 410—17 de diciembre
Oliver Plunket, 1629-81—1 de julio
Onésimo, siglo I—16 de febrero
Optato, siglo IV—4 de junio
Osita, *c.* 700—7 de octubre
Osmundo, 1099—4 de diciembre
Osvaldo de Northumberland, 642—9 de agosto
Osvaldo de Worcester, 992—28 de febrero
Oswi, 651—20 de agosto
Otón, 1139-2 de julio
Ouen, *c.* 600-84—24 de agosto

Pablo, *c.* 65—30 de junio
Pablo Aureliano, o Pol, siglo VI—10 de octubre
Pablo de la Cruz, 1694-1775—19 de octubre
Pablo el primer ermitaño, *c.* 345—10 de enero
Pacomio, 346—9 de mayo
Paladio, siglo V—7 de julio
Pambo, 385—18 de julio
Pantaleón, *c.* 305 (comadrona)—27 de julio
Pascual Baylon, 1540-92—17 de mayo
Patricio, *c.* 390-464—17 de marzo
Paula, 404 (viudas)—26 de enero
Paulino de Nola, 431—22 de junio
Paulino de York, 644—10 de octubre
Pedro, *c.* 64 (pescadores y papas)—29 de junio

Pedro de Alcántara, 1499-1562 (vigilantes)—19 de octubre
Pedro Canisio, 1521-97—21 de diciembre
Pedro Celestino, 1215-96—19 de mayo
Pedro Chanel, 1803-41—28 de abril
Pedro Claver, 1580-1654—9 de septiembre
Pedro Crisólogo, c. 450—30 de julio
Pedro Damián, 1072—21 de febrero
Pedro Mártir, 1205-52—29 de abril
Pedro Tarentaise, c. 1102-74—8 de mayo
Perpetua y Felicitas, 203—7 de marzo
Pío V, 1504-72—30 de abril
Pío X, 1835-1914—21 de agosto
Pionio, c. 250—12 de marzo
Policarpo, siglo II—23 de febrero
Porfirio, 420—26 de febrero
Pretextato, 586—24 de febrero
Próspero de Aquitaine, 446—25 de junio

Quirico c. 304—16 de junio

Radegunda, 518-87—13 de agosto
Raimundo de Pennafort, 1175-1275—7 de enero
Remigio, 533—25 de octubre
Ricardo de Wych, 1197-1253—3 de abril
Rita de Cascia, 1377-1447—22 de mayo
Roberto Bellarmine, 1542-1621—17 de septiembre
Roberto de Knaresbourgh, 1160-1218—24 de septiembre
Roberto de Molesme, 1027-1110—29 de abril
Romualdo de Ravenna, c. 950-1027—19 de junio
Roque, c. 1350-80—16 de agosto
Rosa de Lima, 1586-1617 (floristas)—23 de agosto
Rosa de Vitervo, 1252—4 de septiembre
Ruperto, c. 710—29 de marzo

Sabas, 429-532—5 de diciembre
Sansón, 565—28 de julio
Santos Inocentes—28 de diciembre
Saturnino, 257—29 de noviembre
Sava, siglo XII—15 de enero
Sebastián, siglo III (arqueros)—20 de enero
Segismundo de Burgundy, siglo VI—1 de mayo
Segunda y Rufina, siglos III y IV—10 de julio
Serafín de Sarov, 1759-1833—2 de enero
Sergio de Radonezh, 1315-92—25 de septiembre
Severino Boecio, c. 480-524—23 de octubre
Sexburga, 676-700—6 de julio
Siete Fundadores Servitas, siglo XIII—17 de febrero
Siete Mártires de Samosate, siglo III—9 de diciembre
Sigeberto, 635—27 de septiembre
Sigfrido de Suecia, siglo XI—15 de febrero
Silas, siglo I—13 de julio
Silvestre, 335—31 de diciembre
Simeón de Jerusalén, c. 116—18 de febrero
Simeón Estilita, 390-459—5 de enero
Simón, siglo I—28 de octubre
Simón Stock, 1265—16 de mayo
Simplicio, c. 304—29 de julio
Sinfiriano, c. 200—22 de agosto
Sixto I, 127—3 de abril
Sixto II, 258—6 de agosto
Sofronio, siglo VII—11 de marzo
Soter, 1774—22 de abril
Sozón, siglo IV—7 de septiembre
Susana, siglo III—11 de agosto
Swithun, 862, 15 de julio
Tecla, siglo I—23 de septiembre
Teilo, siglo VI—9 de febrero

Teobaldo, 1066—30 de junio
Teodoro de Canterbury, 690—19 de septiembre
Teodoro Soldado, 306—9 de noviembre
Teodoro de Sykeon, 613—22 de abril
Teodosia, siglo IX—29 de mayo
Teodosio El Cenobiarca, 432-529—11 enero
Teófanes, 818—12 de marzo
Teresa de Avila, 1515-82 (los que sufren dolores de cabeza)—15 de octubre
Teresa Couderc, 1805-85—26 de septiembre
Teresa de Lisieux, 1873-97 (misioneros)—1 de octubre
Teresa de Portugal, 1250—17 de junio
Tiburcio y Susana, siglo III—11 de agosto
Timoteo, 97—26 de enero
Tito, siglo I—26 de enero
Todos los Santos—1 de noviembre
Tomás, siglo I—3 de julio
Tomás de Aquino, 1125-74 (estudiantes)—28 de enero
Tomás Becket, 1118-70—29 de diciembre
Tomás de Hereford, 1218-82—2 de octubre
Tomás Moro, 1478-1535 (abogados)—22 de junio
Tomás de Villanova, 1486-1555—22 de septiembre
Toribio de Mogroveio, 1538-1606—23 de marzo
Tutilo, c. 915—28 de marzo

Urbano, 230—25 de mayo
Ursula y compañeros, siglo IV (?) (niñas)—21 de octubre

Valentín, siglo III (enamorados)—14 de febrero
Vedasto, 539—6 de febrero
Venancio Fortunato, c. 530-610—14 de diciembre
Verónica, siglo I—12 de julio
Verónica Giuliani, 1660-1717—9 de julio
Vicente Ferrer, 1350-1419—5 de abril
Vicente de Lérins, c. 445—24 de mayo
Vicente Pallotti, 1795-1850—22 de enero
Vicente de Paul, 1581-1660—27 de septiembre
Vicente de Saragossa, 304—22 de enero
Victoria Fornari-Strata, 1562-1617—12 de septiembre
Victorino, c. 303—2 de noviembre
Vidal, siglo III—4 de noviembre
Virgilio, 784—27 de noviembre
Vito, c. 303 (bailarines)—15 de junio
Viviana, siglo IV—2 de diciembre
Vladimiro, 995-1015—15 de julio
Vulmaro, c. 700—20 de julio

Walburga, 779-25 de febrero
Waldetrudis, siglo VII—9 de abril
Walerico, 620—12 de diciembre
Walter (Gualterio) de L'Esperp, 1070—11 de mayo
Wenceslao, 907-29—28 de septiembre
Wilfrido, 633-709—12 de octubre
Willibald, 786—7 de julio
Wilibrordo, 658-739—7 de noviembre
Winifride, siglo VII—3 de noviembre
Winwaloe, siglo VI—3 de marzo
Winstan, 850—1 de junio
Withburge, c. 743—8 de julio
Wolfgang, c. 930-94—31 de octubre
Wulfric, 1154—20 de febrero
Wulfstan, c. 1008-95—19 de enero

Zacarías, 752—15 de marzo
Zenón de Verona, 371—12 de abril
Zita, 1218-72 (sirvientes)—27 de abril
Zósimo de Siracusa, c. 660—30 de marzo